Cómo l

«Dan Allender escribe sobre la crianza d
gran franqueza. Este libro es un regalo para la familia».

JOHN ORTBERG, autor de *Everybody's Normal Till You Get to Know Them*

«La comprensión de Dan de cómo se desarrolla el carácter le pega al blanco en el centro».

BILL HYBELS, pastor principal de la *Willow Creek Community Church*

«Este libro es sincero, inspirador, realista y está lleno de humildad y gracia. Y Dan es el mejor relator de historias que conociera jamás».

BRIAN McLAREN, autor de *A New Kind of Christian*, pastor de *Cedar Ridge Community Church* y miembro de *Emergent* (emergentvillage.com)

«Dan escribe con valor y franqueza sobre las formas en que fracasan los padres; y, sin embargo, conocemos a Dios de manera más íntima como Padre que en cualquiera de las otras esferas de la vida. Este libro lo desafiará a cambiar cuando vea que la intención de Dios es que sus hijos sean instrumentos para su propio crecimiento y madurez».

HEATHER WEBB, profesora, terapeuta y autora de *Redeeming Eve: Finding Hope Beyond the Struggles of Life*

«*Cómo los hijos crían a los padres* es una invitación a apreciar mucho el sabor de la generosidad redentora de Dios servida en la vorágine de la relación padre-hijo. No lea este libro para buscar más respuestas, sino para buscar más de la gracia de Dios».

SCOTTY SMITH, pastor principal de la *Christ Community Church* en Franklin, Tennessee

«Dan Allender, con mucha perspicacia nos insta a escuchar a nuestros hijos a través del ruidoso escenario de la vida. El próximo libro que lea sobre la crianza de los hijos debería ser este».

TREMPER LONGMAN III, profesor de Westmont College y autor de *How to Read Proverbs*

CÓMO LOS HIJOS CRIAN A LOS PADRES

DR. DAN B. ALLENDER

Publicado por
Editorial Unilit
Miami, Fl. 33172

Primera edición 2004

Originalmente publicado en inglés con el título:
How Children Raise Parents
por WaterBrook Press
2375 Telstar Drive, Suite 160
Colorado Springs, Colorado 80920. *Una división de Random House, Inc.*

Publicado en español con permiso de WaterBrook Press,
una división de Random House, Inc.
WATERBROOK y el logotipo con el diseño del ciervo son marcas registradas de WaterBrook Press, una división de Random House, Inc.

Proyecto conjunto con la agencia literaria Alive Communications, Inc. 7680 Goddard Street, Suite 200, Colorado Springs, CO 80920.

Traducido al español por: Raquel Monsalve
Fotografía de la cubierta por: Photodisc

Los nombres de los personajes en las historias narradas en este libro han sido cambiados para proteger su identidad.

A menos que se indique lo contrario, las citas bíblicas se tomaron de *La Santa Biblia Nueva Versión Internacional* (NVI). © 1999 por la Sociedad Bíblica Internacional.

Las citas bíblicas señaladas con LBD se tomaron de la Santa Biblia, *La Biblia al Día*. © 1979 por la Sociedad Bíblica Internacional.
Usadas con permiso.

Producto 496749
ISBN 0-7899-1160-4
Impreso en Colombia
Printed in Colombia

A mis hijos:

Anna, Amanda y Andrew

Contenido

PREFACIO

Soy padre

¿En qué pensaba? ¿En qué pensaba Dios?

Nunca he tenido más dificultad para escribir un libro que con este. El proceso de escribirlo ha abarcado aflicciones y pérdidas, presiones y demandas que parecían mayores que las de los demás períodos de mi vida juntos. Sin embargo, nada de eso explica la verdadera guerra que se llevaba a cabo para la publicación de este libro...

Al igual que casi todas las verdades que al final se aceptan, parece inconcebible que no la reconociera hace mucho tiempo. La razón que no he permitido que la escritura de este libro fluyera es simple: No soy un buen padre. Amo a mis hijos con todo el corazón y estoy muy preocupado por mis fracasos de padre.

Cada uno de mis hijos me ama desde lo más profundo. Tenemos un vínculo que estoy convencido de que será duradero y que se extenderá más allá del tiempo que yo viva. Y mi inquietud no nace del dolor que experimento cuando veo a mis hijos que a veces toman decisiones horribles que casi siempre se deben a mis propios fracasos. Tengo hijos buenos y encantadores. Y sobre todo, tengo a mi maravillosa esposa, Becky, a quien agradecer por ese don.

No es solo el asunto del fracaso el que me obstaculizara mi escritura. Es algo más tangible y que toca las fibras más íntimas del corazón. Al final, logré nombrar parte de este dolor cuando una escritora amiga, quien había escuchado mis quejas por dos años sobre ese libro, escribió en un correo electrónico lo que pensaba que sucedía. Declaró lo que yo sabía que tenía dentro de mí, pero al parecer no lograba expresar:

> Debe parecer en extremo injusto que la gente crea que tú debes saber y hacer todas las cosas que enseñas. ¿No has enseñado que podemos hablar mediante nuestras debilidades? Su fortaleza se perfecciona en nuestras debilidades. Así que continúa. Sí, admite desde el principio: «No debería estar escribiendo este libro porque soy el mayor de todos los padres pecadores. No hay nadie peor que yo. He pasado tanto tiempo enseñándoles a los demás que he perdido momentos importantes en las vidas de mis hijos: la primera palabra ("pa-pa"), el primer juego de béisbol de niños, las graduaciones del jardín infantil, las primeras citas [...] Cuando he estado "con" ellos, a menudo no he estado presente. Cuando he estado presente, les he rugido como un león.
>
> »Aunque, más doloroso aun, debo admitir que ha habido breves momentos sobresalientes, cuando la gloria de Dios ha traspasado las nubes oscuras de mi furia por mi dolorosa niñez, y he sido el padre que el Padre me llamó a ser. Y esos momentos me impulsan, me hacen doler como la mujer estéril de Isaías 54 para llevar fruto en las vidas de mis hijos. Y sí, este es el lugar desde el que les escribo».

Una amiga fue la que escribió esos pensamientos cuando no los pude explicar. Y son ciertos. Del mismo modo que debemos hacer palabras nuestras experiencias para que alguien nos escuche, también debemos escribir para que otros lean, si es que queremos conocer a fondo nuestro propio corazón. Así que, al igual que el salmista, he tomado las palabras de otra persona y las he usado como si fueran mías porque deseo ser más de lo que soy.

Este libro es sobre todo para padres y madres. La puerta para llegar a conocernos a nosotros y a Dios a menudo se encuentra en una relación con alguien que depende de nuestro cuidado. En tal relación de necesidad, nos enfrentamos con lo que se nos ha dado para regalar a otros, lo mismo que con cuanta frecuencia no damos todo lo que tenemos. Esa disparidad entre el potencial y la realidad es lo que puede rompernos el corazón. Tengo muchísimo; doy muy poco. No existe una relación en el mundo en que se nos llame a ser más nobles y a sacrificarnos de forma más profunda que con nuestros hijos. Y nuestros corazones están traspasados en lo más hondo por ese fracaso de dar todo lo que ellos quizá tengan en cualquier otra relación.

¿Por qué esto es una buena noticia? Porque ninguna otra esfera de la vida nos compromete más a la esperanza, nos da más miedo soñar, nos hace más defensivos de nuestras decisiones y más dispuestos a recibir ayuda... todo al mismo tiempo. La intensidad y la pasión de criar hijos no solo trae el potencial de revelar lo peor en nosotros, sino también lo mejor que tenemos como seres humanos. Es el lugar en nuestra vida en el que somos más receptivos a la obra de Dios para cambiarnos, si solo permitiéramos que nuestros hijos nos guíen a la madurez espiritual.

Tengo un anhelo para este libro: que nos lleve a amar más a nuestros hijos y al Dios que se manifiesta como el divino y amoroso Padre que todos ansiamos tener. Que el Señor permita que experimente el increíble y tierno amor de Dios a medida que aprendemos cómo nuestros hijos nos crían a nosotros. Que todos nos asombremos de lo bien que Dios ha escrito en las vidas de nuestros hijos las cosas que tiene la intención que aprendamos de Él.

INTRODUCCIÓN

Los hijos moldean nuestras almas

Es por eso que necesitamos leer a nuestros hijos

Y el Hijo llegó a ser Padre del Hombre.
WORDSWORTH

El proceso de criar hijos sigue siendo la experiencia más perturbadora y santa de mi vida. Es única en su inesperado y extraño aspecto. En contraste, mi matrimonio es una montaña rusa que sube y baja de penas y alegrías, casi siempre de profunda alegría; pero es una relación de la que sabía algo antes de entrar a ella. Ah, ahora me doy cuenta de que lo que sabía sobre mi esposa era muy poco en realidad y casi todo bajo la sombra de mis propios prejuicios. Aun así, bastó para que me casara y ha sido la base de una magnífica y maravillosa confusión, pues mis opiniones sobre mi esposa han cambiado durante veinticuatro años.

Por otra parte, no escogí a mis hijos. En su lugar, decidí ser padre. Con cada uno de mis hijos, no tuve elección en cuanto a sexo, color de ojos, inteligencia, aptitudes, salud o disposición sobre la vida. Vinieron formados por completo y estampados de forma única.

Lo que sabía sobre ser padre se habría escrito varias veces en la cabeza de un alfiler. Sabía lo que era bueno. Y a veces, en momentos particulares, *quería* ser padre. No obstante, si a mi esposa en realidad no le hubiera entusiasmado tanto la posibilidad de ser madre, es posible que yo hubiera dejado de lado el pensamiento hasta que hubiéramos pagado algunas cuentas, comprado una casa un poco mayor, comprado algunos de los «juguetes» que siempre he querido y madurado lo suficiente como para ser un buen padre. Esto último era lo que me mataba.

Fui hijo único que creció con una madre que también lo fue, lo que significa que no tuve primos, mucho menos hermanos. No recuerdo que cargara un bebé ni que estuviera cerca de un pequeño hasta después de los veinte años de edad. Esta falta de conocimiento fue significativo, pero no trascendental. Más inquietante fue mi egoísmo. Me había encantado el privilegio de ser hijo único en mi hogar en la Navidad y abrir los montones de regalos que esperaban debajo del árbol. Los horarios familiares se hacían alrededor de mí y de nadie más. Los recursos familiares estaban a mi disposición y nunca tuve que compartir nada.

Cuando me casé, fui lo bastante inteligente como para darme cuenta de que si Becky y yo íbamos a dar a luz (sí, me doy cuenta de cuán absurda *era* la palabra) a un pequeño intruso, me destronarían. Aun antes que tuviéramos hijos, sin embargo, la vida había cambiado porque mi esposa no tenía nada que ver con hacerme pasar por su «hijo único», ya sea que tuviéramos hijos o no. Ya me habían pedido que renunciara a mi egoísmo. No obstante, sabía que un hijo no solo me destronaría por completo, sino que en realidad *ocuparía mi lugar* en ese trono. Era receptivo a la posibilidad de la paternidad, pero no iba a saltar con demasiada precipitación al agua.

Como lo decretaría la Providencia, para cuando estuve listo para tener hijos, habíamos sufrido los dolores de la infertilidad y el aborto. Ese capítulo de nuestra vida fue agonizante. El hijo que mi esposa deseaba con tanta desesperación se apoderó de nuestra vida sexual, consumió nuestro tiempo libre y destruyó nuestra esperanza cada mes cuando volvía la menstruación para burlarse de nuestra (mía) estéril labor.

Se hicieron pruebas. Se midió la temperatura. Los momentos prescritos de intimidad sustituyeron la espontaneidad, y la rutinaria tarea de concebir comenzó a reducir la pasión de nuestra unión íntima. Las relaciones sexuales se convirtieron en una tarea. Comenzaba un embarazo y nuestro exilio terminaba solo para que se nos negara la esperanza en el aborto. Algo en mí dijo: «Nunca más. Nunca más me voy a preocupar por la unión de un espermatozoide y un óvulo para sufrir de nuevo esta clase de dolor».

Aun así, lo hice. Pasó otro año, mi esposa comenzó a redondearse y siguió así, y durante los siguientes nueve meses nos preocupamos y nos inquietamos hasta que llegó el día en que Becky dijo al fin: «Llegó el día. Tenemos que ir al hospital». Salté de la cama, tomé mi ropa y la bolsa de la cámara fotográfica, y corrí al garaje solo para darme cuenta de que no estaba vestido, no tenía las llaves y mi esposa todavía no se había levantado. Al final regresé a la cama y, tres horas más tarde, después de dormitar a ratos, nos levantamos para ir al hospital.

El día quedó confuso.

Después de un proceso agonizante (la historia se relatará en un capítulo posterior), miré a mi hijita y me cautivó algo que es imposible de explicar: me enamoré al instante. Nunca en mi vida, salvo en el nacimiento de mis otros dos hijos, he estado atrapado en la pasión y la gloria de la vida de una forma tan completa y a fondo. Si alguien en ese momento me hubiera exigido dar mi vida por mi hija, habría sido el hecho menos egoísta y de menor esfuerzo de mi vida.

Mi primera lección, ¿y cómo llamarla así sin trivializar el momento?, fue que en mí existía un amor que era nuevo, puro y feroz. Los oscuros y delicados ojos de mi hija me consumieron con su belleza. Me quedé atontado. ¿Pero qué me infundió tal amor en ese momento? No me sorprendió tanto amar a mi hija al instante, sino que me sorprendió la magnitud del amor. El amor me *invadió*, un amor que era a la vez extraño e igual que yo, pero un yo que nunca antes me había considerado ser. Todo eso ocurrió en el mismo instante en que mis pensamientos se perdieron en la mirada de mi hijita.

En ese momento comprendí que esa niña y los niños que vinieran después me enseñarían más de lo que yo pudiera esperar enseñarles a ellos. Desde aquel momento mi vida nunca ha vuelto a ser la misma. Nunca será la misma por toda la eternidad y debo agradecérselo a mis hijos.

He aquí la premisa principal de este libro: Dele a Dios gracias por sus hijos porque son los que lo hacen crecer en madurez espiritual. Mucho más que preocuparse en corregir, convertir o aconsejar a sus hijos, dele gracias a Dios por lo que sus hijos le están enseñando a usted. Hasta el punto de que su corazón se sobrecoja de gratitud por sus hijos, ellos van a recibir la educación principal que más necesitan, el conocimiento de que en verdad se les aman, aprecian, y que usted se deleita en ellos. Solo una madre o un padre agradecido logra invertir en sus hijos la convicción de que son el centro de amor incondicional.

Sin embargo, existe un pequeño problema. Hay muchísimas veces cuando no estoy agradecido por mis hijos. Supongo que en algún sentido ontológico y metafísico grande en realidad, esté agradecido aun en esos momentos. Muy dentro de uno, la mayoría de los padres están agradecidos por sus hijos. Con todo, solo es preciso una noche de vómitos, un proyecto de ciencia que aparece por primera vez el domingo por la noche y que se debe entregar el lunes, una mentira, un incidente de robo en una tienda, la crisis de un embarazo o que un hijo se aparte de Dios en forma determinada, para que nos haga olvidar nuestra gratitud. Cuando nuestros hijos hacen cosas que nos avergüenzan, es mucho más fácil apartarse. En el peor de los casos, es posible volvernos en su contra con culpa, enojo y hasta rechazo.

¿En qué pensábamos?

La mayor parte del tiempo estamos agradecidos por nuestros hijos sin darnos cuenta en forma particular. Existen otros momentos cuando nuestro gozo y gratitud brillan en todo su esplendor. Y también hay momentos en los que nos preguntamos: «¿En qué *pensábamos*?». Al principio, la mayoría de nosotros no consideramos el costo emocional y espiritual de ser padres. Y aun si pudiéramos considerar el precio, sería imposible comprender la clase de viaje que emprendemos.

Después que naciera nuestro primer manojo de gozo, la realidad más complicada que Becky y yo enfrentamos fue cómo movilizar toda la parafernalia: asiento para el auto, cochecito, bolsa de pañales, juguetes y equipo de vídeos, desde nuestra casa hasta nuestros diversos destinos. Existen algunos obstáculos logísticos en el camino, aunque sean pequeños. La mayoría de los padres no logran comenzar a imaginarse cómo sus hijos los van a cambiar hasta la médula de lo que son. Sé que jamás lo sospeché.

Hace unos años tuve el privilegio de hablar en un centro que ayuda a mujeres embarazadas en crisis, a fin de ayudarles a recoger fondos, y escuché una historia sorprendente de un padre a quien su hija lo transformó. En esa época me encontraba extenuado con mis hijos y mi ajetreada vida. Como es a menudo el caso cuando quiero rendirme, Dios me ofrece una visión y nueva esperanza mediante la historia de otra persona. Esta historia en particular cambió mi corazón de: *¿En qué estaba pensando?* A una nueva pregunta: *Dios, ¿qué es lo que quieres?* Aquel día, en ese centro, escuché la historia transformadora de un hombre maravilloso, milagroso y común llamado David. Nunca he vuelto a ser la misma persona.

David creció en el sur de los Estados Unidos antes del movimiento de los derechos civiles y la segregación era la forma en que se vivía. Asistió a una escuela segregada, tomaba de las fuentes de agua solo para blancos y asistía a un cine que exigía que los niños negros se sentaran en una galería destartalada mientras que los niños blancos se sentaban en el piso principal. Esa era solo la forma en que se hacían las cosas.

Su vida siguió un curso típico para su clase social. Asistió a la universidad, consiguió un buen trabajo y tuvo una familia. En algún momento, la esposa de David comenzó a ayudar en un centro para mujeres embarazadas en crisis. Él la apoyaba, pero tenía su propio mundo de comercio, iglesia y golf. Solo en algunas ocasiones acompañaba a su esposa en su ministerio a favor de la vida.

Al final, ella llegó a ser la directora del centro. Las conversaciones en la mesa familiar se sazonaban con alegres historias de vidas salvadas, así como de angustiosos relatos de familias rotas y el trágico desarrollo de varias enfermedades por transmisión sexual, pero toda la familia participaba en el esfuerzo a favor de la vida de los niños no natos.

Un día, la esposa de David lo llamó y le pidió que fuera al centro. Cuando llegó, le contó que su hija adolescente estaba embarazada. David se sintió devastado. Cuando se enteró de que el padre del bebé era negro, se enfureció. Su hija no solo pasó por alto la prohibición de Dios de las relaciones sexuales prematrimoniales, sino que cruzó una línea cultural, violando un tabú que se le había inculcado desde su propia niñez.

De repente, la decisión de dejar que el embarazo llegara a su término fue mucho más difícil de lo esperado. Sin embargo, una vez que se tomó la decisión, el asunto de dar al niño en adopción era inconcebible. El embarazo progresó y llegó el día del alumbramiento. David estaba allí, y en cuanto nació el niño, miró a su nieto a los ojos.

Al instante, se enamoró. Quizá sería mejor decir que lo sobrecogió el amor. David le dijo a un auditorio de seiscientas personas que enseguida se dio cuenta de que su nieto era parte de su sangre y carne. Su nieto era negro, así que el nuevo abuelo también era negro. Un hombre blanco que había crecido en el segregado sur de los Estados Unidos, y sin persuasión ni arrepentimiento, se convirtió al instante en un hombre negro de corazón.

Las lágrimas le corrían por las mejillas a David mientras hablaba. Miré al lugar lleno de hombres y mujeres del sur y vi que cientos de ellos lloraban. También había algunos rostros que mostraban tensión, austeridad y que luchaban por permanecer corteses. Para estas personas, David se convertía en un extranjero y un extraño. Y el extraño lloraba de alegría por su nieto.

No sé si alguna vez he sentido que el evangelio fuera más escandaloso y hermoso que en esos momentos. David terminó su charla expresando gratitud a su hija, quien estaba sentada en la mesa principal. Dijo: «No sé cómo agradecerte lo suficiente. Tomaste a un hombre cristiano sincero y cómodo, y lo arrojaste a los brazos de Dios. He vuelto un hombre que conoce su propio pecado y el amor de Dios de tal manera que nunca volveré a ser el mismo».

David no usó esta frase, pero hubiera sido apropiado que dijera: «Me hiciste crecer. Me criaste para conocer a Dios». Nuestros hijos son los que sirven de puerta para que pasemos y nos encontremos con Dios cara a cara.

¿En qué pensaba Dios?

¿Cuándo estamos agradecidos por nuestros hijos? ¿Cuándo nos deleitamos en ellos, incapaces de contener nuestra felicidad y nuestro sentido de bendición? La mayoría de las veces es cuando muestran la excelente disposición genética que se les otorgó al sacar buenas notas en un examen o anotar un tanto colocando la pelota en el cesto en el momento en que suena la campana para finalizar el partido. Cuando nuestros hijos cumplen nuestros sueños y satisfacen nuestras expectativas, nos sentimos felices.

Sin embargo, cuando su hijo regresa de una visita a la casa de su hermano mayor y le muestra un nuevo tatuaje, la felicidad se apaga. O cuando su hija trae a su casa a su novio y este pertenece a otra raza, es una historia diferente. Nuestra gratitud se interrumpe por asuntos superficiales que simplemente no tienen importancia, o por asuntos que solo nos importan a nosotros como padres de una manera privada en algo que preferimos, pero que no afectan el bienestar de nuestros hijos.

Un problema es que somos muy dados a guiar a nuestros hijos. Gastamos demasiado dinero y tiempo en asuntos relacionados con los hijos que compiten con la simple y profunda apreciación que deberíamos sentir por nuestros hijos. A su vez, el dinero y el tiempo que invertimos llevando a los niños a campeonatos de tenis, lecciones de música, club de oratoria y una legión de excesivas oportunidades, aumentan el sentido del niño de que tiene derecho a esas cosas y el sentimiento del padre o de la madre que esto produce un gasto innecesario y excesivo de energía, tiempo y dinero. Esto lleva a la actitud de que: «Mi hijo me debe mucho».

Nunca ha habido otra época en que los padres gastaran más dinero, tiempo y energía en complacer a sus hijos. Y tampoco ha habido una época en que los hijos les mostraran a sus padres menos respeto, afecto y honor. Es triste, pero nuestra tendencia es a culpar a nuestros hijos por esto. Aun así, es poca la responsabilidad que tiene un niño de ocho años, o un adolescente de dieciséis o un joven de veinticuatro, en el fracaso de sus padres. Es hora de que asumamos la responsabilidad de nuestros propios fracasos y que seamos la clase de personas que son buenos padres.

El primer paso hacia una solución es reconocer que nuestro foco está fuera de lugar. Si uno revisa la enormidad (*superabundancia*, en realidad) de vídeos, guías de estudio, conferencias y artículos de revistas sobre cómo criar a los hijos, el foco está casi siempre en qué hacer con su hijo, no en lo que significa llegar a ser un buen padre. Participar en más actividades enfocadas en los hijos nos hace creer que mejoramos, aun cuando se ahonda nuestro resentimiento hacia nuestros hijos.

Entre esos recursos sobre la crianza de los hijos, a menudo encontramos una lista en la que es común que se pongan de acuerdo en cualidades del carácter: sinceridad, justicia, firmeza, cuidado, compasión, empatía, amor, compromiso y fortaleza. A nadie le debe faltar ni un solo asunto de la lista. ¿Pero cuánta ayuda provee, en realidad, que se nos diga que es preciso que nos ajustemos a esos atributos y que debamos insistir en que nuestros hijos hagan lo mismo?

Cuando les pregunto a los adultos qué se requiere para ser un buen padre, me repiten el parloteo del campo terapéutico o el horario más novedoso que existe sobre la alimentación de los hijos o la técnica más avanzada de dar nalgadas adoptada por la rama más conservadora dentro del movimiento de la paternidad. Después quizá me lancen una dosis del comentarista Rush Limbaugh o de Homer Simpson, dependiendo de con cuál de los dos pasan más de su tiempo. Sin embargo, cuando les pregunto a los padres qué han *aprendido de sus hijos,* sus rostros se quedan inexpresivos. Aun más, cuando les pregunto: «¿En qué forma sus hijos han cambiado, transformado y redimido sus vidas?», recibo una mirada sospechosa, como si vistiera un traje verde claro de poliéster de la década de los años setenta.

¿Por qué es tan difícil creer que la intención de Dios es que nuestros hijos nos enseñen tanto como es su intención que preparemos y guiemos a nuestros hijos? ¿Por qué es tan inconcebible que Dios diseñara a un hijo para que sea el ser humano mejor calificado para frustrar y hacer añicos la arrogancia y la justicia propia de un padre? ¿Y por qué no ponemos esta responsabilidad de aprender a la misma altura de la responsabilidad de un padre de darle forma adecuada al corazón y a la mente de un niño?

Si queremos ser buenos padres, debemos aprender a leer a nuestros hijos, y eso requiere aprender a escucharlos, lo cual es una de las tareas más difíciles y absorbentes de la vida. En el punto que leemos a nuestros hijos según los escribió Dios, comprendemos la gloria inefable de los que más debemos conocer y disfrutar. La intención de Dios es revelarse a nosotros por medio de nuestros hijos, tanto o tal vez más de lo que quiere que les enseñemos a nuestros hijos sobre Él. A menos que una persona, sobre todo un adulto, tenga la fe de un niño, jamás entrará al reino de Dios[1].

¡Qué afirmación tan radical! A menos que nos acerquemos a Jesús como niños, no tenemos esperanza de heredar el reino. Para conocer a Jesús como un niño, debemos ser tan necesitados, tan exigentes e inmaduros como un niño. A los niños no se les conoce por la forma profunda en que captan las cosas, tampoco por su capacidad de que con naturalidad pospongan el placer inmediato para obtener más placer en el futuro. Los niños no son expertos en la complejidad de las relaciones (como leer motivos, discernir ardides, cambiar alianzas), así que muestra mayor sinceridad y nobleza en cuanto a lo que es simple y verdadero. Un emperador desnudo sigue desnudo sin importar cuánto dinero ni tiempo se utilizara para maquinar sus ilusiones. Debemos acercarnos a Jesús con desnuda sinceridad y necesidad, y no hay nadie mejor calificado para mostrarnos el camino que nuestros hijos. Ellos son los guías expertos que necesitamos si esperamos llegar más cerca de Dios.

Les haré esta aseveración desde el principio: Un cambio en nuestra perspectiva no solo aumentará nuestro gozo y libertad en la crianza de nuestros hijos, sino que a largo alcance invitará a nuestros hijos a convertirse en herederos de la vida eterna. Y va a lograr estas cosas sin que coloquemos los pesos y las cargas que de forma indebida obligamos que lleven nuestros hijos. No solo nos liberará para disfrutar más de ser padres, sino que también les permitirá a nuestros hijos ser más eficientes en cuanto a moldear nuestras almas. Es el más atractivo trato de beneficio mutuo que me pueda imaginar.

Si es un padre joven o espera un hijo, es probable que sienta cierta aprensión en cuanto al camino que le espera por delante. Quiero que sepa que Dios ya ha preparado un sistema que le quitará el temor y lo armará con confianza. Si es un padre experimentado, aun si sus hijos ya salieron del hogar, este libro tiene mucho que decirles. Los padres nunca dejan de ser padres, aun si tiene adolescentes a los que casi no ve o hijos adultos con hijos. Es posible que salgan de su hogar, pero jamás de su corazón. No solo le espera una nueva y maravillosa época de crianza con sus hijos jóvenes, sino también cuando lleguen sus nietos. Estamos más dispuestos y listos para la transformación cuando aprendemos de nuestros hijos y los escuchamos, y nunca es demasiado tarde para aprender.

Volvamos la página y comencemos el proceso de escuchar.

CAPÍTULO 1

Escuche la voz de sus hijos

Cómo responder a sus dos preguntas críticas

El envejecimiento es inevitable, mientras que llegar a la madurez es incierto. Nuestros cuerpos van de la infancia hasta la ancianidad en unas simples ocho décadas. Sin embargo, este proceso de crecimiento físico no siempre hace juego con el ser interior. Algunos mueren cuando son viejos sin haber avanzado en realidad más allá de la adolescencia. Otros mueren jóvenes con almas que han alcanzado un peso y una profundidad que va mucho más allá de sus años.

Madurar, como lo contrario a un simple envejecimiento, nos insta a aceptar el gozo y el dolor. Para madurar debemos aprender a sufrir y a no ceder ni endurecernos. Para madurar debemos aprender también a disfrutar el gozo y a no exigir que permanezca con nosotros, sin fabricar una falsedad cuando se va el gozo. Es posible que existan muchas otras maneras de medir la madurez, pero todas bailan al compás de la música del gozo y el dolor.

La manera en que aceptamos, o nos negamos a conservar, el dolor y el gozo definirá nuestras vidas. Si capitulamos al dolor, nos convertiremos en cobardes. Si permitimos que el dolor nos endurezca, nos enfriaremos y al final llegaremos a ser crueles. Si exigimos la permanencia del gozo, nos carcomeremos. Y si creamos un falso gozo, nuestras vidas van a estar llenas de impulsividad y adicciones. La vida exige que maduremos o que nos estanquemos. Tan difícil como es enfrentar esta verdad en referencia a mi propia vida, es aun más difícil comprenderla en cuanto a mis hijos. Sé que debo sufrir, luchar, madurar y algunas veces fracasar en madurar. Sin embargo, cuando esta realidad muestra ser tan verdadera para mis hijos, casi no lo puedo soportar.

La voz del dolor

Escuché el sonido de lágrimas apagadas que venían del dormitorio de mi hija de dieciséis años de edad. La puerta estaba cerrada y la música de su equipo de discos compactos trataba de cubrir su dolor. No obstante, cuando disminuía la música entre una canción y otra, podía escuchar su llanto. Yo tenía la oreja pegada a la puerta, como cuando temo que algún mal esté amenazando a mis hijos. (Trate de imaginarse la sorpresa y el desprecio de mi hija mayor en otra ocasión cuando, después de haber tramado en secreto un golpe de estado o una cita clandestina con amigas, abrió la puerta y vio a su padre, que había perdido el equilibrio, caerse al suelo. Si está espiando, no se apoye en la puerta del cuarto de su hijo).

A medida que seguían los sollozos, me quedé parado, apoyado en la puerta del dormitorio de mi hija, paralizado y lleno de incertidumbre. ¿Debería tocar a la puerta? ¿Debería esperar y preguntarle durante la cena cómo fue su día? ¿Debería irme a algún lugar y orar, ocuparme en alguna tarea o solo tratar al máximo de no preocuparme? ¿Por qué alguien no me dice con exactitud qué hacer? Sé lo suficiente como para amar a mis hijos, proveerles límites y consecuencias y ser paciente con ellos. ¿Pero qué debo hacer con sus lágrimas? ¿Dejo que arregle sola la situación o entro con intrepidez, donde ningún hombre, en especial su padre, ha entrado antes?

Toqué a la puerta y hubo silencio. La música continuó, pero las lágrimas se secaron ante el primer signo de un posible intruso. Cuando el intruso tocó a la puerta de nuevo, mi hija abrió la puerta, furiosa por la interrupción. Una rápida mirada me lo dijo todo. Sufría y no quería ayuda. Ahora yo era el problema y lo mejor que podía hacer era desaparecer. Aun así, al igual que cuando estoy esquiando, ya había colocado las puntas de los esquís dirigiéndose cuesta abajo, y debido a ciertas fuerzas de la naturaleza, estaba comprometido por completo. Iba cuesta abajo por la pista de esquí sin importar lo que mi hija dijera o no.

No sé cuál sería su modo de actuar preestablecido como padre, pero el mío, en caso de duda, es decir lo que es obvio. «Escuché que llorabas», comencé. «La puerta estaba cerrada. Ahora no estás llorando, pero tienes el ceño fruncido. Sé que para ti la privacidad es más importante que la comida. Ahora estás haciendo muecas y el labio inferior te sobresale más que la nariz».

Ese último comentario cambió las cosas. Cedió un poco. Una sonrisa apareció y luego desapareció como el sol de invierno en Seatle. Con todo, por un breve momento, un momento glorioso, hicimos conexión, y ella me permitió estar de pie a su puerta como una persona, no como un simple padre.

Nunca me invitó a entrar, pero me dijo algo sobre un altercado con dos amigas que la humillaron frente a un muchacho que le gustaba. Es posible que no me dejara entrar porque viera la furia que se elevaba en mis ojos. Conocía a las dos amigas en cuestión, y quería acorralarlas en algún lugar público y darles una porción del mismo veneno que le dieron a mi hija. ¡Cómo se atrevían a herirla después de todas las veces que las había apoyado cuando sufrían con los padres, los amigos, la escuela y otras calamidades de la vida!

Preferiría que me pegaran un tiro antes que ver sufrir a mis hijos. Sin embargo, no lo puedo hacer. Los puedo proteger de ciertas cosas, pero esos momentos son muy pocos y esporádicos.

Es más, a menudo mis esfuerzos para advertirles o impedir peligros, o incluso saltar frente al tren que se aproxima, intensifican sus sufrimientos e interfieren en el proceso de su madurez. Así que, ¿cuándo salto para protegerlos y cuándo me quedo inmóvil, en angustia, solo mirando y esperando? ¡Quiero respuestas y soluciones!

Algunas veces lo único que puedo hacer es ofrecerles un gesto heroico, no importa lo fútil que sea; y hay otras veces cuando me resulta fácil hacer algo, aunque debo permanecer quieto y dejar que el proceso se desarrolle solo. Quiero que mis hijos maduren; lo que no quiero es que maduren a través del sufrimiento. Aun así, no se puede tener lo uno sin lo otro.

La voz del gozo

Faltaban ocho minutos y nuestro equipo perdía 12 a 4. Mi hijo Andrew, que está en el séptimo grado, era el arquero auxiliar del equipo de lacrosse de la secundaria. Jugábamos en las finales del distrito y el ganador iría al campeonato estatal. Le habíamos ganado a este equipo antes, y el partido era intenso y emocionante. No obstante, por alguna razón nuestro equipo estaba lento y nervioso. Cuando el partido comenzaba a acercarse al final y la esperanza parecía desaparecer, enviaron a mi hijo al campo. Los partidarios de nuestro equipo comenzaron a corear su nombre: «Andrew, Andrew, Andrew...». Cada vez que decían su nombre, se me apretaba el estómago. Jugaría ante un equipo de primera clase que quería llevar los tantos hasta el cielo no solo a costa de nuestro equipo, sino también de mi hijo.

El primer ataque de gol llegó en el primer minuto que Andrew entró al partido. Los tiradores llevaron la pelota por el campo y yo pude ver que el cuerpo de mi hijo se tensaba y sus ojos se agrandaban. El primer tiro lo lanzaron a la altura de su cabeza. La dura pelota de lacrosse era una mancha borrosa y yo de forma involuntaria cerré los ojos mientras contenía la respiración. Cuando abrí los ojos de nuevo y respiré, vi que con toda destreza había atajado la pelota en su palo de arquero y se la lanzaba a un compañero de su equipo. La multitud gritó. Pude ver que su respiración bajaba y que su rostro se relajaba. Entonces miré el reloj y me di cuenta de que tendría que mirar este espectáculo por otros siete minutos.

Es uno de los componentes más antiguos de la vida. Queremos tener éxito y sentimos algo como el gozo cuando triunfamos. No obstante, si estuviéramos convencidos de que el gozo se basa en la actuación, nos sentiríamos cada vez más presionados a triunfar. Y mientras mayor sea la presión, más propensos seremos a fracasar. Así, el gozo intensifica el dolor.

El partido prosiguió y los minutos se arrastraron a paso de tortuga. Andrew desvió seis ataques, pero al final el otro equipo anotó un punto. Aunque había jugado mejor que el arquero del primer equipo, le habían hecho un gol. Ahora se encontraba atrapado entre el placer de jugar bien y el dolor de que perdiera su equipo. Cuando el partido terminó, mucha gente lo felicitó por su buena actuación. Sin embargo, cuando le puse la mano en el hombro, se encogió de hombros. No quería que su padre lo tocara frente a sus amigos, y sospecho que no quería que nadie tocara su gloria ni le quitara tampoco una parte de ella ni perturbara el frágil manto que usaba.

Una vez en el auto, no supe qué decirle. Le había dicho que había jugado bien y que estaba orgulloso de él. Le pregunté qué había dicho el entrenador («No mucho»). Quería unirme a su gozo, pero él insistía en mantenerlo sin mi intrusión. Me sentí aislado y herido. ¿Por qué no nos dicen los expertos que nos vamos a sentir solitarios y aislados, envidiosos y celosos, confundidos y enojados por los triunfos y fracasos de nuestros hijos? ¿O yo soy el único?

Cómo los hijos crían a los padres

Tan difícil como es ver crecer a nuestros hijos, es un paseo en el parque comparado a que nos críen nuestros hijos. Ser padre es una de las experiencias más aterradoras, conmovedoras, sobrecogedoras y gozosas de la vida. Es el lugar en el que nos convertimos en adultos (si alguna vez vamos a serlo) a medida que experimentamos el más destacado e inusitado don de la vida: que nos críen nuestros propios hijos.

No hay dudas sobre la responsabilidad de los padres en criar a los hijos. Somos mayores, más sabios y tenemos más experiencia. Los golpes de la vida nos han preparado para ver más allá de la calamidad actual o del corto, pero a la vez exuberante, éxito. Nosotros los padres tenemos que ser los mayores, los entrenadores, los consejeros, los mentores de nuestros hijos, los que los animamos. En otras palabras, los padres debemos ser padres.

Sin embargo, para ser *buenos* padres debemos permitir que nuestros hijos les den forma a nuestra vida. No solo debemos guiar y formar a nuestros hijos, sino que también debemos ir a ellos como estudiantes de la vida. Si lo hacemos así, nuestros hijos crecerán y llegarán a ser adultos maduros capaces de ofrecernos una muestra del cielo. Así se derrama la bendición en ambos.

Llegar a ser buenos padres es un proceso de aprendizaje, que no implica que sigamos una lista de reglas. Aunque, para tener éxito en este proceso de aprendizaje, debemos deshacernos de dos mitos dominantes: Debemos deshacernos del mito que dice que la influencia apropiada garantiza los resultados deseados, y debemos descartar nuestra firme fe en el poder de que los buenos principios garantizan el éxito. Este proceso de aprendizaje requiere un cambio en nuestras prácticas y también un cambio de dirección en nuestras creencias; ninguna de las dos es fácil. Aun así, es del todo posible si tenemos presente que nuestros hijos nos crían a nosotros y que, al hacerlo, posibilitan que nosotros los criemos bien a ellos.

Examine y descarte los mitos

Todos poseemos una meta central: criar a nuestros hijos de tal manera que lleguen a ser adultos que honren a Dios, que sean sacrificados, amorosos y productivos. Sin embargo, al trabajar hacia esa meta, primero tenemos que deshacernos de los dos mitos que le roban poder a nuestra manera de criar a los hijos. Miremos primero al mito que dice que la influencia apropiada garantiza los resultados deseados.

¿Garantiza en realidad la influencia adecuada los resultados deseados?

Suponemos que si les damos a nuestros hijos un «buen» hogar lleno de amor, experiencias positivas, disciplina, una buena educación y suficientes oportunidades para el éxito, van a pasar de la niñez a la adolescencia con pocos escollos. Esperamos que una buena vida familiar lleve con facilidad a nuestros hijos a través de la universidad al matrimonio, a formar una familia, carrera, iglesia y responsabilidades civiles; y si no es con completa facilidad, al menos con la suficiente confianza. Creemos que este proceso es inevitable, la relación de causa-efecto de la crianza responsable de los hijos que produce los adultos bien ubicados y productivos del mañana. Es decir, los resultados son inevitables si logramos mantener a nuestros hijos alejados de compañeros revoltosos, los nocivos medios de comunicación y de las relaciones sexuales y la violencia de la cultura juvenil.

Nos aferramos a este mito de la «buena influencia» como si fuera una promesa de Dios, antes que verlo como el pensamiento religioso con más deseos que en realidad es esperanza. El mito comienza con la suposición de que la mayoría de los hogares de la clase media tienen al menos un padre o una madre en ellos, tal vez dos, que proveerán cuidado suficiente y supervisión para ayudar a sus hijos a progresar desde la niñez hasta una edad adulta de éxito; y no solo una edad adulta de éxito, sino un nivel de logros cuando son adultos que excede al de sus padres.

Esta suposición es en verdad más cultural que bíblica. Sale de las expectativas culturales de que los padres «buenos» les proveen a sus hijos todos los beneficios que recibieron de niños... *y más.* Nuestros hijos se pararán sobre nuestros hombros y saltarán al próximo peldaño en la escalera ascendente de movilidad o algo así según la lógica. Si hacemos nuestra parte, está prácticamente garantizado que nuestros hijos llegarán a una madurez personal, social y espiritual obtenida por nuestro arduo trabajo, oración y fe. Por supuesto que nuestros esfuerzos se refuerzan con la influencia positiva de las instituciones sociales que apoyamos: el sistema educacional, la iglesia, los niños exploradores, los profesores de música, los programas de deportes, etcétera.

Es difícil argumentar contra esta suposición. En la superficie, el poder de la buena influencia parece inexpugnable. ¿No es cierto que la mayoría de los niños criados por padres preocupados y que participan en sus vidas salen bien? Aun los muchachos que pasan por períodos difíciles en la adolescencia parece que al final consiguen buenos empleos, se casan y unen a la corriente de la ciudadanía productiva. Los padres se sacrifican al dirigir sus vidas con responsabilidad mientras crecen sus hijos y después gozan la recompensa de verlos actuar como adultos responsables. Al menos, damos por sentado que esta relación causa-efecto es válida.

Las investigaciones sugieren, sin embargo, que los padres son ingenuos si suponen que su influencia y participación producirá la próxima generación de adultos maduros y productivos de manera automática. La experimentación sexual va en aumento. Después de los accidentes automovilísticos, la violencia ocupa el número uno en muertes de adolescentes. Hacer trampas en la escuela se ve como una manera aceptable de obtener buenas notas. Hoy en día los jóvenes adultos son menos propensos a casarse y pocos de ellos tienen hijos. Menos de diecisiete por ciento de esos niños que se crían en hogares cristianos terminan asistiendo a la iglesia.[1] Nuestros hijos necesitan más que un ambiente hogareño estable. Si van a crecer y ser adultos maduros, debemos ir más allá del mito de la influencia inevitable.

¿GARANTIZAN EN REALIDAD EL ÉXITO LOS BUENOS PRINCIPIOS?

Todo esto nos lleva al mito número dos: nuestra firme fe en el principio del poder de los buenos principios. Debo admitir que, al mirar hacia atrás a la forma en que nos criaron nuestros padres, sobre todo si fueron parte de la generación de la Segunda Guerra Mundial, parecía que se prueba la arrogante promesa de la crianza de los hijos siguiendo los principios. La muy admirada «gran generación» ganó una guerra mundial y luego se dedicó a proveer un ambiente seguro y un sistema educacional que preparó a sus hijos ya sea para asistir a la universidad o para buenas carreras y familias propias. Nuestros padres construyeron sus modelos para criar a los hijos basándose en sólidos principios y en la mayoría de los casos parece que dio buenos resultados.

Mis padres estaban satisfechos con mantenerme ocupado realizando actividades saludables (y fuera de la cárcel). Se aseguraban de que hiciera mis tareas escolares, que participara en los deportes y que practicara el instrumento que tocaba en la banda. La crianza de los hijos no se comparaba a la ciencia que estudia el espacio, tampoco requería que se pensara mucho. Exigía una mano firme y un compromiso sin doblez a la meta de producir hijos que lograran más de lo que lograron sus padres.

Sin embargo, eso fue en aquel entonces. Los cambios culturales han hecho que la crianza de los hijos sea un llamado mucho más exigente y arriesgado. En casi todos los aspectos, vivimos en un mundo mucho más peligroso hoy en día. En la década de los años sesenta, los niños no iban a la escuela pensando si lo iba a balear algún compañero de clase. Muy pocos alumnos de octavo grado se encontraban con un amigo en un cine previendo que participarían en relaciones sexuales orales de grupo. No se escuchaban canciones en la radio que promovieran la violación y el asesinato de mujeres jóvenes. Así que en el mundo de nuestros hijos, las relaciones sexuales han perdido el valor y se glorifica la violencia. No es un misterio que nuestra cultura bendiga el cinismo. ¿Qué alternativa tenemos?

Nuestra cultura está en el penoso período de los cambios radicales. El peligro es alto y las consecuencias de fracaso son abrumadoras, así que exigimos que alguien en autoridad nos diga qué hacer. En tiempos de caos e incertidumbre, los buenos principios hacen mucho para calmar temores. ¿Cuál de nosotros, los padres que pensamos bien, no desearía salvar a sus hijos del azote de nuestro mundo decadente?

En respuesta a ese deseo, los defensores de criar a los hijos según principios nos ofrecen una garantía: Si los padres se adhieren a la buena lista de principios bíblicos mezclada con un poco de perspectivas sicológicas, su consecuente implementación de estos principios proveerá a un hijo con lo que necesita para eludir los daños, madurar y alcanzar salud y esperanza. Solo siga los principios, y usted y sus hijos tendrán éxito.

¿Pero esta garantía no cae por su base? La vida no se desarrolla en una línea recta y nuestros hijos no son programas de computación. La crianza de los hijos está lejos de ser una ocupación científica; es complicada y riesgosa y es un gran paso de fe. Aun el mejor conjunto de principios no logra responder a la pregunta más importante sobre la crianza de los hijos: «¿Qué debo hacer en realidad para asegurarme de que mis hijos van a salir bien?».

¡ALGUIEN TIENE QUE SABER QUÉ HACER!

He aquí la garantía que prueba ser cierta: Lea la Biblia y encontrará principios que vale la pena seguir. Con todo, si busca garantías infalibles sobre cómo van a resultar sus hijos, no las va a encontrar. Si alguien le hace tal promesa, no se la crea.

Cada vez que voy a una librería, reviso la sección sobre la crianza de los hijos para ver qué nuevos libros se han publicado. Por lo general, busco primero libros que tratan de los adolescentes. Mis hijos van de los catorce a los veintidós años, y mi interés en lo que los expertos dicen no es solo académico. A decir verdad, necesito ayuda.

Un «momento típico» reciente en mi familia demuestra mi genuina necesidad de ayuda. Al entrar en la casa desde mi oficina en el garaje, alcancé a oír dos animadas conversaciones, indicando que mi mejor curso de acción sería alejarme. Mi esposa exhortaba a mi hijo, mientras que mi hija menor le gruñía a su hermana mayor. Si hubiera sido sabio, habría salido por la puerta de atrás.

Andrew no había terminado una tarea de literatura. Annie, nuestra hija mayor, había usado un par de pantalones vaqueros de su hermana menor Amanda. Además, mi esposa no estaba contenta. Alguien se había olvidado de ir a buscar los comestibles, y había cuatro listas de cosas que los niños y el esposo debían terminar antes de servir la cena. Todo lo que quería en ese momento era una merienda, tal vez una corta charla, y luego regresar enseguida a mi oficina. Aun así, eso no iba a suceder. La situación que enfrenté me recordó imágenes de las películas que mostraban trincheras de la Primera Guerra Mundial. Usted recuerda la escena: Tropas enemigas que avanzan, haciendo que sea peligroso que uno levante la cabeza, ya sea para avanzar o para retirarse. Sin embargo, quedarse quieto no es una opción. Es posible que su posición la tomen en cualquier momento. Está en una situación en que es difícil ganar, pero debe hacer *algo*.

Quiero encontrar al experto que no solo haya descifrado cómo hacer que la crianza de los hijos dé resultado, sino que la haya perfeccionado en su propio hogar. Esa persona me puede mostrar cómo cambiar esos momentos poco atractivos de guerra familiar en felices momentos de estrechar vínculos familiares.

Tal vez mis hijos necesiten más disciplina. O quizá mi esposa y yo necesitamos quitar algo de la presión para que ellos puedan ser solo niños. ¿Será que no hemos pasado suficiente tiempo orando por nuestros hijos? A lo mejor necesitamos más tiempo significativo como familia o quizá todavía no hemos conseguido el adecuado deporte, instrumento musical o grupo en la iglesia. Nuestra situación demanda la sabiduría de un experto, no los pensamientos embrollados de un simple padre o madre.

Ahora volvamos a la realidad. La mayoría de la gente sabe que ningún experto tiene ventaja en cuanto al laberinto de asuntos que enfrenta cada hijo, padre y familia. Y un libro que contiene buenos principios para criar a los hijos es, en el mejor de los casos, una fotografía tomada a unos diez mil metros de distancia. Nos da una gran vista del terreno que se encuentra abajo, pero rara vez provee una guía de caminos para escoger un sendero sobre otro cuando es importante hacerlo. Cuando el sendero llano en que nos encontrábamos de pronto llega a una encrucijada, y las dos opciones parecen iguales en cuanto a las pendientes y rocas, ¿dónde están los principios que gritan: «Toma el sendero rocoso A y evita a toda costa el sendero rocoso B»? Esos son los principios que necesito, pero que me es imposible localizar.

Más allá de los principios hacia el proceso

Cuando el cielo está claro, todos son felices y los niños prosperan, nos sentimos como si fuéramos los padres más inteligentes del planeta. Es cuando nos encontramos enredados en medio del matorral que nos damos cuenta de nuestras limitaciones y clamamos por *la solución*. Un buen paso hacia esa solución es reconocer que tenemos la ventaja de buenos principios y las herramientas, intuición e inspiración que Dios provee cuando clamamos pidiendo ayuda. Con todo, todavía existe otra fuente de ayuda que la mayoría pasamos por alto y es el experto que tenemos cerca, nuestro hijo. No solo debemos volvernos a los buenos principios, sino al *proceso* de aprender de nuestros hijos a cómo criarlos. Y el proceso de aprendizaje comienza con aprender a escuchar sus voces.

Cuando entré a mi casa desde mi oficina en el garaje, mi hijo guardaba silencio mientras su madre expresaba su disgusto por su falla en terminar una importante tarea de la escuela. Su rostro indicaba que estaba sombrío, pero no arrepentido y que solo tenía un mínimo deseo de concluir su tarea. Si había algún pesar, parecía que solo le entristecía que le descubrieran. ¿Qué significa escuchar su voz (aun cuando guardaba silencio) y ver en realidad lo que hay en su corazón y se comunica a través de su rostro? Sus ojos contaban una historia. Sus músculos faciales estaban tensos y llenos de enojo inexpresado.

La voz de Amanda era chillona y estaba llena de rencor cuando acusó a su hermana mayor de haber usado sus vaqueros. Annie tenía una actitud desafiante, sin inmutarse por las acusaciones de su hermana. ¿Qué significa escuchar sus voces? Debemos mejorar en cuanto a escuchar lo que se dice detrás de las palabras que se dicen en realidad. Debemos aprender a leer las preguntas fundamentales de nuestros hijos, sus acusaciones y sus invitaciones.

ESCUCHEMOS LAS PREGUNTAS CENTRALES

Comenzando con el primer día fuera del vientre de la madre, todo niño formula dos preguntas principales: «¿Me aman?» y «¿Puedo salirme con la mía?». Estas dos preguntas nos marcan para el resto de la vida, y las respuestas que recibimos establecen el rumbo de la forma en que vivimos.

Como padre, tengo el llamado a responder a ambas preguntas no solo en forma precisa y continua, sino también simultánea. La crianza de los hijos no es difícil; es imposible. ¿Cómo le puedo responder esas dos preguntas a Andrew cuando su mirada perdida y desinteresada se registra ahora en otras preguntas: «¿No puedo hacer esta tarea más tarde? Mamá, ¿por qué no me terminas este proyecto tú? Y de todas formas, ¿no estamos todavía en las vacaciones de verano?».

No sería en absoluto difícil poner veto a los planes de Andrew para esa noche y hacerlo terminar la tarea. ¿Y es eso lo que más necesita? ¿Se trata de mantenerlo en casa, darle un abrazo y recordarle que lo amamos y que lo hacemos por su bien? La pregunta «¿Me aman?» no se responde con facilidad mediante palabras baratas de consuelo. Escuchar de verdad su voz, por otro lado, no significa escuchar lo cansado que está ni lo injusto que es tener que hacer todo ese trabajo y luego aflojar la cuerda para que no tenga que terminar su tarea. Responder con un sí a la pregunta «¿Me puedo salir con la mía?» sería demostrar gracia barata motivada por indolencia o el temor de responderle con un no, en lugar de amor verdadero por mi hijo.

Con estas dos preguntas centrales Dios tiene el propósito de que enfrentemos los asuntos más profundos sobre la naturaleza de la vida. Un hijo quejoso quizá se pregunte: «Puesto que estoy tan cansado, ¿harías eso por mí?». También es posible que el hijo pregunte en realidad: «¿Seguirás contento conmigo si no apruebo este examen?». Solo logramos discernir la diferencia aprendiendo a leer las tendencias de nuestro hijo y permitiéndole que nos enseñe lo que más necesita de nosotros en ese momento. Además, debemos formular y responder las dos preguntas sobre nuestra propia vida: «¿Me aman?» y «¿Me puedo salir con la mía?». Podemos ofrecerle a nuestro hijo respuestas seguras, valiosas y profundas solo si sabemos las respuestas para nosotros mismos.

Mi fracaso en responderles bien las dos preguntas a mis hijos expone mi necesidad de saber y experimentar de forma más completa las respuestas en mi vida. A decir verdad, la acusación de mi hijo de haber fallado en responderle bien tiene la intención de abrir mi corazón y escuchar la voz de Dios. Esta es una de las maneras en que mis hijos me ayudan a madurar y llegar a ser un verdadero adulto.

ESCUCHEMOS LAS ACUSACIONES CENTRALES

A pesar de lo que vimos antes sobre las garantías, no hay garantía en la crianza de los hijos. Fallamos en responder de forma precisa y simultánea las dos preguntas centrales. Y cuando nuestras respuestas se salen del curso, nos convertimos en blancos de las acusaciones de nuestros hijos. Sus palabras nos hacen volver a la necesidad de escucharlos de verdad.

Hay veces que mi hijo necesita escuchar con claridad: «No te puedes salir con la tuya», pero soy demasiado indolente o estoy demasiado ocupado y paso por alto su voz. Cuando fallo en responder, aprende eso, y en ciertos momentos o en algunas esferas, las reglas de la vida no se ajustan a él ni a eso, y si es paciente y astuto, logra conseguir lo que quiere. Hay veces que mi hija solo necesita un suave toque en el hombro y una confirmación de que la vida puede ser dura. No obstante, ha habido momentos en los que he estado demasiado absorto con mis propios problemas como para responderle que sí la amo, así que le decía que dejara de quejarse e hiciera su trabajo. Es demasiado fácil responder a las voces de nuestros hijos con respuestas a preguntas que no han formulado.

Tal vez nuestro fallo más común es considerar la pregunta que es menos obvia. La ira de mi hija menor debido a que su hermana usó sus vaqueros es un ejemplo clásico. Amanda estaba de muy mal humor y buscando una pelea. Quería ser la reina del universo, pero nadie le hacía reverencias. Unos pocos momentos de conversación con ella expusieron una ruda desilusión de algo ocurrido antes ese mismo día que era como una espina enconada en su pie. En cuanto se le quitó esa espina y se le vendó el pie, los pantalones prestados se canjearon por la oportunidad de usar la falda de cuero de su hermana mayor. Sin embargo, se tuvo que responder primero la pregunta clave de Amanda: «¿Me aman?».

Cuando fallamos en escuchar la verdadera pregunta, no somos capaces de responder a los deseos más hondos de nuestros hijos. Cuando fallamos en escuchar, les hacemos daño a nuestros hijos. Entonces es cuando casi siempre responden con una acusación: «¿Por qué estás tan enojado y eres tan impaciente conmigo? ¿No puedes ser amable?». Considere los tipos de luchas que salen a la superficie cuando fallamos en escuchar las verdaderas preguntas en los corazones de nuestros hijos.

Fíjese en el diagrama a continuación que conecta las dos preguntas más importantes de nuestros hijos con las respuestas más comunes de los padres. La manera en que escuchamos y respondemos a la voz de un hijo lleva al beneficio o al perjuicio del mismo. Hay cuatro opciones para responder las dos preguntas centrales, pero la mayoría de los padres responden en una de tres combinaciones que tienen efectos nocivos. Solo la cuarta combinación trae beneficios.

¿Puedo salirme con la mía?

		Sí	No
¿Me aman?	Sí	PELIGROSO / DEGRADANTE	ATADO A REGLAS / MONÓTONO
	No	INDULGENTE / DISTANTE	FORTALEZA / DELEITE

La respuesta peligrosa y degradante

Los padres que por lo general responden a las dos preguntas con «*Sí,* puedes salirte con la tuya. Y *no,* no te aman» crían hijos que aprenden que a sus padres no les importa lo que hacen y que no los disfrutan. Debido a que los padres no están dispuestos a sufrir la difícil situación de imponer los límites ni a aceptar el gozo de amar en verdad a sus hijos, su hogar es falto de sentimientos y cruel.

Estos padres fracasan tanto en reflejar la fortaleza de Dios como su misericordia. Los hijos necesitan experimentar la fortaleza de los límites impuestos y de la disciplina apropiada tanto como la bendición de ser amados por completo. El hogar que no refleje ninguno de los dos aspectos del carácter de Dios será o abusivo de forma directa o, en el otro extremo, los padres se desvincularán y alejarán tanto en lo emocional que ni se darán cuenta de cuándo un hijo entra o sale.

Los hijos de estos hogares no tienen ni consideración ni respeto y no se preocupan por los demás. Un varón típico va a aprender a sobrevivir por su ingenio; una niña se desempeñará basándose en la belleza de su cuerpo. De esa manera es que hay atletas tipo macho, ensimismados en sí mismos, y jovencitas que consiguen lo que quieren otorgando favores sexuales. Un niño que crece en este tipo de hogar debe encontrar el amor y las reglas en otro lugar. Su búsqueda casi siempre los llevará a una pandilla o a otro grupo que les sirva de familia sustituta.

La respuesta indulgente y distante

Muchos padres responden «*Sí*, puedes salirte con la tuya» y «*Sí*, te amamos». A sus hijos les falta fortaleza y crecen conociendo solo una ternura falsa. A menudo estos padres son pudientes, universitarios que se preocupan más de la imagen pública y de las apariencias que de los corazones de sus hijos. Demuestran el amor a través de los regalos, la provisión de una niñera como una madre sustituta, o protección excesiva, o cuidados extraordinarios. A menudo los hijos son equilibrados y competentes, pero les falta la fuerza de convicción y carácter que se desarrolla mediante los golpes que se dan contra límites consecuentes.

Es posible que los hijos de estas familias acusen a sus padres de ser manipuladores, puesto que los padres no están dispuestos a aceptar el sufrimiento y el gozo que se encuentra fuera del hogar. Las acusaciones de los hijos se demuestran en su conducta sin inhibiciones, en que se meten en problemas, o en que sobrepasan los límites para ver si a alguien lo bastante fuerte le importa en realidad. Estos hijos quieren la fortaleza de la disciplina apropiada y anhelan experimentar la delicia del verdadero amor.

La respuesta atada a reglas y monótona

Los padres que responden no y no: «*No te puedes* salir con la tuya» y «*No* eres nuestro gozo y deleite», a menudo establecen un hogar conservador caracterizado por reglas severas, consecuencias claras y altas demandas en los hijos. Al mismo tiempo, a este tipo de hogar a menudo le falta ternura, humildad, risas y lágrimas. Los hijos se desempeñan bien, obedecen las reglas y tienen éxito mediante el trabajo duro y la perseverancia. Lo que les falta es pasión, rarezas, espíritu de travesura y visión.

Los hijos de estos hogares acusan a sus padres de creerse justos y de ser aburridos. A los padres les falta gozo y están siempre dispuestos a sufrir la incomodidad de hacer cumplir las reglas. Las acusaciones de los hijos se hacen a través del silencio y la distancia emocional. Ven a sus padres como dioses o como déspotas fríos y que se creen buenos. La respuesta de los hijos a este tipo de adultos es permanecer amables y distantes.

La respuesta de la fortaleza y el deleite

La cuarta opción es la única respuesta adecuada a las dos preguntas centrales de todos los hijos: «*Sí,* te amamos más de lo que crees» y «*No,* no te puedes salir con la tuya». Estas dos respuestas les brindan a los hijos la fortaleza que se preocupa por su bienestar y el deleite de que los amen sin condiciones. Es triste que esta combinación sea la menos común entre las respuestas que reciben los hijos de hoy en día. Demasiados padres y madres evitan la incomodidad y la inconveniencia que vienen cuando se responde con no a la segunda pregunta. Mientras tanto, la falta de disposición de adoptar el gozo impide que muchos padres respondan a la primera pregunta con un rotundo sí.

Nuestros hijos anhelan saber que los amamos de forma incondicional, en los fracasos y los éxitos, sin importar lo que digan o hagan. Y, mientras que pocos lo admitirían, anhelan de todo corazón experimentar la seguridad y el bienestar que llegan con los límites apropiados. La mejor parte de escuchar a nuestros hijos a medida que continúan formulando estas dos preguntas es que nos invitan a traer un cambio positivo en sus propias vidas y en las nuestras.

Las preguntas y las invitaciones

Cuando nuestros hijos nos formulan las dos preguntas centrales, se cuestionan dos asuntos adicionales: «¿Qué anda mal en mi familia?» y «¿Cómo puedo arreglar las cosas?». Sin ser conscientes de ello, todos los hijos tratan de arreglar a sus padres y cambiar la estructura de la vida familiar. Si estamos dispuestos, escucharemos las palabras mudas de nuestros hijos que intentan provocar cambio. Nuestros hijos nos invitan a madurar, a llegar a ser *humanos del todo*. La invitación llega en forma de preguntas sin palabras: «¿Llorarás conmigo? ¿Me tomarás en los brazos? ¿Vas a ser lo bastante fuerte como para enfrentar tu propio fracaso y madurar como mi padre?».

Todo niño, al formular las dos preguntas centrales, ofrece a menudo una invitación notable: «¿Me amarás y serás fuerte? ¿Vas a proveer un mundo en el cual por unos pocos y breves años logre experimentar con pasión y jugar y saber que puedo fracasar sin perder tu gozo y deleite?».

Si aprendemos a escuchar a nuestros hijos, encontraremos una verdad preciosa: Lo que anhelan en lo más hondo es el mismo deseo central que encontramos en *nuestros propios corazones*. A medida que escuchamos, vamos a aprender a formular la misma pregunta al Dios que nos ha hecho y nos ha llamado a ser padres. Le preguntaremos si todavía se deleita en nosotros si corremos grandes riesgos, desechamos algunas de las reglas veneradas y algunas veces fracasamos de forma rotunda en nuestros esfuerzos de criar bien a nuestros hijos. Y aprenderemos a escuchar su respuesta para nosotros: «*Sí*, te amo más de lo que puedes imaginar» y «*No*, no te puedes salir con la tuya. Y a medida que persigas *mi* manera de hacer las cosas, encontrarás la más profunda satisfacción que llegará a conocer tu corazón».

CAPÍTULO 2

A los principios, agréguele sabiduría

La solución a fórmulas que no dan resultado

Los expertos han atiborrado de temor a los padres al sugerir que el reto de criar hijos es demasiado complejo para que lo enfrente un simple mortal. La implicación es a la vez cierta y falsa hasta lo más profundo.

Es cierta porque el llamado de Dios para un padre de imitar a Dios[1], reflejando su carácter en la perfecta fortaleza y la ternura, es imposible. Jesús es el rostro tierno del Padre; llora sobre Jerusalén como una gallina que quiere reunir a sus pollitos con seguridad debajo de sus alas[2]. En Jesús, Dios en forma gentil y apasionada entra a nuestra condición humana y ansía que nosotros volvamos a su tierno cuidado. Jesús es también el rostro de la fortaleza de Dios cuando disciplina a sus hijos amados, llevándolos a la justicia y a la paz[3]. Jesús vivió las dos, la fortaleza y la ternura, a la perfección, pero los padres humanos no son perfectos. No importa cuánto nos esforcemos, siempre tropezaremos.

Sin embargo, también es bastante *falso* que la tarea de criar a los hijos sea imposible. Sé esto porque a Dios le gusta darnos el poder para hacer, o al menos tratar de hacer, lo imposible. Piense por un instante en las cosas imposibles que nos manda hacer, incluyendo sus llamados a que seamos santos y perfectos[4]. Considerando las altas normas que establece Dios, es extraño que la Biblia pase más tiempo explicando cómo preparar el santuario para los rituales de los sacrificios que el que pasa en cómo promover la santidad en nuestros hijos.

Esto no le cae bien a nuestra mentalidad de «arréglalo todo». Queremos la solución fácil paso a paso, queremos verlo escrito con claridad. A pesar de eso, Dios no siempre trabaja así. Cuando se trata de las preguntas que formulan los padres, la Biblia no es un manual de instrucciones detallado. En cambio, es una historia poética de los pactos de Dios con la humanidad caída. La Biblia nos ofrece principios en un sinnúmero de asuntos, incluyendo la admonición y la enseñanza de nuestros hijos; aunque hay muy poco en la Biblia sobre los puntos específicos relacionados con la crianza de los hijos cuando las cosas se vuelven muy difíciles. Es irónico que ese sea el momento exacto cuando estamos más desesperados por recibir instrucciones precisas.

Nuestro temor a fracasar ha dado lugar a una mega industria de seminarios sobre la crianza de nuestros hijos, conferencias por satélite y artículos en revistas. El tema común que une estos enfoques es que si se realiza la tarea de criar «bien» a sus hijos, estos van a evitar los peligros comunes y van a salir bien. Esta promesa descansa en tres suposiciones: (1) La Biblia expone una estrategia detallada y amplia para criar a los hijos, (2) la Biblia promete un resultado positivo si se siguen sus principios con diligencia, y (3) la Biblia predice que los padres malos van a producir hijos malos. Al mismo tiempo que se aceptan como verdades del evangelio, estas tres suposiciones están llenas de defectos.

Es trágico que la Biblia se haya torcido para ser un libro de autoayuda cuando en realidad guarda silencio en la mayoría de los asuntos que enfrentan los padres de la actualidad. Nuestra mente de consumidores responde a tal silencio inventando nuevos principios y aparentando que son parte del canon bíblico. Es triste que estas invenciones que no se encuentran en la Biblia impongan reglas y restricciones que ni el mismo Dios exige. Tal forma de criar a los hijos dirigida por los principios nos deja sintiéndonos culpables por ejercer libertad y creatividad, adoptando enfoques acordes con nuestra cultura, en lugar de crear un enfoque para criar a nuestros hijos que «encaje» con las cualidades únicas de cada uno de ellos.

Si hiciera una lista de todos los pasajes que aparecen en la Biblia sobre la crianza de los hijos, notaría tremendas brechas. Hay muy poco sobre las etapas en el desarrollo de un niño. Hay poco en cómo disciplinar, cuándo y por qué razones. Hay poco sobre el amor y nada en lo que respecta a desarrollar el amor propio, tratar con los asuntos de sus compañeros, las demandas culturales y cómo desligarnos de la cultura. Hay mucho sobre la sexualidad y nada sobre desarrollar una imagen sana del cuerpo.

La promesa que no es una promesa

No solo la Biblia no brinda una guía amplia sobre cómo criar a los hijos, sino que tampoco promete que si sigue todas las reglas, sus hijos van a salir bien. El pasaje que se cita más a menudo a los padres como una garantía es Proverbios 22:6. En La Biblia al Día, este versículo dice: «Enséñale al niño a elegir la senda recta, y cuando sea mayor permanecerá en ella». Este versículo parece muy directo y optimista, aunque no sea con exactitud una garantía de las que le devuelven el dinero: Enséñeles a sus hijos la diferencia entre el bien y el mal y luego espere unos años; y de adultos practicarán todo lo que les enseñó.

Esa forma de expresar con otras palabras, sin embargo, es una mala interpretación del texto. Es más, el proverbio describe una manera de enfocar la vida antes que una fórmula que promete el fin deseado. El proverbio nos invita a enseñarles a nuestros hijos de acuerdo a las «tendencias» únicas de cada uno, sus inclinaciones y estilo de aprendizaje. Y si trabajamos en armonía con las singularidades de nuestros hijos, no se apartarán de la tendencia que Dios les ha dado aun cuando sean viejos. Si trabajáramos con madera para construir un arco de caza, doblaríamos la madera según se formó, antes que tratar de doblarla en la dirección opuesta. La sabiduría de Proverbios 22:6 es encontrar y seguir la tendencia natural de nuestro hijo. No es una garantía de éxito, sino una guía práctica que lleva a criar bien a nuestros hijos.

Como Becky y yo sabemos debido a nuestra experiencia directa y también a la de otros padres, usted puede mantener a sus hijos en la Escuela Dominical y luego en el grupo de jóvenes hasta pasados los dieciocho años y, aun así, los chicos todavía pueden estropear sus vidas. ¿Entonces damos por sentado que ese hijo tenía padres «malos»? A menudo personas con buenas intenciones señalan 1 Timoteo 3:4-5 donde se nos dice que una persona que aspira a ser obispo o diácono, «debe gobernar bien su casa y hacer que sus hijos le obedezcan con el debido respeto; porque el que no sabe gobernar su propia familia, ¿cómo podrá cuidar de la iglesia de Dios?» Este pasaje parece claro, si sus hijos se comportan mal, prueba que usted no sabe gobernar bien su casa.

Tal vez el antídoto más fuerte sea verificar la tasa de éxito de Dios como Padre. ¿Cómo salieron los hijos del Antiguo Testamento? Dios es el *único* Padre perfecto, y aun su sabiduría y amor incondicional no lograron que sus hijos no fueran rebeldes. Este no es un juicio contra Dios; es solo un reconocimiento a la insensatez de los hijos. Dios amó y disciplinó a sus hijos; sin embargo, ellos escogieron el camino de la rebelión.

Dios gobernó a la nación de Israel en forma perfecta, pero falló en lograr el resultado que esperaríamos nosotros. La palabra «gobernar» implica «proveer cuidado». En 1 Timoteo 3:4-5, el mensaje es simple: Si un padre se niega a cuidar su propia familia, no deberíamos esperar que sirva, sufra y se sacrifique por la familia de Dios que es mayor. Cuando fracasa en servir a su propia familia, siempre va a existir una probabilidad más alta de que sus hijos ni lo respeten ni lo obedezcan. No obstante, con el cuidado provisto por un padre abnegado, hay una probabilidad mayor de que desarrollen el respeto y la confianza y que la familia permanezca intacta. Los hijos que respetan a sus padres también tienden a tomar muy en serio el cuidado y las preocupaciones de sus padres.

Lo que necesitamos no es una mejor lista de principios, sino el conocimiento devoto que crece en la sabiduría para criar a los hijos. Los *principios* son la base, algo así como el abecedario y las tablas de multiplicar de la vida. El *conocimiento* es una comprensión de las maneras, los medios de Dios; es la dirección a la que nos llevan los principios bíblicos. Una vez que aprendemos lo básico, necesitamos movernos hacia la sabiduría. La *sabiduría* es la creatividad de aplicar principios en un encuentro real con nuestros hijos, cuando las complejidades de la vida se niegan a conformarse a una simple regla. Si el conocimiento es el cómo, la sabiduría es el qué, el dónde y el cuándo de la crianza de nuestros hijos.

La sabiduría siempre incorpora al conocimiento, pero le agrega la intuición, la experiencia, el riesgo y la creatividad. Es imperativo que sepamos lo básico y después nos movamos para practicar la sabiduría en la vida. Lo básico involucra la disciplina consecuente que refleja la fortaleza de Dios, y el cuidado constante que refleja la misericordia de Dios. Cada hijo, sin importar su edad, necesita conocer los límites y las consecuencias (fortaleza) y la ternura del toque y la delicia de los ojos de su padre (misericordia). Recuerde las dos preguntas que con insistencia formula un niño: «¿Me aman?» y «¿Me puedo salir con la mía?». La disciplina y el cuidado comienzan a responder esas preguntas de maneras conmovedoras. A medida que los padres y las madres actúan según los principios gemelos de la fortaleza y la misericordia, reflejan el carácter de Dios en las vidas de sus hijos.

El ABC de la disciplina

Todo niño a cualquier edad quiere saber dónde encaja en el mundo de sus padres: «¿Soy el centro del universo y puedo conseguir lo que quiero sin importar lo que te cueste a ti, a mí o a otros?». La respuesta amorosa a esta pregunta es «¡NO!», pues un hijo sin disciplina está destinado a un infierno en la tierra. Si la debida respuesta es tan directa, ¿por qué vemos niños (aun hijos adultos) demandar salirse con la suya y hacer un infierno para los que viven a su alrededor? Porque responder a las dos preguntas centrales es muy difícil para los padres y las madres; es aterradoramente simple y simplemente aterrador.

Es aterradoramente simple

Hay reglas que se deben obedecer durante toda la vida. Como la muerte y los impuestos, la disciplina especifica límites de elección y luego adjunta una consecuencia a cada violación. «Si no pones tu ropa en el canasto de la ropa sucia, no te la voy a lavar». O: «Si continúas gritando en el carrito de las compras, devolveré todas las cosas que escojas. Luego te quitaré el privilegio de mirar televisión esta noche. Si no te callas y dejas de hacerlo, comenzaré un proceso disciplinario que incluirá calentarte las nalgas usando una cuchara de madera». A esto siempre le sigue la gloriosa frase: «Elige».

Es simple anunciar los parámetros y los límites de la elección: «No puedes usar eso, esto y aquello, pero puedes usar cualquier otra ropa y en cualquier combinación de colores que desees. Si decides desobedecer, te quedarás en casa con nosotros y verás los episodios repetidos de *Lawrence Welk*». Es igual de simple crear consecuencias bien entendidas y onerosas que no van a detener el comportamiento, pero que detendrán al hijo por el tiempo suficiente como para hacer que la elección sea consciente y por lo tanto culpable.

Si la crianza de los hijos es tan simple, ¿por qué no disfrutamos del éxito que esperamos? Se debe a que poner límites y hacer cumplir las consecuencias es en verdad un inconveniente. Si expresamos consecuencias claras, cuando se cruza la línea, tenemos que dejar de hacer lo que sea que estemos haciendo.

Debemos hacer el arresto, leerle al pequeño criminal sus derechos, llevarlo a la cárcel y darle tiempo para que exponga su caso. Una vez pasado el juicio, debemos aplicar las consecuencias y luego soportar las desagradables secuelas. Y no solo son las quejas estridentes del pequeño infractor. Siempre va a haber muchos otros: los hermanos del ofensor, algunas veces los abuelos, el otro padre o madre, los vecinos, los amigos, la gente de la iglesia, los que van a poner en tela de juicio nuestra metodología.

Puesto que hay tantos inconvenientes, mejor pasamos por alto el crimen del niño. Escoger el curso de la fortaleza nos cuesta demasiado en cuanto a tiempo y problemas. Aun así, un asunto mayor que previene la disciplina consecuente es que les tenemos miedo a nuestros hijos.

Es simplemente aterrador

Cada padre tiene un temor muy grande: que su hijo le destroce el corazón. Cada hijo tiene el poder de bendecir o maldecir a su padre, y la diferencia entre los dos se muestra en el gozo o la vergüenza. En un nivel más básico, quiero que mis hijos me respeten y simpaticen conmigo. Cuando es claro por más de cuarenta y cinco segundos que no me respetan, comienzo a sentir pánico. Les he dicho a mis hijos: «No soy tu amigo y no me importa si no te caigo bien». Y todos saben que es mentira.

El temor de perder el respeto de un hijo tiene un origen simple. Si yo soy fuerte en hacer cumplir los límites, perderé la intimidad y el placer que de forma tan profunda perdí con mis propios padres. El riesgo es demasiado grande, sobre todo cuando la ofensa del hijo (no se ha lavado los dientes o no ha recogido la ropa sucia o no ha dicho toda la verdad) no parece muy grande a la luz de la tensión que se desarrollará si impongo las consecuencias. Por supuesto, que a la luz del cuadro completo, la disciplina nunca es una opción. Es tan importante para el niño como la comida.

La Biblia dice que destinamos a nuestros hijos al fracaso si no proveemos límites claros y consecuencias. Además indica que un hijo que no recibe disciplina no se ama[5]. Tal vez diferimos en el tiempo que un niño debe permanecer en la computadora o mirando televisión, o qué películas son aceptables, pero es preciso que tengamos *algunas* reglas, o estamos matando a nuestros hijos. Junto a las reglas sabias, necesitamos consecuencias apropiadas. De otra forma nuestras reglas huecas son una invitación a que el niño se burle de nuestra autoridad. La mejor manera de crear un anarquista es cargarlo de reglas que nunca se consuman con consecuencias.

Las reglas le dan a un niño el alivio, la confianza y la seguridad que viene de saber que hay alguien más fuerte en el mundo que él mismo. Cuando las reglas se enumeran, nunca se hacen cumplir, es como encontrar que no existe alguien con más fuerza que ellos, sino un hombre confundido que se esconde detrás de una cortina. Todo niño necesita el bienestar y la consecuente disciplina que proveen las reglas y las consecuencias.

Más allá de la fortaleza de la disciplina, nuestros hijos también necesitan la pasión y el deleite, lo cual lleva a la respuesta a su otra pregunta central: «¿Me aman?».

El ABC de la misericordia

El amor que los padres demuestran a sus hijos es un reflejo de la misericordia de Dios. Lo básico del amor incluye el toque físico y el deleite que los padres tienen en sus hijos. Repito, es simplemente aterrador. Los niños aprenden que son amados desde las primeras experiencias de sus sentidos: Están a salvos y calientes, y sus estómagos están llenos. Es mediante el toque humano que los niños se acercan al pecho, se cambian, sostienen, mecen y cargan a fin de ver la gran extensión de su mundo. Los hijos también necesitan experimentar el deleite de sus padres. Necesitan ver los rostros de sus padres y sus madres, en especial los ojos. Todos los hijos deben ver el santo y desenfrenado gozo que produce el deleite en los ojos de sus padres. Es a través del toque y del deleite que los hijos llegan a saber que son deseados y que están seguros.

Si el amor es tan sencillo, ¿por qué hay millones de niños descuidados y maltratados, que dejan hambrientos del cuidado que necesitan con tanta desesperación? Creo que las dos razones principales son el temor y la envidia de un padre.

Temores de la noche

Lo desconocido da temor. Y nada asusta tanto a un padre como saber que tenemos poca influencia y casi ningún control sobre la salud, el éxito y las elecciones en las vidas de nuestros hijos. Sin importar lo que hagamos, un defecto de nacimiento puede marcar nuestro sueño aún no nacido. O un conductor ebrio puede arrebatar la vida de nuestro adolescente. Es el temor de amar el que hace que el cuidado se convierta en un frío deber.

A muchos padres los han herido de forma tan profunda en el pasado que abrir por completo sus corazones a sus hijos les resulta muy peligroso. Sin embargo, cumplirían con su deber y proveerían comida, ropa, educación, una cama, un amor moderado en vez del amor desenfrenado y sin inhibiciones que un hijo anhela. Los hijos que viven en tales hogares donde se hacen las cosas bien, saben en teoría que los aman, pero nunca experimentan lo que es ser amados. Para ellos, el amor es solo una provisión; no es toque y deleite.

Los padres le temen al futuro. ¿Vivirá y prosperará mi hijo? Los padres también le temen al pasado. ¿Puedo amar ahora y arriesgarme a que me hieran otra vez? Y a menudo los padres están tan absortos en las demandas del presente como para ofrecerles a sus hijos la calidez de sentarlos en sus rodillas y el brillo del deleite en su mirada.

Envidia del día

Es un hecho oscuro y a menudo desconocido que los padres les tienen envidia a sus hijos. Envidiamos su juventud, sus nuevas oportunidades y la libertad de tener problemas pequeños. Nos olvidamos de que un problema de diez kilos para un niño que pesa treinta kilos es la tercera parte de su ser, mientras que el mismo problema para un hombre que pesa cien kilos es solo una décima parte de su realidad. De cualquier forma, nuestros problemas y demandas parecen enormes, cuando todo lo que nuestros hijos tienen que hacer es sus tareas, quitar los platos de la mesa, no hacer mucho ruido, dejar de martirizar a sus hermanos y lavarse los dientes. Lo sé porque hay muchos días en los que quisiera tener el mundo de mis hijos. Cuando le tengo envidia a mi hijo, es por lo general cuando comparo mi niñez con la suya. Mis sufrimientos de la niñez parecen más severos que los de mi hijo. Es difícil sacrificarse por alguien que la pasa mejor de lo que lo pasé yo.

La envidia no se limita a la forma en que vemos a nuestros hijos. La vemos también en nuestra obsesión con el trabajo. ¿Por qué tenemos tanto temor de perder el trabajo o de tener que vivir con menos dinero? Siempre, en el centro, va a estar la envidia. La envidia es la que motiva todo el trabajo[6]. Sin embargo, a menudo no nos queda vida suficiente después de nuestro día en la guerra (en la oficina o en la fábrica) para que nos quede mucho que ofrecer. Somos como sonámbulos andantes que se dan prisa con la cena para tirarnos en una cómoda butaca y entrar a otro mundo mediante la televisión.

Los sonámbulos no hacen un buen trabajo en lo que respecta a reflejar la misericordia y el deleite de Dios. Para ellos, cuidar a sus hijos es una tarea rutinaria. A los hijos hay que alimentarlos, disciplinarlos y llevarlos a otra lección o actividad. No es difícil ver por qué los hijos a los que no se les dan abrazos y expresiones de deleite llegan a ser una molestia. Agregue a esto que muchos hijos desilusionan a sus padres por el simple hecho de ser niños típicos, normales. En la escala, ocupan el lugar promedio. La mayoría de los padres les disgusta eso. Sin duda, un niño que se beneficia de mi genética y mi posición debería estar más arriba del promedio. Cuando comenzamos a envidiar a los otros niños, los que parecen estar por encima del promedio, de nuevo la envidia contamina el terreno del amor.

Demasiados padres se niegan a enfrentar la verdad de que el temor y la envidia quitan la luz al amor de sus ojos y que vuelven el toque en un deber, no un deleite. Felizmente, esto puede cambiar. El conocimiento demanda que enfrentemos la verdad sobre nuestro temor y envidia, y luego conformemos nuestra vida a lo que es verdad. Cuando lo hacemos, comenzamos a desarrollar la base para el crecimiento de la sabiduría. Un padre necesita el conocimiento, pero un conocimiento que sea mucho más que un conjunto de principios. Debemos crecer en sabiduría para llegar a ser fuertes y tiernos de maneras que toquen y deleiten a nuestros hijos.

La sabiduría orientada por los niños

El primer componente de practicar la sabiduría es la habilidad de saber escuchar. Primero escuchamos a Dios y luego, en forma cuidadosa y paciente, a nuestros hijos. Muy poco en la vida es en realidad lo que parece ser, y es por eso que necesitamos sabiduría. El padre sabio trae a la superficie los asuntos del corazón y se cerciora de lo que no se ha dicho, aunque es lo bastante fuerte como para escucharse.

La sabiduría ayuda a los padres a evaluar la situación, determinar la estrategia y elegir la metodología. ¿Solo la ternura invitará a un hijo a disfrutar mucho más la debilidad o una mano firme engendrará temor en el niño? El padre sabio puede darse cuenta de que el tono enojado de una conversación se debe más al temor de un hijo que a la rebelión, y cuándo un espíritu quieto y complaciente es más una huida de una confrontación que verdadera obediencia.

He aquí una ironía necesaria: Los que son sabios saben que les falta sabiduría. Una de las mayores indicaciones de sabiduría es el deseo de ser más sabio. Es por eso que Santiago escribió: «Si a alguno de ustedes le falta sabiduría, pídasela a Dios»[7]. El sabio sabe lo fácil que es ir de atrás para adelante entre pasar por alto y reaccionar demasiado a lo que hacen nuestros hijos cuando lo que en realidad necesitan es la fortaleza de la disciplina o la misericordia de la ternura. Cuando le pedimos a Dios sabiduría, estamos más dispuestos a ver nuestros errores y a saber lo que es verdadero, bueno y amoroso. Ningún padre logra saber esto sin sabiduría.

Es una terquedad dar a entender que sé cómo se desarrolla la sabiduría. Soy presuntuoso si lo digo. Aun así, sé cuándo he luchado en oración para conseguir sabiduría. Le he pedido sin cesar a Dios que me ayude en cuatro esferas: claridad en cómo leer la inclinación única de mis hijos, ayuda en no tratar de enfatizar las cosas sin importancia, profundidad de confianza en Él cuando las cosas se ponen difíciles, y la habilidad de sobreponerme a las sorpresas y las paradojas con mis hijos. Sospecho que si vemos crecimiento en estas esferas, veremos que va a pasar poco a poco a otras esferas también.

LEA LA TENDENCIA ÚNICA DE UN HIJO

En nuestro tiempo tan inclinado a la sicología, el concepto de la «tendencia» de una persona a menudo se define como un patrón de personalidad o estilo. La personalidad es un concepto provechoso, aunque no es idéntico al concepto de una tendencia. Una tendencia es la forma en que Dios ha escrito de forma única la historia de la vida de una persona para revelar el carácter de Dios. Está más cerca de la idea de un tema o del significado más profundo de una historia. Leer la tendencia de nuestros hijos no es asunto de darles una serie de exámenes de personalidad. En lugar de eso, es un llamado exigente a observar, escuchar, estudiar e interpretar a nuestros hijos. Requiere mucha sabiduría ver la verdadera tendencia de nuestros hijos contra nuestro propio sueño de lo que nuestros hijos lograrán o llegarán a ser.

Esta tarea no es algo que se deba tomar a la ligera. Tengo que aplicar lo mejor de mi ser a la tendencia de mi hijo. Es una responsabilidad fuerte y santa, maravillosa y terrible. ¿Cómo me atrevo a darle nombre y formar el significado de mi hijo? ¿Cómo me atrevo a arriesgar su futuro por los muchos momentos que pasará conmigo durante sus años de mayor formación? Al mismo tiempo, no debo poner la fuerza total de mi ser en mi hijo, o lo voy a destrozar con mis sueños y demandas. No debo seguir mi propia tendencia, sino la inclinación que Dios le ha dado a mi hijo.

«Aunque, espere un segundo. ¿No conozco a mis hijos mucho mejor de lo que se conocen *ellos*?» La forma en que responda a esta pregunta determinará la manera en que criará a sus hijos. Si responde: «Por supuesto que sé más que mi hijo», va a dictar la orientación de su vida a sus hijos. De esa manera llegamos a reglas tales como el postre siempre es lo último y Dios merece ver a los niños con corbatas y no con vaqueros desteñidos los domingos por la mañana. Le temo a la especie de orgullo de los padres que siempre dan por sentado que saben más que sus hijos. Sin embargo, es triste que esta suposición sea la base de mucha de la crianza cristiana.

Esta misma especie de orgullo les da a los padres la falsa confianza en medio de la confusión de la vida. Es un proceso fácil de seguir que parece haberles dado buen resultado a otros padres y luego usted lo aplica con sus propios hijos. Fíjese cómo se hacen las cosas en su iglesia o lo que recomiendan los últimos expertos. Muy pronto sus hijos estarán a la delantera con la ropa, el horario, las actividades de la tarde, los gustos y los entretenimientos adecuados. Es así de simple y es solo una mentira.

La vida no es simple. Es por eso que la sabiduría orientada por los hijos incluye la comprensión de que su hijo está diseñado para estar en el mundo, pero no es del mundo. Y eso no es solo el mundo fuera del hogar, sino el mundo *dentro* del hogar. Cada uno de mis hijos está diseñado para ser un Allender, pero en una forma única en cuanto a que su nombre propio los marca como un individuo cabal y completo.

La sabiduría, la profunda y constante verdad de Dios, debe estar en mí hasta los tuétanos si voy a saber la diferencia entre mi propia inclinación y la de mi hijo. ¿Soy yo el que anhela tener una hija que juega al tenis y un hijo que pesca con moscas, o es la inclinación de *ellos*? ¿Es mi inclinación tener hijos que luchen hasta lo más profundo y se entreguen con pasión al Dios del universo, o es la inclinación de ellos ser seres humanos de principios morales, de buen corazón que adoptan una posición más «equilibrada» en cuanto a su fe? ¿Cómo pueden crecer mis hijos para que lleguen a ser lo que Dios los creó para que fueran, cuando durante años yo soy la sombra que se cierne sobre sus vidas?

La sabiduría corta a través de la presunción oculta y arrogante que caracteriza a todos los padres. Por cierto, nosotros *no* sabemos más que nuestros hijos. Después de todo, su inclinación es dada por Dios. La sabiduría crea una abertura que está dispuesta a tomar decisiones por nuestros hijos («Vas a tocar el piano») mientras que al mismo tiempo cede cuando es evidente que quizá eso no sea lo mejor para ellos («O tal vez tú tengas más aptitudes para el teatro»).

No le dé importancia a las cosas sin importancia

La sabiduría nos ayuda a determinar lo que en verdad importa y lo que no importa. Demasiadas luchas por el poder comienzan con un padre que le da importancia a algo sin importancia mientras que descuida tratar el asunto importante que se esconde detrás de la manzana de la discordia. Es posible regañar a un hijo por no hacer su tarea escolar cuando el asunto más apremiante sea su intolerancia a la frustración, bajo impulso de control e insolencia.

Vamos a pasar por alto todos los asuntos del carácter y la madurez cuando nuestras demandas por un comportamiento aceptable nos ciegan a los asuntos centrales del corazón de un niño. Muchos padres fracasan en la tarea de hacer desarrollar el carácter de su hijo porque prefieren prepararlo a fin de que se conforme a ciertas reglas. Las reglas son necesarias y deben traer una conciencia clara cuando se violan, ¿pero cuáles son las reglas que vale la pena crear? Aquí es donde necesitamos sabiduría.

Para un padre, la apariencia física de un hijo es un asunto enorme, casi de proporciones cósmicas. ¿Hacemos reglas intransigentes en cuanto a lo que un hijo usa para ir a la iglesia? ¿Hacemos un asunto de proporciones titánicas en cuanto al color del cabello de un hijo (en franjas azules y verdes) o el estilo (la mitad inferior de la cabeza afeitada, la mitad superior en una cola de caballo)? No estoy sugiriendo que lo mejor es no tener reglas sobre estos asuntos, ¿pero cuándo es en realidad un asunto de poca importancia?

La sabiduría requiere saber su tendencia en oposición a la tendencia de su hijo. Si busca que lo respeten en su comunidad exhibiendo las marcas sociales apropiadas de los logros, la inteligencia y el poder, casi le puedo garantizar que uno de sus hijos va a tener la tendencia de mofarse de estos criterios. Al menos uno de sus hijos (y es de esperarse que más de uno) le desafiará su perspectiva. Si no lo hacen, sabrá que ha establecido una regla familiar que suplanta amar al Señor su Dios más que a nadie y amar a los demás tanto como se ama a sí mismo[8]. Cuando se les da importancia a las cosas sin importancia (las elecciones de la moda que usa su hijo o su apariencia física), ha enterrado el asunto importante de amar a Dios debajo de las vestimentas de la conformidad a las normas terrenales de la apariencia exterior.

He aquí un enfoque alternativo que se apoya en la sabiduría. Cada hijo es único, y cada hijo debe encontrar las maneras en que puede encajar *en* el mundo y la manera en que no es *del* mundo[9]. Un niño que duda demasiado en cuanto a oponerse al sistema del mundo se le debe llamar a probar los límites de la convención para obedecer a Dios. Por otro lado, un niño que no parece obedecer *ninguna* regla debe encontrar la forma de estar lo suficiente «en» un mundo mayor para acomodarlo a la perspectiva cristiana. Cada hijo tendrá una tendencia en una de estas direcciones: ser «del» mundo y conformarse demasiado a sus valores, o «no ser» del mundo y colocarse apartado de él por completo. Nuestra tarea es afirmar y luego desafiar la tendencia. Si su hijo es un rebelde o un cumplidor de reglas, es a la vez bueno y no bueno. Lo bueno se debe desarrollar, y lo no tan bueno debe encontrar la fuerza de la resistencia paterna. El dilema es que raras veces vemos algo bueno en ser un rebelde, y fallamos en ver algo malo en ser alguien que cumple las reglas. Debemos trabajar en ambos lados del asunto para lograr el propósito de Dios en desarrollar un corazón tierno y fuerte en un niño. Debemos desarrollar la habilidad de un niño de encajar en el mundo y también de resistir al mundo.

No es difícil conceptuar esto en la vida de un niño en edad de escuela primaria. Queremos que nuestros hijos salgan bien en matemáticas, ciencias y lenguaje. Queremos que obtengan altas marcas en los deportes, en la música y en lo académico. Queremos que sean populares, que se porten bien y que respeten a los demás. Así es como deben encajar en el mundo. Sin embargo, queremos que nuestros hijos crean en los principios bíblicos sobre la moralidad y en los valores y que posean convicciones eternas. No queremos que hagan trampas, que roben ni que maldigan. Queremos que sean buenos cristianos. De esta manera, no son de este mundo. No obstante, ¿es esta la única distinción entre «en y no de» que debe guiar nuestra comprensión de las reglas?

Si lo es, no estamos comprometidos con la Biblia, sino con una existencia insípida y religiosa de clase media. Ante todo, deseamos criar un hijo «bueno» para tener un trofeo que certifique que nuestra familia es buena. Dudamos en dedicarnos a criar un joven creyente que sea osado, que corra riesgos y cuya valentía refleje la incomprensible bondad de un Dios de amor y perdón.

Una familia que sigue las Escrituras reconocerá lo inevitable del pecado, la separación y el dolor en todas las dimensiones de la vida y en las relaciones, así como en los vientos recios de la gracia sanadora de Dios. Por lo tanto, es abominable criar a un hijo que un día podría encajar con la descripción del hermano mayor del hijo prodigo o del materialista joven rico[10]. Nuestras aspiraciones para nuestros hijos van mucho más allá del deseo de que sean solo «buenos».

¿Estaríamos contentos si nuestro hijo eligiera dar su vida a la conservación y al cuidado del medio que honra y cuida a la tierra? ¿O veríamos a este hijo como alguien desubicado en lo político? ¿Trataríamos de llevarlo hacia la vocación más aceptable de ser misionero, o encontraríamos aun este camino demasiado temible? Para muchos padres cristianos, el campo de los negocios, la ley o la medicina encajan mejor con la idea convencional de una «buena» vida.

La sabiduría nos llama a reconocer que nuestros hijos deben estar «en y no ser» de la cultura de la cristiandad. Si siempre hacen lo que es aceptable según las reglas de la comunicad de la iglesia, los invitamos a que se conformen a las expectativas humanas más que a los duros requerimientos de Cristo. Necesitamos un mejor enfoque que el de solo conformarnos a la cultura cristiana.

Como hemos visto, la sabiduría cuenta con escuchar a Dios y a nuestros hijos. Así que ahora es el tiempo de escuchar. Todo hijo debe enseñarles a sus padres basados en su tendencia única, dada por Dios. Para un hijo, presentarse a una fiesta formal usando vaqueros les daría tremenda vergüenza; para otro, usar un vestido formal para asistir a la a misma fiesta sería como caminar sobre carbones encendidos. La crianza de los hijos según las reglas cristianas no es exigir lo opuesto a lo que casi siempre se sentiría inclinado a hacer su hijo. En su lugar, involucra ayudar a su hijo a aprender a vivir dentro y luego fuera de la caja de las costumbres el tiempo suficiente y con bastante libertad como para saber lo que significa escuchar el nombre al que responderá un día, el nuevo nombre que le dará Dios. Su tendencia natural le susurra ahora ese nombre.

La confianza en Dios durante los tiempos difíciles

No conozco un dolor mayor que ver sufrir a mis hijos. Los momentos en que he visto a otro niño empujar a uno de mis hijos en el patio de juegos, o cuando un joven le ha roto el corazón a mi hija, me han asustado con la furia que se levanta por dentro. Soy padre y mi tendencia es proteger del mal a mis hijos. Puedo soportar el empujón infantil en el patio de juegos con relativo dominio de mí mismo, pero las heridas más profundas y las injusticias de la vida sacan a la superficie una demanda que dice: «¡Puedes herirme a mí, pero no toques a mi hijo!».

Creo hasta lo más recóndito de mi ser, que debemos sufrir si vamos a madurar; y esa es una de las maneras en que nos hace madurar el ser padres. Es verdad para los padres y las madres, y me duele que también sea verdad para los hijos. A mis hijos no siempre los elegirán para participar en las obras de teatro de la escuela, ni alguien les pedirá que vayan a la fiesta de fin de año con ellos, pero cuando los desprecian y yo veo las nubes de dolor que se ciernen sobre ellos o el rostro marcado por las lágrimas, quiero hacer lo que sea necesario para aliviar su dolor.

Un padre que no siente estas sobrecogedoras sensaciones o está apartado en lo emocional, o aun peor, es hostil de forma abierta. Si no estamos dispuestos a que nos maten por nuestros hijos, no hemos aliado nuestras almas con su bienestar. Por otro lado, sucumbir al impulso de proteger sin dominio de uno mismo y sabiduría es ahogar y envolver a nuestro hijo en el insufrible enredo de nuestra propia alma. El padre que protege demasiado no solo ahoga a su hijo, sino que crea una relación siamesa que conforma al hijo a la tendencia de su padre en lugar de permitir que el hijo se desarrolle siguiendo el camino que escogió Dios.

El llamado de un padre es a modelar cómo deben sufrir. Los hijos comprenderán el valor del poder redentor del sufrimiento solo si lo ven en las vidas de sus padres. Los hijos deben llegar a ver que la calamidad nos revela nuestros límites, nuestra necesidad y nuestras debilidades. El dolor nos recuerda la desesperada necesidad que tenemos de nuestro Padre. Si Jesús aprendió la obediencia por el sufrimiento, del mismo modo deben aprender mis hijos[11]. Entonces, ¿cuánto tiempo es suficiente? ¿Cuándo es sabiduría y no protección que ahoga intervenir para aliviar el sufrimiento? ¿Cuándo es permitir que un hijo soporte el sufrimiento un frente falso para el abuso emocional? La sabiduría no ofrece respuestas en forma de fórmulas, ni tampoco quita el riesgo de que podamos fracasar aun cuando nuestras intenciones sean buenas.

Una pista para conocer la respuesta adecuada a «¿Cuánto tiempo?» es escuchar las voces de nuestro pasado. Cuando teníamos la edad de nuestros hijos, ¿dónde fracasamos, sufrimos y hubiéramos querido que nuestros padres nos rescataran? La respuesta nos puede decir si somos demasiado raudos en intervenir en forma prematura y proteger a nuestros hijos. ¿O en qué ocasiones nuestros padres hicieron más de lo debido para impedirnos que sufriéramos? Ese quizá sea el lugar en el que seamos muy dados a guiar a nuestros hijos a que sufran por mucho tiempo. Nuestros hábitos para criar a nuestros hijos a menudo son una reacción de lo que quisimos y no recibimos de nuestros propios padres.

Otra pista viene de escuchar la tendencia de nuestro hijo. Un niño puede estremecerse a la primera insinuación de una circunstancia que le produce miedo y otro se puede lanzar a enfrentar un desastre inminente. La clave de ambas tendencias es el equilibrio entre estar «en y no ser» del mundo. Estar en el mundo significa que sabemos calcular, a la luz de nuestras habilidades y deseos, los riesgos y las recompensas de cualquier peligro. Tal vez no sea conveniente continuar en un programa de baloncesto si su hijo es el más bajo de la clase a menos que a él en realidad le guste el deporte y tenga otras marcas de fortaleza, como una gran velocidad y agilidad.

¿Qué demanda la sabiduría? ¿Dejamos que nuestros hijos calienten la banca en el baloncesto cuando podrían ser fantásticos corredores de distancias largas? ¿Dejamos que nuestro hijo juegue con muchachos mayores en el vecindario aun cuando a menudo es el lastimado o al que dejan de lado? La manera adecuada de determinar el momento de la intervención es mediante la conversación con nuestro hijo. La mejor intervención no es en forma unilateral, sino de diálogo. El verdadero diálogo requiere un conocimiento de la tendencia de nuestro hijo. ¿Es hablador o solitario? ¿Soporta mucho o poco el dolor? ¿Permite que las palabras y las opiniones de sus compañeros por lo regular ejerzan influencia en sus elecciones?

Si sabemos cómo piensa un niño, al menos en parte, nos permite formularle preguntas difíciles: «¿Cómo le vas a hablar a tu entrenador que te maltrata con palabras? ¿Qué vas a hacer cuando los niños mayores que tú se burlen de ti?». El diálogo invita al niño a nombrar lo que quiere de usted y cuándo está dispuesto a su intervención. Esto es parte de escuchar a su hijo a fin de que logre obtener sabiduría.

Mi hija Amanda tenía una maestra que parecía tratarla con arrogante desprecio. Al final supe que Amanda decidió no decirme nada por temor a que fuera a la escuela y armara un escándalo. Cuando por fin habló sobre eso, la primera parte de nuestro diálogo nos llevó a través de unos pocos encuentros en el pasado en los que había empeorado las cosas debido a mi enojo. Fue doloroso y humillante escuchar estas cosas de labios de mi hija. Le pedí perdón y dejé claro que mis fracasos del pasado no se repetirían, pero que tampoco pasaría por alto la mala situación que creó la maestra.

Concordamos en un plan. Primero Amanda buscaría el consejo del director asistente. Luego mi hija hablaría directo con la maestra, y nosotros practicamos, en forma de ensayo, varias posibilidades. Si no se llegaba a una buena resolución después de hablar con la maestra, Amanda le pediría al director asistente que actuara de mediador. Si este plan no daba resultado, entonces, y solo *entonces* yo participaría. La sabiduría se aprende en la interacción del diálogo, la humildad de la confesión, y de los planes y las oraciones pidiendo redención.

Cómo vivir la paradoja de la vida

Si el sufrimiento es el suelo donde crece la madurez, la redención es el contexto para llegar a ser niño otra vez. Es en el rostro de la inesperada y penetrante amabilidad de un extraño, de un enemigo o de Dios que nos encontramos riendo con deleite y confusión. ¿Cómo puedo ser a la vez fuerte y débil, necesitado y confiado, egoísta y amoroso, ciego y capaz de ver? Todo esto es una enorme, gloriosa y terrible paradoja.

Los padres sabios conocen la tendencia de sus hijos y también la de sus propias almas. Saben lo que significa ayudar a sus hijos a estar en el mundo, pero a no ser del mundo, aunque permitiéndoles a sus hijos correr riesgos, fracasar, sufrir pérdida y dolor, pero solo por un tiempo. Y Dios usa todo esto para impartir sabiduría a medida que participan en un diálogo continuo con sus hijos. También tiene la intención de guiar tanto al padre como al hijo a comprender y a dejarse llevar por la poesía de la paradoja.

Estar «en y no ser de», después de todo, es una paradoja de la vida. La sabiduría orientada por los niños no es una línea recta a una respuesta rápida ni a una solución fácil, sino un camino de amor y crecimiento que lleva al éxito tal como lo define Dios, tanto para los padres como para los hijos.

CAPÍTULO 3

Conozca el mundo feliz de su hijo

Por qué necesitamos criar una generación de activistas

El día había estado marcado con las luchas adultas de las decisiones del ministerio, lo que significaba enfrentar la dura realidad de que no podíamos costear nuestros sueños. Si la responsabilidad fiscal involucra no presumir de la voluntad de Dios, ¿no deberíamos determinar qué hacer basados en lo que nos podemos pagar? No obstante, si llevamos a cabo la visión de Dios, ¿no deberíamos avanzar y confiar en que Él proveerá los fondos?

La reunión fue un encuentro entre dos especies independientes y contenciosas: los soñadores y los gerentes. Alegué, persuadí, me quejé. Le eché una mirada furtiva a mi nueva revista de navegación a vela. Al final, pospusimos la decisión hasta que lográramos obtener más información. Algunas veces es más sabio posponer una discusión y esperar el regreso de Jesús antes que vernos obligados a decidir.

Yo me encontraba a la deriva entre dos mundos que siempre parecían estar en conflicto: los deseos y las necesidades. Sucede en el trabajo y lejos del trabajo. Por ejemplo, yo quiero en realidad comprarme un nuevo velero. Sin embargo, tengo hijos que necesitan comer con regularidad, usar ropas que no estén deshilachadas y asistir a la universidad. Quizá me sea posible comprar un barco ahora y enviar a mis hijos a la universidad, pero es más seguro ahorrar el dinero y comprar el barco más tarde o seguir comprando revistas sobre barcos y olvidarme de la compra. Con todo, proveer comida, ropa y pagos por estudios universitarios parece aburrido y una obligación; navegar parece algo brillante y agradable. Es la necesidad contra el deseo.

Me sentía extenuado por las decisiones que no quisimos hacer en la reunión y el dolor y la irritación que a menudo vienen como resultado de deseos no correspondidos. Mi solución en esos momentos es trabajar. Hice llamadas telefónicas, contesté correos electrónicos y por último revisé mi contestador automático donde encontré dos mensajes. El primero era de mi hija Amanda que me decía que ya iba a salir de un baile en la escuela y que se retrasaría unos minutos para recogerme en el trasbordador. (Vivimos en una isla). El segundo mensaje era de mi esposa. Escuché su primera frase y me sentí paralizado. «Arrestaron a Amanda. Está en la cárcel». No podía ser cierto, pero el tono apagado de la voz de mi esposa no dejaba duda alguna. Los inconvenientes anteriores del día desaparecieron. Estaba a punto de presentarme al valiente y nuevo mundo de mi hija.

¿Mundo nuevo o solo uno rehecho?

Sabemos que el mundo de nuestros hijos no es el mismo en el que crecimos nosotros. También sabemos que nuestros hijos enfrentan realidades bastante similares a las que deben enfrentar todas las generaciones. Es tanto un mundo nuevo por completo y uno de profunda reconstrucción con todos los días que nos precedieron.

Todo cambia y todo permanece igual. Nuestros padres nunca hubieran concebido verificar en un asistente personal electrónico si tienen una noche libre la próxima semana. Nuestros hijos no logran comprender por qué sus padres no son capaces de arreglar la hora que parpadea en su aparato de vídeo. Sin embargo, el hecho permanece que, para *cada* edad, dos realidades serán siempre las mismas: Los niños (y el resto de nosotros) luchamos con la intimidad y la autonomía. Queremos estar cerca de los que amamos, pero no tanto como para que nos absorbamos el uno dentro del otro. Y queremos ambas cosas al mismo tiempo.

Un adolescente quiere a la joven de sus sueños, pero no quiere que ella le diga lo que debe usar ni cómo comportarse. Una adolescente quizá crea en el mismo Dios que sus padres, pero solo no puede estar de acuerdo con todo lo que ellos piensan y hacen, y todavía seguir siendo una persona única. Los hijos consideran que ser diferentes es su derecho y privilegio, mientras que los padres creen que no deben ser *tan* diferentes. Existe una tensión necesaria entre la intimidad y la autonomía.

La intimidad trae un sentido de seguridad: Me cuidan y protegen en la seguridad de una relación o de un grupo muy unido. Por generaciones la gente permaneció en la misma comunidad y trabajó en la misma profesión durante toda la vida. La permanencia en un mismo lugar trajo un sentido de seguridad. La familia, la comunidad o el negocio pusieron los parámetros de lo aceptable. Si trabaja aquí, usará el uniforme de la compañía. Si adora aquí, creerá en la infalibilidad de la Biblia. Y mientras se obedezcan las reglas, durará la intimidad. No obstante, si desobedece, corre el riesgo de la exclusión y la soledad. Esta intimidad que lleva consigo un precio, y esta aceptación basada en las reglas, hacen que el sentido de seguridad sea una ilusión. En realidad, esto no era ni seguro ni íntimo.

La autonomía es una búsqueda de singularidad y significado personal. ¿Quién soy yo? ¿Cómo ser, qué hacer, qué soñar? La autonomía nos saca de la seguridad y la intimidad al peligro y a nuestro llamado único en la vida. La intimidad puede socorrer y ayudar, alimentar y satisfacer, pero la autonomía nos llama a ser y buscar más allá del horizonte del hogar con la meta de explorar y conquistar mundos desconocidos para nosotros. Ser un individuo separado de los demás, diferenciándonos de las personas con las que tenemos intimidad, siempre es meterse en líos. Y los líos y las tensiones perturban la intimidad.

Recuerde que nuestros hijos nos formulan sin cesar dos preguntas: La intimidad pregunta: «¿Me aman?». La autonomía pregunta: «¿Me puedo salir con la mía?». Cuando estas dos se mezclan, la pregunta se convierte en: «¿Me amarás aun si decido llegar a ser alguien que tú preferirías que no fuera?». Estas preguntas hacen que todas las generaciones sean iguales en su mayoría. La buena crianza de sus hijos y el aprender a que ellos lo críen exigen que reconozca cómo cada generación tiende a enfocar estas mismas preguntas con diferentes puntos de vista del mundo.

El reciclaje de las generaciones

Los historiadores William Strauss y Neil Howe publicaron dos libros que nos son de mucha ayuda: *Generations* y *The Fourth Turning*. En estos libros definen un bosquejo fascinante de los ciclos repetitivos de la historia. Comenzando con la fundación de las colonias en los Estados Unidos, observaron cuatro ciclos que se repiten, donde cada uno dura una generación (de veinte a veinticinco años). Su copiosa investigación y elegante teoría unen algo que muchos han expresado en forma intuitiva: La historia se repite. Los estudios de estos escritores han influido mucho en mí, pero en este capítulo me enfocaré en una interacción más teológica y sicológica del conflicto generacional[1].

Todos enfrentamos un patrón oscilante, no solo en cada una de nuestras vidas, en nuestras familias, en nuestras instituciones de la sociedad, sino también en las generaciones. El patrón surge debido a nuestros esfuerzos conflictivos de confiar en un Dios que no se puede ver ni manipular a fin de lograr nuestros propósitos. Las etapas de nuestras almas siguen los cuatro ciclos de las generaciones: De la bendición a la presunción al despertar a la calamidad. La calamidad da de nuevo la oportunidad a la bendición de Dios mediante el rescate y la redención, y entonces el ciclo se repite de nuevo.

Le ilustraré este patrón tal como se encuentra en uno de los lamentos que escribiera el profeta Oseas:

> Yo soy el SEÑOR tu Dios desde que estabas en Egipto. No conocerás a otro Dios fuera de mí, ni a otro Salvador que no sea yo. Porque yo fui el que te conoció en el desierto, en esa tierra de terrible aridez. Les di de comer, y quedaron saciados, y una vez satisfechos, se volvieron arrogantes y se olvidaron de mí. Por eso, yo seré para ellos como un león; los acecharé junto al camino, como un leopardo. Los atacaré y les desgarraré el pecho como una osa a quien le quitan sus cachorros. ¡Los devoraré como un león! ¡Los despedazaré como fiera del campo!
>
> Voy a destruirte, Israel, porque estás contra quien te ayuda. ¿Dónde está tu rey, para que te salve en todas tus ciudades? ¿Dónde están los gobernantes, de los que decías: «Dame rey y autoridades»? En mi ira te di rey, y en mi enojo te lo quité[2].

La era de la bendición

Dios nos bendice y rescata de la esclavitud porque Él está comprometido a rescatar y redimir. Es nuestro Salvador y nuestro Cuidador que nos da comida y bebida para satisfacer nuestras almas hambrientas y sedientas. A Él le encanta dar. Nos da una gran muestra de su gloria a través del gusto dulce de una ciruela, mediante los amorosos brazos de una abuela y en la suave canción de cuna en la voz de una madre. Nosotros debemos ser mayordomos de los dones de Dios. Un mayordomo no posee los dones, solo los administra para beneficio de los que lo rodean. Un buen mayordomo ni acapara ni da sin ton ni son las cosas para obtener ganancias deshonestas. Está centrado en los demás, buscando su bien.

Además, un mayordomo recibe los dones de Dios con gratitud y los ofrece con humildad a Dios en un sacrificio de alabanza. Un mayordomo sabe de la agonía de la privación y, sin embargo, se asegura de que haya suficiente para todos. Sacrificará casi todo para mantener la vida en orden. Si al igual que yo nació después de la Segunda Guerra Mundial, nuestros abuelos fueron los mayordomos en la era de la bendición.

La constante pregunta que se formula «¿Me aman?» tipifica la generación de nuestros hijos, pero no la de nuestros abuelos. Preguntar si los amaban hubiera parecido demasiado egoísta. Y la pregunta «¿Me puedo salir con la mía?» también hubiera parecido inconcebible. Su preocupación principal no era deshonrar a sus padres, familia, comunidad o país. Para nuestros bisabuelos criar un buen mayordomo no hubiera sido más difícil que proveer alimento, un hogar y cierto grado de educación. Los principios morales y los métodos ya eran parte de la fibra de la vida. Su modelo de criar a los hijos era tan rectilíneo como era posible.

Sin embargo, la era de la bendición no dura para siempre. Cuando Dios nos provee y estamos satisfechos, nos apartamos de Él. Confundimos las bendiciones de Dios con éxito terrenal, y lo atribuimos a nuestra propia inteligencia y habilidades. Nos convertimos en constructores confiados de un nuevo mundo que va a tener menos dolor y más placer, menos necesidad de confiar y más autonomía para hacer lo que nos plazca. Aquí es donde la era de la bendición se convierte en la era de la presunción.

La era de la presunción

Si la bendición caracterizó a la generación de nuestros abuelos, la presunción caracterizó a la era de nuestros padres. ¿Y por qué la presunción? Nuestro deseo de Dios se apaga cuando la vida que Él provee y los dones que recibimos de sus manos se desean cada vez más que el mismo Dador de los dones. Una vida fácil nos da tiempo para descansar y jugar, y pronto nos olvidamos de nuestra hambre anterior. Presumimos que *merecemos* los dones y con el tiempo nos olvidamos de Dios. El orgullo no solo presume que merecemos lo que tenemos, sino que nos insta a demandar aun más. Es durante este período de mucha confianza que la gente usa los dones que guardaron los mayordomos (sus padres) para construir las ciudades de los hombres. La generación de la era de la presunción quiere construir un reino humano que resuelva todos los problemas que enfrenta la humanidad.

Los constructores (repito, la generación de nuestros padres, si nació después de la Segunda Guerra Mundial) adoptaron un enfoque práctico de la vida. Tomaron las historias y los símbolos de los mayordomos y los convirtieron en una economía pragmática y de valores actualizados. A un constructor le preocupaba menos el porqué y le interesaba más el qué. Un constructor se convierte en un sobreviviente que sabe capitalizar en el momento y saca lo mejor de lo que está disponible. Cree en los principios morales y en las historias de redención, pero preferiría hacer historias nuevas antes que recordar lo que sus padres mayordomos preservaron de la era de la bendición.

La pregunta central para nuestros hijos, «¿Me aman?», todavía no estaba disponible para los constructores. Dieron por sentado que la respuesta era: «¡Por supuesto!». Asimismo, la respuesta a «¿Puedo salirme con la mía?» también sobreentendían que era: «¡Por supuesto!». Usted puede crear su propio éxito en las fuerzas armadas, a través de la educación o en los negocios. Puede decidir si va a vivir en los suburbios de una ciudad y hacerse miembro de los clubes de moda. Todo lo que necesita es la fuerza y la inteligencia natural para hacerlo. Cuando nuestros padres regresaron de la Segunda Guerra Mundial, se sintieron con el poder para negar el pasado y comenzar a vivir el futuro. En efecto, *podían* salirse con la suya.

La era de la presunción sostuvo la meta principal de los constructores de lograr que sus hijos no se enredaran con los grupos equivocados y que siguieran progresando de forma continua hacia su propio éxito. Los constructores mantuvieron su visión con el suficiente optimismo como para evitar los terribles recuerdos de Pearl Harbor, Dachau e Hiroshima. Era tiempo de construir un nuevo futuro, no de lamentarse por el pasado. Así que tuvimos la Cruzada Estudiantil y Profesional para Cristo y Disneylandia, la reconstrucción de Europa, y los vastos y sin fin suburbios de esperanza de los Estados Unidos.

Existe un lado oscuro a un tiempo de optimismo y presunción de que podemos lograr *cualquier cosa* si solo nos esforzamos. El lado oscuro es creerse buenos y una división mayor entre los que tienen medios y los que no los tienen. Es un tiempo en el que la arrogancia se encubre bajo el disfraz de un buen padre, ciudadano o cristiano; pero el egoísmo se deja de cuestionar mientras la persona juegue mediante las bien reconocidas reglas de la cultura. El creerse bueno, sin embargo, siempre emigra al deterioro de la fundación de la sociedad y a la perversión de los valores y los principios morales. Recuerde que esa fue la generación de los Kennedy y de Richard Nixon, líderes que impusieron nuevas normas de sorprendentes logros públicos y fracaso personal. La era de la presunción, sin importar en qué siglo se encuentre, al final se perturba por un período de despertar. Puesto que los hijos de los constructores llegaron en la era del despertar, los constructores descubrieron que la crianza era algo caótico cuando trataban de criar a sus hijos nacidos después de la Segunda Guerra Mundial.

La era del despertar

Es inevitable que, en medio de una sociedad de satisfacción y adoración propia, alguien note que esa era está llena de ostentación y egoísmo. Así que un movimiento profético comienza a exponer la era como complaciente y tonta. Se levantan voces que revelan el peligro que se cierne si la sociedad de la presunción se negara a arrepentirse y a cambiar. La mayoría de las veces, no escuchan al profeta, lo humillan y a veces lo matan. No nos hace falta ir muy atrás en el pasado para ver al doctor Martin Luther King, hijo, y muchos otros menos conocidos mártires del movimiento de los derechos civiles.

Sin embargo, el profeta comienza a encontrar a personas que lo siguen porque crea una nueva visión para la sociedad. Se para fuera de la corriente principal como una figura convincente y desafiante. Intriga y ofende; por lo tanto, desestabiliza el status quo. Expone la suave área de vulnerabilidad de la comodidad y facilita lo que crearon los constructores. El profeta es un soñador. Es más introvertido, subjetivo e idealista que sus padres constructores.

Si nació después de la Segunda Guerra Mundial (entre el 1946 y el 1964), esta es una descripción de su generación, la era del despertar. Muchos de nosotros marchábamos contra la guerra o apoyando los derechos civiles, tomando drogas y promoviendo el amor libre, o creyendo que Jesús iba a regresar pronto porque las señales indicaban que no solo se trataba de la Era de Acuario, sino también de la venida del Reino de Dios. El evangelio iba a llegar a todas las personas, de toda lengua y nación durante nuestra vida terrenal. ¿Por qué durante *nuestra* vida y no durante la de otra persona? Solo porque insistíamos en salirnos con la nuestra y estábamos convencidos de que nos amaban. Es más, nos amaban tanto que el mundo giraba en torno a nosotros.

¡Ah, los alocados días de la juventud! ¿Sabemos que en realidad nos aman de manera profunda y apasionada? De ninguna manera. Aun así, es cierto que más de la vida ahora gira alrededor de los caprichos de una sola generación (los que nacieron entre los años 1946 y 1964), que en ninguna otra época en la historia. Tenemos padres a quienes guió el doctor Benjamín Spock. La imagen que tenemos de nosotros mismos y nuestro amor propio nos resulta tan importante como nuestra actuación y reputación en relación con los demás. Nos hemos convertido en una mezcolanza de ironías. Somos únicos, pero estamos en una manada. Nos rebelamos juntos. Nos convertimos a Cristo juntos. Somos más autónomos que cualquier otra generación, pero el precio es una necesidad mayor de intimidad y de estar conectados.

Al final, la era del despertar se tambalea hacia una crisis intermitente y luego un tiempo de calamidad que redefine la naturaleza de la vida. Los hijos de estas personas nacidas después de la Segunda Guerra Mundial son los que tomarán todo lo que vino antes y enfrentarán este desafío actual.

LA ERA DE LA CALAMIDAD

Un período transitorio entre el despertar y la llegada de la calamidad está marcado por la indulgencia, el cinismo, las críticas mezquinas y las burlas. Hasta ahora solo describo el carácter distintivo popularizado por Jay Leno y David Letterman, en sus programas televisivos que se presentan tarde por la noche. Y he aquí la tragedia: Me gustan los dos programas. Supongo que son los cínicos profetas que merecemos. Se burlan de todo el mundo, hasta de ellos mismos. Son los bufones de las cortes que les aprietan la nariz a Billy Graham y a Bill Clinton con el mismo fervor. Exponen nuestros puntos débiles y nos ayudan a enfocarnos en nuestra imperfecta humanidad. Con todo, son vacíos en lo que respecta a construir algo.

La era del despertar (la generación de los nacidos entre los años 1946 y 1964) abrió la puerta a la esperanza idealista que al final se pisoteó cuando los revolucionarios de los años sesenta comenzaron a vender seguros y acciones de la bolsa de comercio. Por cierto, durante los años ochenta, cuando Ronald Reagan era presidente, la generación posterior a la Segunda Guerra Mundial perdió su oportunidad de cambiar la religión del mundo. ¿Y qué o quién va a ocupar su lugar? Leno y Letterman nos recuerdan todas las noches que hemos perdido nuestras amarras, así que podemos escuchar sobre el último noviazgo e insulsa opinión de la celebridad de moda en Hollywood. ¿A quién le importa? A decir verdad, ¿a quién le importa? La triste respuesta: A todos nosotros. No tenemos nada mejor de qué preocuparnos porque hemos perdido la esperanza de que nada pueda cambiar jamás.

Y he aquí la locura. Muchos padres dicen que quieren proteger a sus hijos de los horrores de las relaciones sexuales, las drogas y el *rock and roll* de la precedente era decadente y, sin embargo, muestran más preocupación por sus inversiones en la bolsa de comercio, su posición en la iglesia y el tamaño de su cintura que por los asuntos del hambre, el sida, la intolerancia, la discriminación sexual, los crímenes no violentos realizados por personas pudientes y el creciente odio y violencia en los hogares, las familias, las iglesias y la sociedad. No solo estamos en una era de insensatez, sino de locura.

Nombremos bien esta era actual. No somos ni mayordomos, ni constructores, ni siquiera los profetas o soñadores de los años sesenta y setenta. Gruesos e indulgentes, hemos viajado alocadamente a través del «efecto derrame» [*Trickle Down Effect*] de los años ochenta y entrado en los terribles y financieramente prósperos años noventa, y luego caímos en la quiebra posterior al 11 de septiembre. Los grandes planes de jubilación se vaciaron por una combinación de la caída del mercado, la avaricia de los jefes ejecutivos de las corporaciones y la codicia de la confianza excesiva. Es un nuevo pero no tan glamoroso día.

Al otro lado del mundo, y quizá tan cerca como la casa de al lado, un radical extremista construye una bomba o trama una compleja conspiración para traer devastación a los Estados Unidos o a los países percibidos como sus aliados. El Oriente Medio, que siempre ha sido un lugar de amargo odio y violencia, en cualquier momento podría hervir de nuevo y un fuego que comenzaría en la cocina, amenazaría destruir la casa entera.

En Estados Unidos, litigamos todo, no confiamos en nadie, sobre todo en los líderes. Si alguien quiere liderar, los medios de comunicación lo van a aniquilar y lo mismo harán sus colegas. Lo más pequeño en la vida de una persona está a disposición para el escrutinio público y debates prejuiciados. Nuestro deporte favorito es rodear a una persona de insinuaciones y chismes. No describo ahora a cínicos como Jay Leno ni David Letterman, sino a nuestros colegas en el comedor, el vestíbulo de la iglesia y la sala de estar en nuestros hogares. Vivimos en una era cruel, brutal y divisiva. Esta es la era que los de la posguerra le entregaron a nuestros hijos. Y es en esta era que necesitamos redefinir el alto llamado de la crianza de los hijos.

La secuela de la presunción y el orgullo siempre es una dura caída. (Recuerde las palabras de Oseas). La caída quizá sea por generación propia, tal como el principio de una enfermedad al corazón para los que han sido indulgentes y han ingerido comidas demasiado grasosas y no han hecho mucho ejercicio. O tal vez la causen otros, como es el caso de los que se les cerraron la puerta de los beneficios de la edad. Los pobres se levantan. Los esclavos se rebelan. O, en el caso de los que Oseas les dijo que despertaran, Dios se levantó y les trajo el mal como el de una bestia salvaje que despedaza a su presa. Es en esta era en la que necesitamos una generación de líderes comunes que adjudiquen valor a la pasión y al corazón de Dios, y quienes con su ayuda, se levanten de manera heroica a enfrentar la calamidad.

Nuestros hijos crecen en esta era de calamidad. Es preciso que los preparemos para la realidad, para las aflicciones futuras. Necesitamos criar una generación de líderes, una generación de activistas que amen a Dios.

A menudo un activista es una fuerza poco importante que al parecer le llaman a salir del anonimato y a distinguirse en una tarea que se considera mayor de lo que nadie es capaz de enfrentar. En esta humildad encontramos el valor para hacer lo que pocos están dispuestos a arriesgar. El activista tiene el pragmatismo de sus abuelos y el escepticismo de sus padres. Sabe las formas en que funciona el mundo, y es cínico y está cansado del mundo, pero anhela algo nuevo por lo cual valga la pena vivir y morir lográndolo. Si nació después de la Segunda Guerra Mundial, su hijo debe llegar a ser activista.

Esperanza en el horizonte

Hay una consecuencia notable en los cuatro ciclos generacionales, comenzando por el del pecado y la redención que de forma inevitable lleva a los subsiguientes ciclos de la bendición, la presunción, el despertar y la calamidad. Las culturas y las generaciones se levantan de las cenizas de nuestra inexorable lucha con

Dios y nuestra inevitable lucha con la tensión entre la intimidad y la autonomía. Estas luchas seguirán mientras vivamos en un mundo caído. Tan oscuro como pueda parecer el momento, y el nuestro es uno en el que se ciernen nubes de tormenta, no es un día en el que Jay Leno y David Letterman van a tener la cínica palabra final.

¿Qué es lo singular en la generación de nuestros hijos que retiene la esperanza de que se levanten para enfrentar la calamidad futura? Le sugeriré tres esferas fundamentales, cada una girando en torno a contradicciones que chocan y la intensidad de la paradoja de la vida. En cada una de estas esferas, Dios llama a los padres a que enfrenten la creciente complejidad del mundo actual.

Glotonería y carencia

Hoy en día vemos más, oímos más y sentimos más que cualquier otra generación de la historia. Nuestra tecnología simula la omnipresencia de Dios. Puedo ver las llameantes ruinas de la guerra en Cisjordania y luego cambiar el canal y mirar a un equipo médico que inserta una cámara fotográfica al final de un microscopio y ver cómo un niño que aún está en el útero meterse los dedos en la boca. Sin embargo, en otra operación, a un niño de esa edad se le considera tejido y lo matan con una solución salina y lo sacan con fórceps. ¿Qué es esto: un preciado hijo o desechos orgánicos? En esta era de calamidad, es un asunto de semántica y una pregunta del que domina el uso del lenguaje.

Las palabras vuelan en torno a nosotros como palomas y nos ensucian con sus residuos. Hay demasiados señales, símbolos, anuncios, sonidos y lemas para aguantar mirar o escuchar cualquier cosa que no sea estimulante e intrigante. Se nos ha privado de la habilidad de elegir, examinar o criticar, así que a veces estamos sin un peso y hambrientos en un mundo de absoluta prodigalidad. He observado a mi hijo buscar el sitio Web apropiado para obtener la información exacta que necesitaba para una tarea escolar. Sabe que está allí, así que tiene que seguir buscando.

Cuando logra conseguir algo de lo que buscaba, le queda poca energía como para escribir lo que investigó. Es una víctima del exceso de información.

Esta glotonería nos ha llevado al borde de la futilidad y el aislamiento. Cualquier esfuerzo para lograr la omnipresencia nos dejará poco espacio o tiempo para nosotros mismos. Si estamos en todos los lugares, no estamos en ningún lugar. Sería maravilloso si lográramos en realidad pensar en forma global y actuar en forma local. En cambio, permanecemos inertes mientras recolectamos más información y pensamos más, y mientras nos volvemos apáticos al mundo que nos rodea. Simplemente sabemos demasiado y esto nos paraliza.

¿Qué sucede entonces con la forma en que criamos a nuestros hijos? Nos han entrado demasiados datos, demasiadas influencias y demasiada presión. Así que cansamos a nuestros hijos arrastrándolos a todos lados a fin de que hagan todas las cosas. Los llevamos desde la clase de música a las prácticas de fútbol a las reuniones de jóvenes hasta que los extenuamos. Viven en nuestros automóviles y anhelan dormir. Al insistir que hagan todas las cosas, no los preparamos para la acción, los herimos al infligirles estrés y presión. Y esto es justo lo opuesto a lo que deberíamos hacer. La era de calamidad pide una generación de activistas. Y nosotros debemos prepararlos.

Sospecha y credulidad

Somos lo bastante ingenuos como para creer casi cualquier cosa, pero cada vez tenemos menos confianza. Creemos en las últimas dietas de moda, el poder mágico de un automóvil nuevo para hacernos más glamorosos y en los extraterrestres que han estado visitando nuestro planeta. O tal vez no. ¿No son los OVNI sino un engaño perpetrado por la Unión Soviética, el imperio del mal? Ah, no, ese imperio se disolvió hace muchos años. Rusia es ahora nuestra amiga y tenemos un nuevo enemigo: Iraq. ¿O ha cambiado eso otra vez? Parece que el blanco continúa moviéndose.

No confiamos en nadie excepto en nuestros amigos, pero aun el aliado más cercano se puede convertir en enemigo cuando cambian las circunstancias. Los buenos son también los malos y viceversa. Odiamos la ética gris, así que en cambio decidimos ver las cosas en blanco y negro. Por ejemplo, Israel es bueno porque los judíos fueron un pueblo perseguido y porque el gobierno de Israel permanece leal a Estados Unidos. Los palestinos son terroristas porque se oponen a Israel y matan a civiles inocentes. Sin embargo, hable con alguien en Cisjordania y descubrirá que el terrorista de un hombre es el libertador de otro.

Personas de buena voluntad pueden tener opiniones opuestas en asuntos de política internacional. Creemos que tenemos razón hasta que cambian las circunstancias y aparece un nuevo concepto de bueno. Estados Unidos decía que la Unión Soviética era una aliada mientras la Unión Soviética luchaba contra la Alemania nazi. No obstante, después de la guerra, cuando la Unión Soviética impuso su dominación sobre Europa Oriental, nos reservamos nuestras definiciones de amigo y enemigo.

El mundo es complejo y está lleno de paradojas, y la crianza de los hijos no es una excepción. Nuestro malestar con las paradojas, al igual que el gris ético de los aliados malos, causa que busquemos soluciones simples. Queremos aceptar las cosas como buenas en su totalidad, o malas en su totalidad, y esta tendencia moldea la manera en que criamos a nuestros hijos. Mientras más creemos que nuestro bando es el justo y bueno, más críticos nos volvemos hacia quienes no están de acuerdo con nosotros. Por lo tanto, cuando en el hogar se enseñan los valores y el panorama mundial, el enfoque a menudo es estrecho, dogmático y crítico antes que franco, curioso y de diálogo. Debido a que nos ponemos de punta con las complejidades de la vida, tendemos a adoctrinar a nuestros hijos según la postura de nuestra propia tribu y a difamar de la postura de los demás. Esta es la credibilidad de estar convencidos en la absoluta certeza de nuestra postura, aunada a la sospechosa desconfianza de cualquier postura que difiera de la nuestra. Aun así, es inevitable que al caer de nuevo en la simplicidad del blanco y negro de las convicciones prefabricadas se alimente la sospecha y la credibilidad. En realidad nos lleva más lejos y nos lanza al umbral de la rectitud propia.

La rectitud propia y la desconfianza de uno mismo

Tenemos acceso a demasiada información sobre demasiadas cosas. La Internet y los nuevos programas de la televisión por cable nos tientan a pensar que quizá algún día lo sepamos todo. Aun así, la omnisciencia solo le pertenece a Dios. Y como hemos visto, en cuanto me convenzo que tengo razón, una nueva certeza viene y ocupa su lugar.

Nuestro mundo es demasiado complejo como para que lo entendamos. Con todo, no es nada comparado con el desafío de criar hijos. Nuestros hijos crecen en una era de calamidad y se preguntan a cada momento: «¿Me aman» y «¿Me puedo salir con la mía?». Al responderles sus dos preguntas centrales, nos enfrentamos a una increíble complejidad. Los hijos necesitan saber que se les aman y que no se pueden salir con la suya, pero necesitan saber estos hechos en el contexto de su propia era.

Esta necesidad nos conduce a la doble realidad de la rectitud y la desconfianza propia. Cada uno de nosotros tiene una tendencia natural en una de estas dos direcciones. O nos sentimos más cómodos con la misericordia de Dios («Sí, eres amado») o con su fortaleza («No te puedes salir con la tuya»). Es fácil concluir que la forma en que nos crearon es la *adecuada*. La rectitud propia nos tienta a elevarnos sobre los demás, afirmando que la verdadera solución es aplicar más fuerza o dar más misericordia, dependiendo de la tendencia natural. La paradoja de criar a los hijos es que Dios nos llama a reflejar *ambas* cosas: su misericordia y su fortaleza en igual medida. Necesitamos la humildad para admitir que nuestra tendencia natural es solo la mitad de la respuesta. Criar a los hijos requerirá la misericordia y la fortaleza, lo que significa que tenemos el llamado a hacer mucho que no hacemos con facilidad.

A medida que encaramos lo que nos falta, enfrentamos la desconfianza propia. Nos damos cuenta que somos muy deficientes y que ni nos acercamos a la tarea de criar hijos. Entonces, la duda de nuestra insuficiencia logra humillarnos con el fin de prepararnos para que Dios nos haga completos en medio de la paradoja. Amor y disciplina, intimidad y autonomía, nuestros hijos necesitan todo esto en medidas iguales. Y es así que tenemos las paradojas necesarias de criar bien a nuestros hijos.

El comienzo de la historia

Tal vez recuerde que recibí un mensaje inquietante en mi contestador automático de mi esposa. Tomé el trasbordador ese día sabiendo que no iba a mi casa, sino a la estación de policía. Habían arrestado a mi hija y no sabía por qué causa. Lo que sabía era que me encontraba extenuado por completo. Había pasado varias horas antes ese día atrapado en la enorme importancia de mi mundo, luchando con incomprensibles dificultades que tenían que vencerse y lo que quise entonces y quería ahora era escaparme. Quería embarcarme en un velero de doce metros en las Islas Vírgenes Británicas, nunca más tener que contestar otra llamada telefónica ni correo electrónico, ni que me exigieran que tomara otra decisión de nuevo. La vida era simplemente demasiado compleja.

Mientras caminaba las tres cuadras desde la terminal del trasbordador hasta la estación de policía, le pedí a Dios que me ayudara. Y Él me habló, no en una voz audible ni tampoco con una señal dramática, pero me habló: «¿Le ofrecerás misericordia a tu hija o le ofrecerás un juicio crítico? ¿Qué será, Dan, mi ternura o tu enojo?».

Los hijos invitan a sus padres a entrar a un mundo nuevo y valiente, un mundo complejo de dificultades y paradojas, la era de calamidad. ¿Aceptaremos su invitación?

CAPÍTULO 4

Discernamos las voces de nuestros padres

Rompamos con el pasado para criar bien a nuestros hijos

Si está leyendo los capítulos de este libro en orden, sabe que tuve que ir desde mi oficina a la estación de policía para ver a mi hija. Mis hijos no son el tipo de los que se meten en problemas con la policía, y yo no tenía ni idea de lo que me esperaba allí. La última vez que estuve en una situación similar, tenía la edad de mi hija. Estaba sentado en la celda de una prisión esperando que llegaran mis padres. Había salido de la casa de mi novia después de beber un poco del güisqui de su padre. Subí a mi automóvil para irme a casa y recuerdo que sentí la ráfaga de viento en los brazos mientras doblaba las esquinas con demasiada rapidez. Vi las luces rojas intermitentes en mi espejo retrovisor, y sin un segundo de duda, pisé el acelerador. El alocado paseo terminó cuando me metí en el jardín de una casa para evitar chocar contra una barricada policial.

La cantidad de luces, los serios rostros y el mandato como un ladrido de salir del auto con las manos en alto me llegaron como un terrible despertar. No recuerdo mucho más. Recuerdo que estuve sentado en la celda de la prisión, imaginándome el rostro de mi madre cuando viniera con mi padre a reclamar a su hijo. Temía ver sus lágrimas. Sabía que habría estado llorando y que mi padre guardaría silencio.

Volví de ese perturbador momento al presente cuando cruzaba el estacionamiento de la estación de policía. Mi esposa ya había llegado; tenía los ojos llorosos y una quieta mirada de furia. En los siguientes momentos iba a tener que hablar con mi esposa, mi hija y mi madre. Todas estaban presentes, aun cuando en realidad mi madre se encontraba a más de tres mil kilómetros de distancia.

Estaba allí para reclamar a mi hija, pero todo lo que escuchaba era el dolor y la desilusión en la voz de mi madre. Las voces de nuestros hijos muchas veces están ahogadas por otras voces que gritan sin emitir un sonido. Y una de las más altas es la persistente influencia de nuestros padres[1].

El grito del silencio

Juan y Marta eran padres jóvenes con dos dulces niñitas de tres y cinco años de edad. A las niñas les encantaba explorar y jugar juntas. La mayor, Camila, era una pequeña cuidadora de su hermanita y los ojos vigilantes de su madre. Julia era una precoz niñita a quien le encantaba meterse en problemas y ver cómo la rescataría su hermana mayor. Era un buen dúo, el cuidado y los problemas se encontraban para darles a ambas un sentido juguetón.

O al menos así es como Juan y Marta veían a sus hijas. Sin embargo, los padres de Juan tenían otro punto de vista. Les gustaban los niños mientras estos estuvieran en la escuela o jugando en un parque. Así que en el hogar era algo diferente, se debía vivir con seriedad y no jugar. Cuando los abuelos los visitaban, aumentaba la tensión en el hogar de Juan y Marta y disminuía la diversión. Juan se volvía más autoritario y comenzaba a interrumpir la diversión del juego de las niñitas. Mientras más intervenía, más obligada a proteger a sus hijas se veía Marta, y una fría distancia se interpuso entre ambos.

Al igual que una pequeña veleta que indica la dirección del viento, las niñas sabían por instinto de qué lado soplaba el viento. Camila se volvía más protectora y Julia más irritable. La tensión creció hasta que ocurrió una calamidad: Julia estaba demasiado agitada durante la cena y empujó su plato hasta que cayó con estrépito al suelo. Esto abrió una válvula que ventiló todas las presiones suprimidas. Ahora los abuelos tenían prueba irrefutable de que Juan y Marta eran unos completos fracasos como padres. Ahora Juan tenía una insondable carga de culpa. Y Marta tenía que morderse la lengua para no desafiar la fulminante mirada de desaprobación de los padres de Juan. La familia se derrumbaba bajo el peso de las ensordecedoras y tácitas voces que invadieron su hogar.

Somos tontos si fallamos en ver que las voces de nuestros padres nos impiden escuchar a nuestros hijos. Si alguna vez vamos a aprender a escuchar a nuestros hijos, debemos primero reconocer las influencias de las voces de nuestros padres, ya sea para bien o para mal.

¿Por qué no son padres los abuelos?

Por fortuna, los condenatorios padres de Juan no son la norma en la mayoría de las familias extendidas. Incontables veces he oído a un padre decir: «Solo me habría gustado que mi papá me hubiera criado de la manera que veo que se relaciona con mi hijo». Es tanto una tragedia y algo glorioso. ¿Cómo es posible que un padre no jugara con su hijo y ahora pase horas jugando con su nieto? ¿Se debe a que tiene más tiempo libre después de la jubilación? ¿Debemos sospechar que el paso del tiempo y la avanzada realidad de la mortalidad hacen un cambio notable en un abuelo y lo vuelven más humano, generoso, amable y paciente? Creo que la respuesta es un sí cauteloso a ambas preguntas, y hay otro factor enorme: *Los abuelos no tienen la responsabilidad del producto*. Pueden dejar los dilemas de la disciplina y las reglas a los padres mientras se deleitan en las travesuras libres de inhibiciones y el hermoso rostro de su nieto.

Mi propia abuela era una joya. Sufría de artritis reumática, lo cual la debilitaba, desde los cuarenta y cinco años de edad, pero todavía retozaba con la picardía de un duende. Vino a vivir con nuestra familia en el apogeo de mi adolescencia. Hubo muchas batallas familiares a las que entraba con su cuerpo enfermo y su bella sonrisa. Miraba a los combatientes con una mirada discernidora y decía: «¿Qué son todas estas quejas? ¿No saben que un muchacho tiene que aguijonear a sus padres o nunca va a saber qué hacer?».

Se convirtió en una intérprete de confianza que me ayudó a descifrar el significado de las palabras de mi madre. Sin duda, también ayudó a mi madre a interpretar mi jerga de adolescente. Mi abuela mantuvo el diálogo abierto entre los dos bandos en guerra que no se tenían confianza, pero que confiaban del todo en la que nos amaba a ambos.

Es un adagio digno de confianza con solo unas pocas excepciones: Los abuelos y sus nietos se llevan mejor que los padres con sus propios padres o sus hijos. ¿Y por qué? A menudo la respuesta es una verdad muy sencilla. Los abuelos están para malcriar a sus nietos, dejarles comer todos los postres que quieran y luego llevarlos de vuelta a la casa de papá y mamá cuando los niños están a punto de subir por las paredes. Hay verdad en esto, pero hay mucho más que se podría decir.

Los abuelos no tienen el llamado a brindar la misma disciplina diaria que es responsabilidad de un padre. Deben impartir la sabiduría que viene por su posición de amor incondicional. Un abuelo muestra deleite a su nieto y ese deleite no se altera por las bajas calificaciones o la desobediencia de un niño. En la cálida aureola de tal deleite, se puede impartir sabiduría, que si viniera de un padre, un amigo, un entrenador, se despreciaría o pasaría por alto, pero viniendo de un abuelo se va a atesorar toda la vida. Cada niño necesita este tipo de abuelo.

Los padres quizá se pongan celosos por la posición privilegiada de los abuelos, pero se deberían gozar de que haya un amoroso adulto que desempeñe ese jactancioso papel en la vida de un niño. Lo trágico es cuando los abuelos viven demasiado lejos como para ofrecer cuidado, o cuando un abuelo no ve la necesidad de ser bondadoso sin límites y sabio para sus nietos. Sin importar cuál sea el papel del abuelo, un padre tendrá el llamado a un papel más exigente, el cual quizá se desempeñe como una reacción a sus propios padres. Es crucial que escuchemos el ruido que viene de la compleja interacción de criar a nuestros hijos bajo el invisible pero muy real escrutinio de nuestros propios padres.

Cómo escuchamos las voces de nuestros padres

La fruta nunca cae muy lejos del árbol. Por todos nuestros esfuerzos de aprender de los errores de nuestros padres y ofrecer a la próxima generación un mundo mejor, a menudo no solo repetimos los mismos errores, sino que agregamos a la mezcla nuestros propios intentos fallidos de criar bien a nuestros hijos. Criamos a nuestros hijos de manera similar a como nos criaron a nosotros... con un giro. El giro es que, de alguna manera, damos vuelta al patrón de una forma que grita: «Yo *no* soy mi madre (o padre)». En forma selectiva damos vuelta a nuestro enfoque en esferas que creemos que los métodos de nuestros padres nos dañaron o nos perjudicaron.

Mis padres disfrutaron la bendición de la prosperidad de la posguerra que llegó debido a que mi padre y muchos otros cumplieron la responsabilidad de pelear en la Segunda Guerra Mundial. Eran los gloriosos vencedores de la guerra que en los años de criar hijos se convirtieron en protectores de las historias y los mitos del día.

Yo nací en el año 1952 y crecí con Jimi Hendrix, Led Zeppelin y Los Beatles. Soy lo bastante narcisista como para creer que la música *rock*, e inclusive el *rock* ácido, fue mucho menos dañino a mi siquis que lo sucedido con los que sufrieron la embestida de Elvis y su resurgimiento en la música disco. Sin embargo, así piensa una persona nacida en la primera parte de la década de 1950; es alguien introvertido, pesimista, que emite juicios críticos y que es muy orgulloso.

Mi familia no estaba preparada para los turbulentos tiempos de la década de 1960. Mi padre era un obrero que no había asistido a la universidad, que vivía en un suburbio de la clase media alta que servía de comunidad a una universidad estatal. Mi padre no se sentía cómodo en ese medio, así que se retrajo. Mi madre se paró en la brecha y se metió en todos los clubes aprobados por la sociedad y asistió a todas las reuniones.

Mis padres me permitieron poner los parámetros de mis amistades y actividades. No me instaron a obtener buenas notas y pocas veces se preocuparon si estaba bien adaptado y era feliz. Vivieron sus vidas y yo viví la mía, cerca, pero no demasiado cerca. En ese sentido, viví en un hogar típico con padres constructores que les permitieron a sus hijos ser libres. Aun así, el precio es un nivel alto de ensimismamiento e indulgencia de parte del hijo. No enfrenté verdaderas consecuencias por mis acciones, pero sabía que era muy importante para la vida de mi familia. En otras palabras, me amaban y me podía salir con la mía.

Un querido amigo se crió en un hogar bastante diferente al mío. Sus padres aplicaron una rígida disciplina y reglas autoritarias. Le exigían a mi amigo que mantuviera el cabello corto y que asistiera a las reuniones del Centro de Entrenamiento de Oficiales de la Reserva durante sus años universitarios, y todo eso en el levantamiento social de la década de 1960. Por otra parte, eran distantes y no se identificaban en lo emocional. Su hogar era autoritario, pero distante. A él no lo amaban y no se podía salir con la suya.

Mi amigo obedecía las reglas y ansiaba encontrar a alguien que lo amara. Su comportamiento estable y cálido al final lo condujo a entablar una relación con una joven. Estuvieron casados veintitrés años, pero el matrimonio terminó porque al final ella se cansó de su persistencia invariable y su falta de voluntad para jugar o correr un riesgo. Él tuvo que enfrentar el distanciamiento de las respuestas de sus padres a las dos preguntas centrales.

En la ineptitud de mis padres de enfrentar las tormentas de la década de 1960, me aseguraron que sí me amaban. Y que sí me podía salir con la mía. Esas respuestas me dejaron anhelando el orden, pero con muchísimo recelo de alguien que tratara de controlarme. Los padres de mi amigo aclararon que no, a él no lo amaban. Y que tampoco se podía salir con la suya. Al enfrentarse con el desamor y demasiado control, se convirtió en una persona reservada y solitaria, pero conservadora y bien ordenada, hasta años más tarde cuando su fachada se resquebrajó y su matrimonio terminó.

¿En qué clase de familia creció usted? ¿Sabía sin duda alguna que lo amaban? ¿Sintió que sus padres lo amaban lo suficiente como para impedirle salirse con la suya? Tenemos que saber cómo nos respondieron nuestros padres a las dos preguntas centrales durante nuestra niñez antes de que logremos entender nuestra propia inclinación a responder a las dos preguntas para nuestros hijos.

Los hijos se van a poner contra sus padres aun cuando los hijos llegan a ser padres también. Reaccionamos al enfoque de nuestros padres sobre la vida, y eso nos capacita para marcar un nuevo curso y ocuparnos de los asuntos singulares de la vida con más libertad. Por otro lado, cada uno de nosotros perpetúa algo de lo que nuestros padres construyeron en nosotros, ya sea bueno o malo.

Rara vez mis padres me hicieron preguntas sobre mis notas, mis sueños o mi vocación. Por otro lado, insistieron que participara en varios grupos sociales (Boy Scouts, Masones, fútbol), los cuales sirvieron de contexto para moldear mis principios morales y mi carácter. Ahora, como padre, a menudo hago todo lo contrario. Me siento obsesionado por las notas de mis hijos y rara vez veo una organización social (incluyendo el grupo de jóvenes de la iglesia) como un lugar primario para que maduren mis hijos. Por otro lado, me he dado tremendo susto con puntos en los que hay similitud con mis propios padres. Peleas con mis hijos sobre la forma de vestir, el estilo del cabello y perforaciones en el cuerpo coinciden con las guerras que mis padres y yo tuvimos sobre mi rebelde apariencia de adolescente.

La reacción y la réplica son normales y necesarias. Sin embargo, no son lo mismo que ser creativo. Necesitamos crear algo del todo nuevo de los materiales crudos que nos dieron nuestros padres. Nuestros hijos viven en un mundo diferente y tenemos que escuchar *sus* voces si vamos a aprender a criarlos bien.

La respuesta a las voces de nuestros padres

Hay infinidad de maneras en que podemos responder a las voces, a la presión y a la presencia de nuestros padres. No obstante, las cuatro formas más comunes son probar, buscar la aprobación, arreglar y pagar con la misma moneda. Cada una tiene sus beneficios y sus claras desventajas.

La prueba de que papá sabe más

Juanita amaba a su padre de todo corazón. Hay una foto de los dos de pie en un saliente de las montañas Greenbrier en la que miran hacia las sombras del atardecer, usando pantalones del mismo color, camisas blancas almidonadas y gorras de marinero. Su padre siempre miraba esa foto y decía: «De tal palo, tal astilla». Los hermanos de Juanita sabían que los amaban, pero nadie dudaba que Juanita fuera la favorita de su padre.

La familia era sofisticada y cortés. Los hijos debían vestirse bien, tener buenos modales y, dependiendo del momento, ser cínicos y estar por encima de las reglas que gobernaban a los plebeyos. Los padres de Juanita les permitían a sus hijos ser rebeldes cuando eso encajaba dentro de la reputación de la familia. Por ejemplo, a los niños se les permitía probar vino y cócteles siendo muy jóvenes. Cuando Juanita y sus hermanos llegaron a la adolescencia, los padres no ponían objeciones si bebían demasiado, mientras tanto ninguno de ellos condujera un automóvil. Las reglas de la familia de Juanita eran: «Sí, te amamos (o al menos consentimos)» y «Sí, te puedes salir con la tuya (mientras no nos avergüences o te lastimes a ti misma)».

Juanita se casó con un hombre culto y educado. Era considerablemente más débil que su padre y no se interpuso a medida que ella hacía que sus hijos vivieran la vida de sus padres. Varios años después de casada, Juanita tuvo una experiencia religiosa que la llevó a aceptar a Jesús como su Salvador. Un cambio enorme ocurrió en su vida, en su matrimonio y en la forma de criar a sus hijos, al menos desde un punto de vista exterior.

A sus hijos ya no se les permitía beber, lo cual era parte de las fiestas en la familia de sus padres, y ella no toleraba que dijeran malas palabras. Además, tomó una posición firme ante cualquier actitud de desprecio por las personas de una clase económica inferior y adoptó un nuevo nivel de disciplina y cuidado. Sin embargo, lo que no cambió fue la lealtad fundamental de Juanita a la forma de vivir de sus padres.

Juanita quería que sus padres conocieran a Dios y les ofreció libros y casetes que podrían avivar el interés espiritual de ellos. Con todo, no podía ponerse firme y desafiar los asuntos del *corazón* relacionados a la vida de ellos. Corregía el comportamiento de sus hijos, pero no podía aceptar que su padre la usara como una fuente más profunda de intimidad emocional que su propia madre. La elección del padre de Juanita para hacerla su favorita había alejado a sus otros hijos y había dado lugar a unos celos trágicos entre madre e hija. Su familia estaba llena de aflicciones, pero Juanita no podía enfrentar el daño que vino como resultado de ser la favorita de su padre. Por consiguiente, no podía ver cómo se había acercado a su hijo del medio y cómo era más crítica y distante con su hija mayor. Había cambiado la apariencia exterior de su manera de criar a los hijos, pero nunca se enfrentó a que copiaba el patrón de favoritismo de su padre.

En forma mucho más frecuente, la gente va a repetir la estructura, el tono y la dirección del estilo de los padres de criar a los hijos al grado que nunca se admite el daño realizado por sus padres. Existe el sentimiento de que admitir el daño puede significar la pérdida del lugar privilegiado en la vida del padre. Cuando las personas se disponen, ya sea en forma deliberada o inconsciente, a probar la bondad de sus propios padres, los niños en la siguiente generación no pueden escapar al patrón establecido por sus abuelos. Aun así, el patrón se debe romper a fin de que la generación más joven sea autónoma y libre.

LA BÚSQUEDA SERIA DE LA APROBACIÓN

En este capítulo les conté la historia de Juan y sus dos preciosas hijas. La esposa de Juan, Marta, creció en una atmósfera familiar tranquila. Juan creció en un hogar que trataba a los hijos como si fueran pequeño soldados que necesitaban mucha disciplina y que debían saber que los apreciaban sin que se lo dijeran.

Juan se casó con Marta en parte porque era muy diferente a su madre, que era majestuosa, ordenada y precisa. En absoluto contraste, si Marta tropezaba con un montón de zapatos, juguetes o libros en el piso, era tiempo de mover la pila, y no llevar a todo el mundo a un frenesí de limpieza de casa. Había tensiones entre ellos, pero Juan y Marta se amaban y adoraban a sus hijas, hasta que el padre y la madre de Juan venían de visita. Entonces había que limpiar la casa, las niñas se tenían que vestir con ropa femenina y apropiada y el matrimonio estirado para ocultar todos los hábitos familiares que sin duda les causarían grandes molestias a los abuelos.

Juan saltaba como un resorte para ganarse la bendición de sus padres. Es más, estaba desesperado por recibir la bendición que nunca experimentó de niño. Esto es lo que más a menudo sucede en un hogar cuya respuesta a la pregunta «¿Me aman?» es «¿No te hemos dado todo lo que necesitas y no hemos asistido a todos tus partidos y conciertos? ¡Cómo te atreves a preguntarnos eso!» Es un hogar donde la crianza de los hijos no es un privilegio sino un deber, lo que se debe hacer. Este hogar es un mundo de trabajo duro, con recompensas para el éxito y castigo para el fracaso. Este escenario es el que existe en la mayoría de los hogares de los que forman los grupos religiosos conservadores y los partidos políticos. Es un mundo gobernado por dogmáticos «haces esto o», «así pensamos nosotros y ellos piensan de esta manera». A propósito, este no es el hogar modelo cristiano.

El hogar en el que creció Juan tenía a todo el mundo hambriento por la pasión, el deleite y el gozo, pero nadie podía admitirlo. Reconocer que se sentía solo, herido y confundido habría sido deslealtad. La mayoría de los hijos en tal hogar no puede esperar hasta que llegan a ser padres a fin de hacer las cosas *como es debido*. Es triste que no quieran hacer bien las cosas para bendecir a sus hijos, sino para recibir de la vida el sí que no les dieron sus padres.

Arreglemos el lío con ardor

Es fácil entender la popularidad de los libros de autoayuda. La gente está en una carrera desenfrenada para mejorar las cosas. Fíjese en la mesa de noche de un amigo, o en la suya propia, y verá la prueba de nuestro vehemente deseo de adelgazar, ser más inteligente, orar más y tener menos ansiedad. Esta obsesión con la superación de uno mismo se lleva a la forma en que criamos a nuestros hijos. Estamos seguros de que perdimos el tren en lo que respecta a la crianza de los hijos sin tacha, protegidos culturalmente, muy espirituales y destacados. La industria que promete un arreglo rápido a los que tratan de arreglarse es multimillonaria.

Sin embargo, puede ser sobrecogedor recibir toda esta ayuda. Es por eso que ahora tenemos un subgénero de autoayuda que nos permite tomar un receso en tratar de cambiar. Ahora podemos sentirnos menos culpables por no trabajar tan duro para cambiar[2]. Eso prueba que estamos extenuados de tratar con tanto ardor de arreglar nuestras vidas.

Mi esposa y yo recibimos un gran número de cartas familiares por Navidad. El año que recibimos doscientas de esas cartas, me estaba sintiendo un tanto perverso mientras dividía las sonrientes fotos en dos pilas basándome en si la familia estaba bien vestida y usando ropa que hacía juego. Para ser justo, incluí nuestro propio retrato navideño en el proceso de la separación.

Alrededor de la mitad de las familias representadas participaban en el ministerio cristiano a tiempo completo. La otra mitad no eran personas que asistían a la iglesia, o eran personas de fe con carreras fuera del ámbito religioso. Mientras separaba las fotos, descubrí que setenta por ciento de los que usaban ropa bien coordinada venían de la categoría de los profesionales espirituales. Solo cuarenta por ciento de las familias que no participaban en carreras religiosas se vistieron con ropas bien coordinadas. Es más, quince por ciento de estos no enviaron una foto porque, como se indicó en una carta: «Tratamos, pero el perro vomitó mientras nos sacábamos la foto y decidimos que estábamos demasiado sucios para enviar una foto así». Me reí hasta llorar. Y luego volví a revisar las hermosas caras sonrientes que se veían tan bien.

Cuando miré por segunda vez a las familias que usaban ropas coordinadas, mi inclinación natural fue tratar de averiguar cómo era que estaban tan felices. Quería una respuesta para dejar de hacer lo que hacía y comenzar a hacer lo que *hacían* ellos. «El año que viene», me quise prometer, «vamos a lograr el mismo estado de nirvana a fin de enviar una foto navideña en que todos estemos sonriendo, con ropas bien coordinadas». Para ser sincero, el retrato de la familia Allender ese año se destacaba porque todos usábamos suéteres rojos. Y todos, incluyendo el perro, nos veíamos más felices de lo que estuvimos antes e inmediatamente después de sacarnos esa foto.

No es de sorprenderse que la mentalidad de «arréglalo todo» engendre tanta presión y al final conduzca a la desesperación. Nos hace preguntar por qué, cuando *todos los demás* tienen las cosas resueltas, nosotros todavía no podemos arreglarlas. El cansancio que viene de tratar de arreglarnos a nosotros mismos y a nuestros hijos lleva a menos gozo y algunas veces hasta más fracaso. Las cosas que tratamos de arreglar pueden dejar el pasado sin resolver y así crear nuevos problemas para el futuro.

Criar a los hijos al pagar con la misma moneda

La última de las respuestas más comunes al ruido de nuestros padres es gritar más fuerte de lo que hablan ellos. Es un esfuerzo para ahogar el daño del pasado jurando que *jamás* lo repetiremos y luego culpar a los que nos criaron por el daño que sufrimos hoy. Este es un asunto muy difícil de aclarar. Después de todo, algunos padres fueron malvados de verdad. Por cierto, un hogar donde las preguntas centrales se responden: «No, no te amamos» y «Sí, puedes salirte con la tuya porque no me importa lo que te pase», es un hogar oscuro y destructivo.

Algunos hogares y familias son incluso peores que eso. Para muchos niños, el abuso sexual es habitual y nadie interviene para detener el daño. El abuso físico y emocional por lo general no se detiene. Hay hogares donde se torturan a los hijos o se venden para propósitos pornográficos y no hay nadie que los proteja. Hay muchos más hogares de esta clase de lo que cualquiera de nosotros quisiera imaginar. Los que sobreviven a este tormento encuentran inconcebible victimizar a sus hijos de la forma en que a ellos los victimizaron.

El dilema es que el deseo apasionado de crear un hogar y una familia radicalmente diferente puede ser bajo el impulso del odio y no del amor. Es natural odiar lo que nos trajo un daño terrible. El problema es que el odio engendra más odio. Llegamos al punto de jurar con fuerza que jamás seremos como nuestro padre o nuestra madre, que casi estamos destinados de manera cósmica a ser más parecidos a ellos que a no serlo. El odio nos forma en la misma cosa que odiamos. De la misma manera, pero mucho mejor, el amor nos forma en quien amamos y que amamos.

Muchos que han sufrido gran daño a manos de sus padres están predestinados a repetirlo al grado que los empuja su furia. Trabajé con una mujer que odiaba a su madre, que era entrometida, poco fiable y defensiva. Cuando mi paciente era niña, si expresaba cualquier desilusión o si no estaba de acuerdo con algo que su madre había dicho, escuchaba: «No tienes que tratarme como a una esclava. Solo procuro ayudarte. Si no quieres mi ayuda, te dejaré sola y me iré a podrir en el infierno».

Mi paciente odiaba a su madre, pero nunca logró admitir su furia. En su lugar, agachaba la cabeza y trabajaba cien veces más duro para no tratar a su hija con desprecio y para no manipular ninguna de sus decisiones. La hija de mi paciente creció queriendo más de ella y le pedía innumerables veces su opinión. Sin embargo, mi paciente se negaba a darle consejos o a criticarla, y se extralimitaba en cuanto a expresarle lo orgullosa que estaba de ella. La joven se enfurecía. Quería que su madre peleara y discutiera con ella, y fuera una madre, no una animadora para producir amor propio.

Se cree que fue Martín Lutero el que dijo: «La vida cristiana se puede comparar a un ebrio tratando de montarse a un caballo. Se monta por un lado y se cae por el otro. Se levanta y monta en ese lado y se cae en lado en que había comenzado». Si Lutero no lo dijo, lo debería haber dicho porque es triste y cómico a la vez. Mientras más aspiramos con enojo a no ser lo que despreciamos, más fracasamos en el otro extremo. Y en muchos casos, sin importar lo determinados que estemos, nos acercamos más de lo que imaginamos a perpetuar lo que odiamos.

Es hora de levantarse sobre el ruido de las voces de nuestros padres. Es preciso que decidamos un enfoque en el que ni defendamos a nuestros padres ni probemos que estaban del todo equivocados. Debemos ser capaces de atraer a nuestros hijos sin sentirnos presionados a arreglar nuestro pasado. Debemos honrar a nuestros padres, pero escoger el camino de la crianza de los hijos que nos llamaron a seguir. Debemos callar las voces de nuestros padres con el propósito de oír con claridad las preguntas de nuestros hijos, sus acusaciones y sus invitaciones.

La sabiduría que necesitamos viene cuando callamos el ruido exterior a fin de que seamos capaces de escuchar a nuestros hijos a medida que crecen.

CAPÍTULO 5

Bajemos el volumen a la voz de nuestra cultura

No estamos aquí para probar que nuestros hijos son fantásticos

Mi hija Amanda bajaba por la escalera cuando grité por tercera vez que todos debían estar en el automóvil para ir a la iglesia. Por lo general, se nos hace tarde, y hoy había suficiente tensión como para hacer que ir a la iglesia pareciera a la vez absurdo y necesario en lo absoluto. Cuando vi lo que llevaba puesto mi hija, me paralicé. Tenía una blusa ajustada con tirantes finitos. En otras circunstancias, tal vez no hubiera puesto objeciones, pero *no* iba a ir a la iglesia vestida así.

Le dije que corriera arriba y se pusiera otra blusa. Tuvimos un momento de tensión: «¿Qué tiene de malo esta blusa? No muestra nada...». Un padre furioso le señaló a Amanda que fuera a su dormitorio y ella subió las escaleras pisando fuerte, se cambió la blusa y nos dirigimos a la iglesia.

Asistimos a una iglesia donde es común que la gente use sandalias, pantalones cortos, vaqueros y camisetas. Nunca he visto a nuestro pastor usar corbata. Los hijos de padres que respeto han venido a la iglesia usando ropas que me han dado un poco de incomodidad, pero también el sentimiento de que no debo estar tan atado a los convencionalismos hechos por el hombre. Sin embargo, cuando mi propia hija usó una blusa que traspasó mis límites, no hubo discusión ni compromiso. Insistí en que se cambiara y eso fue todo.

¿Y por qué era tan inflexible? Se debe a la gente que identificamos como «ellos». ¿Qué van a pensar «ellos»? Por supuesto que cuando puse objeciones a la blusa de Amanda, vestí mi vergüenza con una cobertura espiritual: «No creo que esa blusa glorifique al Señor». Recuerdo que miré mis vaqueros un tanto gastados y me di cuenta de que a mi madre le daría un ataque si hubiera podido ver lo que usaba. Demasiado ruido cultural y muy poco tiempo nos forzaron a mi hija y a mí a vivir con mi decisión. No obstante, si quería aprender a escuchar la voz de mi hija, sin nombrar la de Dios, debo reconocer cómo otras voces compiten por mi atención.

Cuatro voces culturales compiten las unas por las otras a medida que me envían mensajes sobre mis hijos. Estas ubicuas voces de los medios de comunicación, nuestros amigos, la escuela y la iglesia se superponen y a menudo se contradicen entre sí. Esas son las voces que a menudo nos impiden escuchar a nuestros hijos.

Los medios de comunicación: Bajemos el control de volumen

Tomados juntos en sus muchas formas, los medios de comunicación hacen una especie de deidad cultural. Considere los medios visuales tales como la televisión, las películas y los vídeos; medios audibles como la radio, los MP3 y los discos compactos; medios impresos tales como los periódicos, las revistas y los libros. Tal vez el medio más amplio que combina imágenes, sonidos y palabras sea la Internet. Los medios de comunicación, considerados como un conglomerado, tienen los atributos de Dios en el sentido de que están en todos lados (omnipresencia), nos informan de casi todo (omnisciencia) y parece que pueden lograr cualquier cosa (omnipotencia).

Las entidades que controlan los medios de comunicación controlan la tierra. De la misma manera que el vencedor escribe la historia, los medios de comunicación determinan quién es el vencedor. Esto es cierto en términos de quién publica libros, quién graba discos compactos, a quién se elige como presidente y quizá qué colores estarán de moda para el otoño o la primavera. Para entender la influencia que los medios de comunicación tienen sobre nosotros, consideremos cómo reflejan el carácter de Dios.

Omnipresencia

En casi cualquier momento es posible averiguar lo que sucede en cualquier otra parte del mundo. La Internet le permite hablar con cualquiera, en cualquier lugar, a cualquier hora, sin importar lo desconectado que esté del mundo real. Todo lo que necesita es la tecnología y la adecuada dirección del sitio Web, y en un segundo puede estar en su escritorio y leer un informe de los disturbios políticos en el otro lado del globo. O inclusive antes de que las noticias nocturnas lo anuncien, puede leer detalles sobre un proyecto de ley que pasó la cámara del Senado y que va a influir de inmediato en los precios de las acciones de un sector en particular.

La información no se detiene allí. Algunos de los programas de entretenimiento que cuestan menos producir, tales como *60 Minutes* y *48 Hours* son casi noticieros. Con bajos costos de producción y alto número de televidentes, estos programas se pueden aventurar por todas partes para dejarnos ver en arenas que antes estuvieron fuera de los límites para cualquier otra generación. Aun más, la ubicuidad de las noticias y la proliferación de la tecnología han hecho posible ver en forma simultánea varios programas de noticias y parecer estar en todos los lugares importantes al mismo tiempo.

El resultado para mucha gente es similar a lo que se siente al viajar en avión de reacción. Nuestros cuerpos (el espacio) no se han adaptado a la velocidad (el tiempo) en que hemos estado viajando; por lo tanto, nos hemos excedido en el límite de nuestra condición de seres finitos. El resultado es que nos extenuamos. Puesto que podemos estar en tantos lugares al mismo tiempo, la única manera normal de funcionar es desarrollando los síntomas del desorden de deficiencia de atención. No nos podemos enfocar en una cosa porque nos concentramos en todo.

La mayoría de nosotros corremos a más velocidad mientras sentimos que perseguimos nuestra cola. Los medios de comunicación nos invitan a expandir nuestros horizontes hasta que no haya un pensamiento de que pueda terminar, un límite o un momento para disminuir la velocidad. Mientras la ubicuidad de la oportunidad está sin un horizonte, nosotros vamos a buscar la emoción de la omnipresencia. La gran tragedia es que, mientras estamos en todas partes, pocas veces lo estamos con nuestros hijos.

Omnisciencia

Si podemos estar en todas partes, también podemos saberlo todo. La codicia por conocimiento nace de la suposición racionalista de que si sabemos, podemos predecir. Y si predecimos, podemos controlar. Estas son las bases del compromiso científico de desarmarlo todo, de examinarlo, a fin de entender cómo funciona una cosa o un ser viviente.

No obstante, he aquí la dificultad. A pesar de la revolución de información, nos damos cuenta de que no podemos saber todo lo que necesitamos saber. Así que les pasamos el trabajo a otros. Nos irritamos por el bajo desempeño académico de nuestro hijo, así que hacemos una cita con el consejero de la escuela. Él nos envía a un siquiatra que le puede hacer un examen para ver si sufre del trastorno debido al déficit de la atención y recetarle medicinas. El siquiatra está obligado por las demandas de su profesión a confiar en la última información del representante de la compañía que vende las medicinas. Este representante en forma selectiva informa la investigación que apoya por qué la medicina de su compañía es la mejor opción.

Mientras estemos atraídos por la fantasía de que el conocimiento nos da el poder de controlar, siempre estaremos buscando el próximo estudio, experto o descubrimiento importante para hacer que la vida resulte. El problema es que no hay ninguna autoridad superior que verifique la verdad de cualquier porción de información. Es un rompecabezas con un número «menos uno infinito» de piezas y ninguna figura que nos guíe para armar el rompecabezas. Estos nos envía a la mayoría de nosotros en una de estas dos direcciones: Ya sea a un simple dogmatismo de blanco y negro, o un agnosticismo sin esperanza que dice: «No sé y no me importa».

Sabemos más acerca de los procesos de desarrollo de nuestros hijos, de las tensiones sicológicas, de los cocientes de inteligencia, habilidades, temperamentos y necesidades emocionales que cualesquiera otros padres en la historia. Es triste que sepamos todo sobre nuestros hijos, pero que hayamos perdido de vista a nuestros hijos.

OMNIPOTENCIA

Los medios de información ofrecen la ilusión del control mediante la información, pero nuestra búsqueda de esta ilusión solo nos lleva a la extenuación y a la confusión. Si pudiéramos estar en todos los lugares y saber todas las cosas, también en teoría podríamos *hacer* todas las cosas. La meta de la presencia y el conocimiento es crear, darle forma a la vida como queremos que sea.

Si uno es omnipotente, uno no sufre ni pasa necesidad; el que es omnipotente no tiene ninguna clase de obstáculos. Aunque, si el tener acceso a la información no produce este estado, ¿qué puede producirlo? En nuestra cultura, los medios para obtener poder son la fama o las riquezas, o ambas. Mientras más fama tenga alguien, más poder tendrá para nombrar los términos de su vida y gobernar sobre el caos de la incertidumbre. Cuanto más riquezas tenga alguien, tanto más logrará aislarse de la incertidumbre y amortiguar el dolor de la vida.

Esta conexión entre la fama, las riquezas y el poder ayuda a explicar nuestra atracción a la cultura de las celebridades creada por los medios de comunicación. Miramos al ganador de una lotería recibir noventa millones de dólares, o vemos a un hombre que puede correr más rápido, tirar más lejos o pegarle más fuerte a una pelota firmar un contrato por decenas de millones de dólares. No se trata de nosotros, pero es alguien. Los personajes de los deportes y del mundo de los entretenimientos y las corporaciones importantes son nuestros héroes. Si su fama y sus riquezas no garantizan omnipotencia total, sin duda nos atormentan con la posibilidad de que los humanos pueden disfrutar casi todo el poder y el placer.

Nuestro deseo por la omnipotencia nos tiene corriendo en un círculo: Quisiera ser como las personas famosas, ejerciendo control sobre el caos de la vida. Aun así, no lo puedo ser, de modo que es mejor que disfrute todo lo posible y que trate de evitar lo que me hace infeliz. Todavía existe un caos. Y el único control que puedo ejercer es tratar de ganar más información sobre lo que está sucediendo. Así que miro el canal informativo internacional, lo que quiere decir que voy a perder lo que mi hijo está tratando de decirme.

No es que tengamos el televisor encendido demasiado tiempo. Aunque lo tenemos. Y no es que escuchemos música ordinaria e impía. También lo hacemos. Se trata de que no hayamos enfrentado nuestro profundo anhelo de que los medios de comunicación sean tan sabios y fuertes como Dios. Cuando buscamos poder sobre nuestras circunstancias, buscamos la omnipotencia que solo posee Dios y perdemos la habilidad de escuchar su voz. Y cuando perdemos su voz, es inevitable que tampoco escuchemos la voz de nuestros hijos.

Creo que al final reconoceremos el poder de esta idolatría cuando veamos cómo los amigos, la escuela y la iglesia también nos ensordecen a las voces de nuestros hijos.

Vecinos y amigos: Bájenle el volumen a la voz de la comparación

La mancha de la envidia marca a todos los vecindarios y amistades. El escritor del libro de Eclesiastés nos dice: «Vi además que tanto el afán como el éxito en la vida despiertan envidias. Y también esto es absurdo; ¡es correr tras el viento!»[1]. Nos referimos a esto como «tratar de vivir más allá de nuestros medios», pero corre un curso más profundo e insidioso que querer obtener lo que compra otra persona.

El legado de la envidia es la pesada carga de creer que lo que tenemos en la vida es malo mientras que lo que tienen los demás es sublime. La raíz de la envidia es la demanda de que el cielo sea ahora y el vehículo de la envidia es la comparación. Usted tiene y yo no. He sentido ese dolor que se experimenta al querer poseer algo cuando escucho a amigos describir el descanso y la intimidad que disfrutaron durante un viaje fabuloso. Lo siento cuando veo a un hombre en mi vecindario llevar a sus hijos a la parada del autobús escolar y que no tiene que salir corriendo para ir al trabajo porque es rico. También lo puedo sentir cuando escucho a un querido amigo tocar la guitarra y cantar para la gloria de Dios de una manera en que yo no puedo hacerlo. La envidia es deseo que duele con la demanda y que está manchado con ingratitud.

Observe lo que pasa cuando ve un anuncio en la televisión por un objeto caro como un automóvil. La gente se mueve al compás de una canción *rock* clásica y tienen sonrisas beatíficas en sus rostros. Están protegidos en un refugio lujoso que es el automóvil que resiste las tormentas y los peligros de la vida porque un duende personal, solo al tocar un botón, les dice dónde están y cuánto más pueden conducir antes de tener que detenerse para ponerle gasolina. No puedo dejar de preguntarme: «¿Por qué mi automóvil no es así?». No danzo extasiado ni tampoco hay nadie allí para ayudarme cuando se me revienta un neumático o cuando me pierdo en una ciudad extraña.

Los expertos en mercadotecnia saben que un automóvil solo no va a entusiasmar a la mayoría de la gente, así que vender el producto, en realidad, es vender una experiencia. Compramos el chisporroteo y no el bistec. La mercadotecnia procura producir una necesidad y luego promete una solución fácil que puede obtenerse. Nos familiarizamos con la frase que procura vender y sabemos que no es verdad. Entonces, ¿por qué continuamos mordiendo el anzuelo?

La respuesta rápida es que no podemos evitarlo. Los anunciantes solo siguen el patrón de nuestros manchados corazones. Se nos antoja algo. Tenemos envidia. Y si tenemos esas compulsiones en la persecución del tiempo y el dinero, ¿cuánto más luchamos con la envidia en lo que respecta a nuestros hijos?

La envidia y el hijo de nuestro vecino

Un querido amigo tiene una hija muy talentosa que se destaca en los deportes, en los estudios, en la música, en el liderazgo y en lo espiritual. Es una nadadora de competencias estatales. Tiene las calificaciones más altas de su clase, le encantan las matemáticas y la ciencia y lee literatura clásica. Canta muy bien y toca el violín. Es inteligente, hermosa y, lo más desconcertante de todo, es humilde y un encanto al no dejarse impresionar por su talento. Sé que existe gente así; pero no quiero conocerla.

Los padres no son arrogantes cuando alaban los logros más recientes de su hija, pero es difícil responder con gozo cuando gana el primer lugar en la feria estatal de ciencia y llevó una lucha a muerte conseguir que mi hijo admitiera que tenía un proyecto de ciencia que debía entregar el lunes. Yo amo a mis hijos. Sé que Dios los ha equipado en forma específica y perfecta para sus llamados. Sé que la envidia degrada y que oscurece la gratitud y el gozo. Lo que no me gustan son los recitales de piano, los eventos deportivos, los banquetes de reconocimiento, los resultados de los exámenes de aptitud y todas las otras formas a las que nuestros hijos se ven obligados a competir los unos con los otros.

Algunas de las palabras más blasfemas que han salido de mi boca hacia mis hijos han sido: «¿Por qué no puedes tratar un poco más como ___________?». «¿Cómo es que a Fabián (Fabiola) lo invitaron a participar en el equipo y a ti no?» Y: «¿Viste lo bien vestido que estaba Juan (Juanita) en la boda y lo bien que se comportó?». Por lo general, comparar a nuestros hijos con otro niño viene de nuestra negativa durmiente de aceptar quiénes somos en Dios. Y toda comparación que se basa en la envidia ahoga la voz de nuestro hijo.

La envidia a nuestros propios hijos

Envidiar a otros padres e hijos es a menudo difícil de admitir, pero es fácil de ver. Sin embargo, cuando envidiamos a nuestros propios hijos, es difícil de admitir y casi imposible de ver. ¿Cómo es posible que sea capaz de envidiar a mi hijo? A veces solo envidio su juventud. Otras veces me comparo cuando estaba en el octavo grado con mi hijo que está en el octavo grado y pienso: «Yo era un tonto y él es tan bien ubicado». Sabe tocar la trompeta y la guitarra y es muy musical, y yo pasé la mayor parte del tiempo comiendo galletitas o causando problemas en el vecindario.

La envidia, aun en este caso, se filtra hasta lo más profundo en el alma. He escuchado decir a algunos padres y madres: «Yo hubiera querido tener los beneficios que les he dado a mis hijos. No es justo». Por lo general, eso se dice después que un hijo ha hecho algo que ha desilusionado y que ha hecho que el sacrificio de sus padres parezca tonto. La envidia sube a la superficie cuando rechazamos el dolor que viene con la crianza de los hijos y nos entregamos a culpar y a lamentarnos.

Una mujer con la que trabajaba sintió vergüenza y envidia cuando su hija, que había nacido sin ella haber estado casada y cuando tenía diecisiete años, quedó embarazada en la adolescencia. Esta madre le había provisto a su hija amor, una buena educación y una buena iglesia. El embarazo de su hija no solo intensificó el enojo y la vergüenza de la madre, sino que también inflamó una envidia que había estado oculta sobre la vida fácil de la hija comparada a la infancia solitaria y vacía de la madre.

Nos encontramos envidiando las ventajas que han tenido nuestros hijos, el talento, la belleza, la fuerza y la compostura. Sabiendo que el camino de nuestra vida está en gran parte determinado, también podemos envidiar su futuro. Aun así, envidiar a nuestros hijos, a cualquier nivel, puede adormecer nuestros sentidos para escuchar sus voces.

La envidia del nido vacío

Somos propensos a creer que nuestro estado actual en la crianza de nuestros hijos es mucho más difícil de lo que será dentro de unos años. Yo ansiaba que acabaran los días de cambiar pañales a fin de que comenzara la diversión. No obstante, luego llegaron los años dos y tres de nuestros hijos, ¿cómo los sobreviviríamos? Cuando lleguen a la edad de asistir al jardín de la infancia, no habrá problemas. Nuestro hábito de restarle importancia al hoy e idolatrar el mañana está arraigado en lo más profundo.

Un padre y una madre me dijeron lo entusiasmados que estaban porque su hijo se iba a una universidad fuera de la ciudad. Amaban a sus hijos, pero también anhelaban tener más tranquilidad y tener más tiempo para pasarlo juntos. Hablaban arrobados de los proyectos que al fin lograrían terminar, los lugares que querían visitar y el descanso que disfrutarían después de los fatigosos años de la crianza de los hijos.

Yo estaba adormecido contando cuántos años pasarían antes que yo pudiera alardear con tal entusiasmo. Los años se extendieron más allá de los dedos de una mano y entonces me di cuenta de que esta pareja del nido vacío tiene mi edad. Estaban a punto de embarcarse en los días de descanso de la vida y yo todavía tenía que decirle a mi hijo que bajara el volumen de su guitarra a 2.2 en la escala de Richter. Playas agradables y jugos con sombrillitas de papel me cruzaron por la mente, y tuve que hacer un esfuerzo para borrar la imagen y no perder más de la conversación.

Unos momentos después de haber regresado de mi pequeña fantasía de escape, la otra pareja mencionó su profunda preocupación por su hijo mayor que tenía problemas en el matrimonio. Sus hijas solteras tenían relaciones no deseables con hombres que al parecer no las respetaban. El hijo que se marchaba para asistir a la universidad sufría ataques de ansiedad al prepararse para independizarse. Entonces me di cuenta: una vez que uno es padre, es padre toda la vida. El vínculo que une solo se romperá por la muerte.

En todas sus formas, la envidia embota el corazón y aumenta el ruido que bloquea nuestra habilidad de escuchar a nuestros hijos. La cura para la envidia no es evitar la lucha con el deseo; es mucho más, es reconocer que la envidia es solo una parte de una guerra mayor. La presión que nos llega de nuestro sistema educacional intensifica la guerra.

Las escuelas: Bájenle el volumen a la voz de la compulsión

Las escuelas son a menudo los acosados chivos expiatorios de una cultura que no sabe en qué otro lugar poner la culpa de los males de la sociedad. El lugar en el que comenzó a exponerse nuestra vulnerabilidad nacional fue Columbine. Sin embargo, el sistema educacional público en general ha estado bajo tensiones mucho antes, y mucho después, de la tragedia en Columbine.

Las guerras culturales asisten a la escuela

El ambiente educacional está saturado de valores conflictivos, ideologías, metodologías y maquinaciones políticas. Nadie tiene dudas en cuanto a la importancia de enseñar a leer, a escribir, ciencias y matemáticas. Tampoco ninguna ideología que valga la pena mencionar discutiría que la escuela es solo para enseñar habilidades básicas. La escuela siempre ha sido una incubadora social que intenta preparar a los niños para que sean buenos ciudadanos y que tengan productividad económica. El debate surge sobre el contenido y el proceso.

De alguna forma, la empresa de la educación pública ha traído dos suposiciones centrales: el contenido debe estar exento de valores, y el proceso debe proporcionar autoestima. Si se le asigna valor especial a una ideología en particular, ofende a todos los demás puntos de vista. ¿Cómo enseñamos principios morales cristianos en una escuela pública si no damos lugar a las perspectivas musulmanas, budistas o aun *wiccan* [los brujos]?

Lo que ha reemplazado al valor o perspectiva es la neutral Regla de Oro ética: «Hazles a los demás como quisieras que ellos te hicieran a ti»[2]. El problema es que esta ética bíblica para vivir se ha redefinido para colocar a la autoestima como el baluarte contra el egoísmo, la codicia y la crueldad. La fundación de la educación va del llamado conservador de un currículo guiado por el contenido y las reglas morales judeocristianas a una acusación liberal de autoritarismo e imperialismo ideológico. El liberal entonces argumenta por crecimiento en pensamientos independientes, tolerancia y autoestima, a lo cual el conservador condena por la hipocresía del aparente humanismo exento de valores que infecta a los niños con un punto de vista de tolerancia que hace que sea inmoral oponerse a la homosexualidad, las relaciones sexuales prematrimoniales o el currículo de la misma autoestima. A los conservadores se les llama obstruccionistas y a los liberales se les considera receptivos de manera hipócrita a todas las ideologías y a los «ismos», excepto el cristianismo. Parece que la tolerancia tiene sus límites.

A muchos padres y madres no les importa esta guerra cultural. No obstante, en el mundo de nuestros hijos, el ruido ensordecedor creado por este debate es la crujiente base de todos los asuntos que enfrentan en cuanto a las tareas escolares, la educación sexual, el acoso, la bebida, las relaciones sexuales prematrimoniales y las terapias basadas en las medicinas que se promueven como la gran panacea. Mientras tanto, el asunto principal para la mayoría de los padres es si su hijo es feliz y si tiene buenas notas. Perdida en el ruido se encuentra la voz de nuestros hijos que nos dice cuáles son sus verdaderas necesidades.

La tensión entre la seguridad y el riesgo

Sin importar lo intensa que llegue a ser la guerra cultural, la demanda real para los padres es que sus hijos sean felices y productivos. La felicidad quiere decir que sus hijos no se depriman ni participen en actividades dañinas, y que se sientan bien con ellos mismos. La productividad se mide por notas lo bastante altas como para lograr que un alumno entre a la universidad de su elección a fin de comenzar el largo ascenso que lleva a la independencia financiera. Si un hijo se mantiene alejado de los problemas y desarrolla buenas habilidades de aprendizaje, criar a los hijos es poco más que poner el avión en piloto automático y alguna vez que otra verificar los instrumentos.

Aun así, estas metas en la crianza de los hijos pasan por alto las enormes presiones que enfrenta el hijo. Todos los adolescentes conocen las presiones de someterse a las reglas y seguir siendo diferentes a los demás. Los hijos también saben muy bien la compulsión de tener éxito, pero no ser tan inteligentes que pierdan la conexión y el respeto de sus compañeros. La presión para los padres es empujar al hijo para que triunfe sin desanimarlo ni disminuir su autoestima. No podemos tener un hijo que no sea feliz, pero tampoco podemos soportar un holgazán. De cualquier manera, el hijo está bajo presión.

El problema para los padres, los hijos y el sistema escolar por igual es la tensión entre estar a salvo y el peligro, entre la seguridad y el riesgo. Mientras mayor sea la demanda de tener éxito, menos seguridad va a existir. Mientras más midamos las notas y los logros en un ambiente competitivo, más alta será la posibilidad de que algunos niños sufran de baja autoestima. Un buen ejemplo es el grupo de lectura de la escuela primaria. ¿Mezcla a los que leen bien con los que no leen bien? Si lo hace, todo el grupo va a tener que marchar a la velocidad del eslabón más débil. No obstante, si el grupo se divide de acuerdo a las habilidades, los asignados al grupo más bajo sufrirán en su amor propio. Es un principio simple de la vida: Uno debe elegir ya sea más seguridad o mayor riesgo. Al igual que en las inversiones financieras, si quiere un porcentaje mayor de ganancias, el nivel de riesgo aumenta.

El funesto error del movimiento de la autoestima es que no podemos tener la opción de ambos mundos a la vez. Debemos favorecer ya sea el riesgo o la seguridad, o conformarnos con el aburrido término medio, donde no lograremos ni grandes comportamientos ni estabilidad excepcional. Este fangoso término medio es lo que han logrado los sistemas escolares. El resultado es un producto promedio, no altamente distintivo, y la presión permanece en los niños para que encuentren una manera de elevarse por encima de la homogeneidad de las masas.

Nunca antes ha habido una época en que ser *término medio* fuera tan odiado y se luchara tanto contra eso. Jamás las muchas actividades extracurriculares fueron parte del menú. Mi esposa y yo pasamos muchas horas conduciendo a nuestros hijos a partidos de fútbol, lecciones de música, grupos de jóvenes y campeonatos de tenis. Nos están aplastando bajo la presión de ayudar a nuestros hijos a tener éxito. Es difícil para los padres escuchar la voz de sus hijos cuando les gritamos que terminen sus tareas escolares para llevarlos corriendo a la actividad número quinientos de la semana. Y luego, para completar, la iglesia el domingo.

La iglesia: Bájenle el volumen a la voz de la conformidad

Tal vez le sorprenda que la iglesia a veces nos impida escuchar a nuestros hijos. Debería bastar que los medios de comunicación, nuestros vecinos y amigos, y las escuelas crearan más que suficiente ruido para apagar las voces de nuestros hijos. La iglesia no solo debería ser un lugar de quietud, sino también de libertad para admitir y combatir con nuestras luchas más profundas, a menos que, por supuesto, la iglesia se vea como la mediadora cultural de moralidad antes que como el refugio seguro de los pecadores. Para muchos, un refugio seguro es un bar, la peluquería o el club donde hacen gimnasia. En esos lugares todo el mundo conoce sus sueños y se siente compelido a soportar sus idiosincrasias, proveyendo por lo menos una falsa estructura de aceptación. Sin embargo, en la iglesia a menudo encontramos chismes y juicios críticos. No cabe duda que esas ofensas también se sufran en otros lugares, pero cuando ocurren en la iglesia, contradicen en forma violenta el corazón de la redención.

Una comunidad de normas

La Biblia está repleta de normas y mandamientos. Un cristiano no debe producir los frutos de la carne. No debemos embriagarnos ni comprometer nuestra pureza sexual. No debemos estar bajo el control de ningún objeto, persona o idea, sino en el amor por nuestro Dios. Aun así, lo hacemos y lo estamos.

Ningún ser humano, del pasado ni del presente, excepto Jesucristo, tiene la pasión y la pureza para obedecer por completo al Padre. Todos fracasamos. Esto quiere decir que en cada momento de nuestra vida necesitamos gracia. Sin el perdón de Dios no soportaríamos su juicio.

Es más, la iglesia es la celebradora de la gracia y la poetisa de la santidad. No es un error que los cristianos vivan vidas rectas ni que luchen por vivir el fruto del Espíritu Santo en sus vidas privadas, así como también en la cultura en general. No obstante, fracasamos cuando se da por sentado que ciertas normas de comportamiento, antes que la gracia y el perdón, son el centro del cristianismo. El corazón de nuestra fe no es un conjunto de reglas, sino la Cruz. El resultado de una religión orientada por las reglas es el levantamiento, si no la dominación, del fariseísmo de los que al parecer hacen lo que se espera de ellos. Para los que no son tan adeptos a engañar a los demás, el resultado de un cristianismo regido por las normas será la vergüenza.

UNA COMUNIDAD DE VERGÜENZA

La vergüenza es la experiencia de quedar al descubierto y ser juzgado. Puede que me sienta incómodo al desvestirme delante de un médico, pero si me dice: «¡Caramba, usted está muy gordo!», mi incomodidad se convertirá en vergüenza y furia. Una comunidad de vergüenza puede ser brusca y esquiva del todo, pero la mayoría de las congregaciones recurren a una forma más insidiosa: el chisme. Si no fuera por «la preocupación cristiana» comunicada en forma de chisme, todos estaríamos dispuestos a ponernos de pie en un culto de oración y pedir ayuda por las luchas que experimentamos con un adolescente obstinado.

Hay tres razones por las que no pedimos ayuda cuando la tensión todavía está viva y amenaza hacernos pedazos. Primero, porque si lo hiciéramos, seríamos uno de los muy pocos que ha contado *alguna vez* algo que es personal y que no está resuelto. Segundo, descubriríamos que la gente nos evita. Y los pocos que nos hablarían ofrecerían dulce pero ineficaz preocupación o recomendarían un libro, una oración o tal vez un reproche. Para una persona que está luchando, pedir ayuda de forma abierta es como si le colocaran un blanco en la espalda y luego pasaran municiones. Tercero, nuestra lucha pasaría a ser el forraje que alimenta las conversaciones. Sería igual que poner un anuncio público en el periódico local: «Juan Pérez informa que él y su hijo Juanito han sufrido múltiples explosiones de ira y tensión intensificada. Juan deja constancia de que ha manejado su ira volviéndose farisaico, haciendo enojar a su hijo con acusaciones sin base. Entonces Juan se retrajo a silencioso tratamiento de "soy mucho más santo que tú", el cual molestó de verdad a Juanito, de quince años de edad. Juan admite su error y pide las oraciones de toda la comunidad».

La iglesia se estableció como un lugar de gracia, el santuario donde deberíamos sentirnos libres de admitir con sinceridad nuestras debilidades y nuestros fracasos. Con todo, en la práctica es el lugar en el que es más probable que ocultemos nuestras faltas de los demás. Es triste, pero sustituimos una búsqueda de gracia con una farsa de conformidad.

UNA COMUNIDAD DE CONFORMIDAD

La meta de muchos de los que asisten a la iglesia es conseguir algo de Dios sin que la gente descubra quiénes son. Por supuesto que hay personas que asisten a la iglesia para hacer contactos comerciales de la misma manera que lo harían como miembros de un club social. Aun así, la gran mayoría de las personas asisten esperando obtener significado espiritual o un momento de conexión con Dios.

De igual manera están representados los que buscan seguridad y estabilidad, los que buscan aprobación de la forma en que viven antes que aliento para aceptar el riesgo osado de la vida de fe. Estas personas se parecen a los que van a las pistas de esquí, no para disfrutar del alborozo de deslizarse colina abajo parados en dos pedazos angostos de fibra de vidrio, sino con la esperanza de llegar al pie de la colina sin caerse sobre sus asentaderas. No es difícil ver cuáles son los esquiadores que van por lo seguro. Su postura es rígida y sus movimientos son lentos y pesados. A sus vueltas les falta naturalidad y elegancia. De la misma manera, algunos van a la iglesia para pasar mejor la semana, pero no están allí con la aspiración de apuntar los esquís y lanzarse cuesta abajo en la agonía y el éxtasis de buscar a Dios.

Asimismo, los padres caen en la trampa de trabajar duro para no fracasar, antes que buscar con pasión la dirección de Dios en la vida de sus hijos. Los padres que los gobiernan un régimen de reglas y responsabilidades son los que su esperanza principal es criar hijos de buena moral. Punto. *Si la escuela va a hacer a mi hijo inteligente y competente,* piensa este padre, *la iglesia tiene la responsabilidad de ayudar a mi hijo a llegar a ser bueno y responsable.*

Muchos van a protestar: «Por supuesto que quiero que mi hijo sea bueno, pero quiero mucho más que mi hijo conozca a Jesús como su Señor y Salvador y que viva para sus propósitos». Eso está bien. ¿Pero qué me dice si su hijo ama al Señor y se quiere perforar la nariz? ¿Qué me dice si su hija quiere vivir en el centro de la ciudad y dar su vida para caminar junto a prostitutas empobrecidas espiritualmente y los adictos a las drogas? ¿Qué me dice si a su hijo su fe lo guía a ver la maquinaria política conservadora como carente de valor y misericordia y por lo tanto se une a una agencia social activista basada en la fe?

Ayudar a nuestros hijos a conocer a Jesús es solo el primer paso. La mayor búsqueda es que queremos que sigan a Dios sin contemporizar. Queremos que se apoderen de la pasión de vivir con audacia y de que corran grandes riesgos mientras siguen a Dios. Trate de encontrar un personaje en la Biblia, sin contar a Jesús, que siguiera a Dios sin contemporizar y que no fuera otra cosa sino un desajustado. Los discípulos más fervientes de Dios, tanto en el Antiguo como en el Nuevo Testamento, no son los que desarrollaron sus vidas con nitidez y progresaron en línea recta. Sus seguidores más valientes son personas llenas de cargas, los blancos de la oposición pública, a menudo en conflicto consigo mismos, y pocas veces el orgullo de su pueblo o aun de su comunidad de fe. ¿Estamos dispuestos a dejar que nuestros hijos corran grandes riesgos y fracasen a niveles profundos y temibles si Dios usa tal fracaso para acercar sus corazones a Él?

Yo me hago esa pregunta con bastante frecuencia, y debo confesar que en el calor de la batalla de criar a mis hijos, casi siempre quiero que mis hijos se comporten bien. Conocen las reglas; solo quiero que las obedezcan. Sin embargo, no van a hacer lo que yo quiero, menos lo que les demando. Sus decisiones a menudo están en pugna con mis deseos, lo cual evoca el ruido del temor, la vergüenza, el enojo, el dolor y la confusión mientras solo pienso en mis hijos, mucho menos en hablarles y escuchar lo que dicen en realidad.

Nuestra tarea no es encontrar un camino para ser libres de una vez por todas del ruido impío que producen los medios de comunicación, los amigos, la escuela e incluso la iglesia. Dios solo nos invita a confesar que somos sordos y que nuestros oídos y ojos deben abrirse de modo que logremos relacionarnos con nuestros hijos. Solo cuando aprendamos a silenciar las voces que compiten, llegaremos a ganar la sabiduría que viene de escuchar a nuestros hijos.

CAPÍTULO 6

Escuche la voz de su matrimonio

La música de una unión piadosa

Hay un punto central hasta esta altura: Demasiadas voces ahogan las voces de nuestros hijos. Uno de los sonidos más tristes que distorsiona nuestra capacidad de escuchar las verdaderas preguntas, acusaciones y deseos de nuestros hijos es el ruido que viene de nuestro matrimonio. A menudo es el ruido de las tensiones sin resolver. También quizá sea el ruido del silencio cuando la pareja se separa y divorcia.

Ningún otro sonido debería producir una música que calme y dé forma a un hijo más que la voz del matrimonio de sus padres. Por el contrario, ningún sonido puede silenciar a un hijo en forma más horrible que el sonido de un matrimonio en problemas e impenitente. Hasta ahora hemos tratado de escuchar y silenciar las voces de nuestros padres, amigos, los medios de comunicación, la escuela y la iglesia para evitar que nos emboten los oídos. Ahora nos embarcamos en la tarea más importante de todas: enfrentar cómo las palabras de nuestro matrimonio ahogan o estimulan las voces de nuestros hijos.

El matrimonio modelo

La intención de Dios es que el matrimonio sea la relación que revele de manera más profunda su carácter, corazón, pasión y propósito. Un matrimonio es el rostro de Dios a un mundo que no le puede ver a menos que se le represente en carne humana. El matrimonio personifica la naturaleza Trinitaria de Dios por medio de la interacción y unión de personas distintas y que se complementan. El matrimonio puede y debería reflejar la fortaleza y la misericordia de Dios. Con toda sinceridad, el matrimonio también es un problema.

El matrimonio modelo revela el carácter de Dios y también expone nuestra profunda necesidad de perdón. Tal como el matrimonio debería revelar algo del amor de pacto de Dios, también es la prueba más profunda de nuestra necesidad del amor leal de Dios debido a la ola de pecado y dolor que surge en cada matrimonio. Los asuntos más profundos, intensos y eternos de la vida salen a la superficie en el contexto de dos seres humanos que comprometen sus futuros juntos y les dicen a todas las fuerzas e influencias destructivas que nada sino la muerte los va a separar. Si esto parece ser una invitación atrevida a que surjan problemas, es justo así.

El matrimonio es el suelo húmedo en el que crecen las cizañas del pecado y las rosas de la redención. Ninguna otra relación requiere más, y da tan poco y tanto, y expone lo mejor y lo peor de nuestras almas. Todas las debilidades en nuestro carácter (la falta de paciencia, el temor a la intimidad, una tendencia no natural a guardar rencor), se van a ampliar. Sin embargo, lo maravilloso es que, en un buen matrimonio, las formas más profundas del sacrificio y la perseverancia, que habían estado ocultas y sin forma, van a surgir en los momentos más inesperados.

Es crucial declarar el siguiente punto con atrevida claridad: Es preciso que los hijos vean lo mejor y lo peor en un matrimonio a fin de que no solo logren entender la profundidad del pecado, sino también la resplandeciente gloria de la convicción, el arrepentimiento, la gracia, la reconciliación y la celebración. De otra forma se sabría de la oscuridad relacional, pero no se le nombraría. Y envenenaría la esperanza de la sanidad.

Durante la pobreza de nuestros años en la universidad, mi esposa y yo solíamos ir a comer afuera una vez a la semana después de la iglesia. Éramos demasiado pobres como para que ambos ordenáramos un plato, así que cada semana le tocaba a uno de los dos elegir la comida. Luego la repartíamos. Una semana discutimos que era nuestro turno. Nuestras voces se elevaban con la intensidad de la convicción y el hambre. No fue una interacción dura, pero en medio de nuestro debate escuchamos que nuestra hijita de dos años, Annie, dijo: «Dinero, dinero, dinero. Ustedes siempre se pelean por el dinero».

Creí que nos íbamos a ahogar de risa, hasta que el peso de la perspicacia de mi hija nos sobrecogió. Los hijos a veces intuyen lo que nosotros nos negamos a ver. ¿Qué pasaría si en realidad escucháramos sus voces? ¿Cómo cambiarían nuestros matrimonios y, a la vez, cuán diferentes seríamos como padres?

Qué posición tan paradójica. Los padres deben revelar a Dios y su gracia no solo al modelar lo que es verdadero, sino también lo que es falso. Gracias a Dios, ninguno de nosotros tiene que fracasar a propósito; va a ser en forma natural y frecuente. No obstante, cuando el pecado surge, no se debe barrer hacia un lado como una prerrogativa paterna o una simple aberración. El matrimonio es el campo de adiestramiento de la búsqueda más sincera y riesgosa de madurez, así que se debe conducir a plena vista de nuestros hijos.

La burla del matrimonio

Hay tres grandes violaciones del matrimonio: el divorcio, la indiferencia y el abuso. En esos tres casos se burlan del matrimonio, y una risa oscura que viene del vientre del infierno apaga y distorsiona los corazones de los hijos a los que se hiere con las repercusiones.

El divorcio y el odio de la esperanza

El divorcio es la muerte en vida. Cuando muere uno de los padres, la relación continúa solo en el recuerdo y en los sueños.

No hay un presente para agregar a las relaciones. La muerte crea un fin estático, no resuelto (y al mismo tiempo resuelto) que al final evoca gratitud por lo que se dio y el dolor por lo que se perdió. La esperanza por el padre muerto se convierte en una parte fluida de la gran esperanza del Día del Señor, cuando reinará la justicia y la reconciliación no solo será personal, sino cósmica. Sin embargo, *no* son ciertas las mismas cosas para un niño que lucha con el odio hacia la esperanza en medio de un divorcio.

Todos los hijos de padres divorciados sueñan con el día en que papá y mamá estarán juntos de nuevo. Tal vez recapaciten y se vuelvan a unir. El hijo vive la tortura de un aprieto doble. Si deja de esperar, algo en su corazón debe morir. Si sigue esperando, va a ser presa de las vicisitudes del deseo. En cualquiera de los dos casos, es una muerte doble: ya sea una climática, final y dura, o la otra que es una muerte gradual, separada poco a poco de tal modo que cada una se siente como una nueva y cruel tortura.

La montaña rusa de la esperanza se aviva y luego se retrasa dejando enfermo el corazón del niño[1]. Es mucho más fácil matar la esperanza que soportar sus brotes periódicos que siempre le siguen a una caída. El divorcio no es solo un desastre en el presente; es quemar el pasado y asesinar el futuro. Los buenos tiempos que se recuerdan son imposibles de traer a la memoria sin un sentido de intensa pérdida. El pasado quemado vuela en oscuras cenizas y se mata el futuro para evitar la tentación de una renovada esperanza.

El divorcio deja a los niños con desdén hacia la intimidad y la lealtad. La intimidad se ve como la seductora que lleva con engaños al amor. Entonces, esos niños ahora saben que nada bueno puede durar, así que la intimidad es la seductora de una mentira; es mejor irse antes que descienda el fin. El divorcio trae cinismo y los hijos forman relaciones que se niegan a someterse a lo que es bueno en la otra persona, mientras que al mismo tiempo explotan la intimidad mediante la sexualidad o la falsa entrega.

Nadie piensa que el divorcio es un gran bien social. Muchos dirían que es, en el mejor de los casos, una necesidad triste e inevitable. El resultado final es que el divorcio les presenta un enorme desafío a los padres que ya sienten la pérdida y que se enfrentan ahora a las demandas financieras y personales de criar a los hijos solos y a la necesidad de sanidad mientras proveen también para el bienestar emocional de los hijos. El divorcio requiere la más alta demanda en el peor momento posible... y se puede lograr, pero no para la satisfacción de nadie.

Para callar el ruido del divorcio, los padres necesitan los aliados del tiempo, la paciencia heroica y una inquietante percepción sobre la forma en que un hijo va a sabotear la esperanza. Es triste, pero muchos padres divorciados desestabilizan la intimidad del niño con el otro progenitor y pretenden que la vida sea normal o al menos mejor de lo que era. El niño termina siendo una pieza de ajedrez de los enojados métodos paternos y aprende las habilidades de la manipulación desinteresada.

Cuando un divorcio es amigable, las tensiones son menos severas, pero el ruido de la confusión y el odio de la esperanza serán igual de altos. Por un lado, el hijo que dice: «Si alguien tan inteligente como mamá es capaz de cometer un error tan grande, ¿cómo puedo yo evitar el mismo destino?». El resultado será una duda arraigada muy hondo de que una relación pueda durar, mucho menos ser buena y verdadera. Por otro lado, si el hijo dice: «Mamá se casó con un perdedor porque ella es igual, y yo no voy a cometer el mismo error», crecerá con arrogancia y presunción.

Pasar por un divorcio y todavía optar por escuchar la voz de un hijo requiere mucho valor y convicción. Exige la disposición de entrar aun más en lo profundo de la ambivalencia del niño, su sentido de culpa y su temor, y hacerlo con la convicción de que, a medida que el proceso nos hace más humildes, vamos a madurar y a la vez lo hará el niño que sufre.

La indiferencia y el temor al aburrimiento

Hay una demanda estridente entre muchas personas que, sin importar cómo, las parejas en problemas deben permanecer juntas para beneficio de los hijos. El matrimonio quizá sea terrible, y uno o ambos cónyuges tal vez se sientan muy mal, pero incluso un mal matrimonio es mejor para los hijos que el divorcio. Eso no está comprobado. Y pedirle que decida es como si le preguntaran si desea suicidarse ahogándose o con una sobredosis de narcóticos. ¿Cuál de las dos formas es más humana para hacer daño? Una elección como esta no es una verdadera elección.

En cambio, la verdadera elección es arriesgar un nivel más alto de tensión, y quizá hasta el divorcio, *negándose* a permanecer indiferente. Tal opción significa arriesgarse a cambiar la indiferencia en intimidad, o la posible separación. Es triste que algunos matrimonios íntegros podrían terminar si uno de los cónyuges decidiera ofrecerle al otro amabilidad, sinceridad y pasión. Algunos matrimonios solo se sostienen por la conveniencia o la conformidad o por la comodidad que surge del desastre sostenido y mutuo. Cuando se les desafía a madurar, muchas de estas uniones deformadas se derrumban bajo el más ínfimo de los pesos adicionales. La relación es como una silla de mimbre de jardín que se ha dejado a las inclemencias del tiempo durante demasiado tiempo y se vuelve quebradiza. Está intacta, pero al primer peso que se le aplica, se hunde y se rompe al final. La pérdida para los hijos que crecen dentro del ruido de un matrimonio tan indiferente es un sentido de que no hay esperanza en el matrimonio para la intimidad, el gozo y el placer. El matrimonio se ve como una relación aburrida, monótona, que no se puede comparar a las drogas, las relaciones sexuales libres y el *rock and roll*.

La indiferencia es una forma de odio pasivo-agresivo. Hay muchos que conocen el dicho: «¡Ámame u ódiame! ¡Pero no me trates con indiferencia!». He hablado con muchas personas de la raza negra que me han dicho que prefieren enfrentar el desprecio de una persona guiada por los prejuicios que los ojos de una persona que mira a través de ellos sin siquiera verles el rostro. La indiferencia implica que usted no es digno ni de mi enojo ni de mi odio, muchos menos mi deseo más profundo. Dice: «¡Usted ni siquiera existe, mucho menos tiene importancia!».

La indiferencia en el matrimonio se presenta de muchas formas. Hay parejas que viven vidas tan distanciadas que jamás ocurre el toque físico o verbal. Mientras que los deberes familiares estén bien estructurados, este hogar puede marchar con suavidad y poca infelicidad visible. Los hijos de estas familias crecen en una especie de laboratorio antiséptico que pone valor en la eficiencia y el orden antes que en la conexión íntima. El resultado en las vidas de ellos va a ser un ansia de intimidad y una lucha contra la indiferencia mecánica.

Otra forma de indiferencia es dividir en compartimientos los papeles de los cónyuges. Los hombres miran los partidos de fútbol; las mujeres preparan la comida. Los hombres hablan de política; las mujeres hablan de recetas, moda y bebés. Los hombres son duros; las mujeres son tiernas. Punto. Hay muchos hogares en donde los papeles de los cónyuges están tan severamente divididos en compartimientos que viven uno en el límite del otro con muy pocas posibilidades de que se superpongan. A menudo un grado bajo de desprecio hacia el sexo opuesto agranda la distancia. El resultado en la vida de los hijos será temor de cruzar los límites y odio hacia el ser encerrados en un solo modo de vida.

Tal vez la forma más común de indiferencia se vea en la pareja que se conforma con llevarse bien y establecer una disposición positiva en la familia. A estos les llamo los «matrimonios estilo Disneylandia». No hay basura en las calles ni tampoco se ve ningún desorden. Se espera que todo el mundo sea feliz y que se divierta. Y debido a que el precio de no ser feliz es demasiado grande, las luchas normales de la madurez y de llegar a aceptar la vida se mantienen con toda seguridad fuera de la vista.

Esta pareja quizá sea alegre y divertida. Muy a menudo un sentimiento de tranquilidad y compañerismo trasciende en ese hogar. Si este cuadro le está empezando a parecer muy bueno, considere que la indiferencia en este matrimonio es evidente en que evitan la profundidad. Hay una negativa de permitir que las infelicidades de la vida obliguen a alguien a pedir, buscar, tocar a la puerta. Las cosas que se necesitan en la vida están a la disposición, ¿entonces por qué formular preguntas difíciles, entablar diálogos significativos o vivir con las tensiones de la incertidumbre y la duda? Esta familia sabe la diferencia entre el blanco y el negro y evita el gris. La indiferencia a la tensión, la confusión y el dolor hace necesario deslizarse por la superficie. Cualquier movimiento hacia la profundidad en una conversación requeriría que ambas partes enfrentaran la realidad de la oscuridad y la infelicidad, y simplemente no están dispuestas a ir allí.

El resultado es una familia en la que nadie en realidad escucha ni se molesta por preguntar. No hay razón para hablar de asuntos más profundos porque cualquier cosa que no sea una conversación feliz se asemeja a expeler gases, una expresión grosera e inapropiada. La consecuencia en las vidas de los hijos es o una abstinencia enfermiza en cuanto a trastornar el estado de las cosas en un momento dado, o un deseo oscuro y terrible de burlarse de los convencionalismos sociales.

Estas tres formas de indiferencia matrimonial dejan el corazón de un niño anhelando acción, profundidad y significado. Un niño necesita ser testigo de la verdad de la intimidad y de la relación. Los padres devotos tienen el llamado a ponerle fin al falso tratado de paz de la indiferencia y a abrir la puerta a posibles conflictos, desprecio y destrucción. No es bueno sufrir un matrimonio indiferente y producir en sus hijos desprecio hacia la intimidad y el temor al aburrimiento. Los padres no deben privar a sus hijos de los frutos del sufrimiento y del riesgo. El precio de evitar el riesgo es ensordecer a los gritos de sus hijos de que quieren vivir una verdadera vida.

El abuso y las semillas de la violencia

La expresión «un matrimonio abusivo» no es un simple oxímoron. Es una malvada violación de la buena intención de Dios de traer a dos seres humanos a una unión. El abuso mata todo lo que significa ser una persona. Dios lo aborrece, y es la equivalencia matrimonial del daño ocasionado por los falsos maestros descritos en la Biblia como lobos salvajes que se levantan para devorar el rebaño[2]. Cuando un esposo, quien tiene el llamado a ser la cabeza de la familia, devora a su esposa e hijos en ira y asalto emocional, si los humilla físicamente o mancha su inocencia mediante el abuso sexual, hay un elemento de furor en el enojo santo de Dios. Tal esposo y padre no solo viola el cuerpo de un niño, sino también la confianza de ese niño en Dios, lo cual de forma típica lleva a la ira, a los hábitos autodestructores y a la violencia más tarde en la vida[3].

El abuso en su forma más cruda y despiadada, la violación sexual y otros tipos de daños físicos, se condena en nuestra sociedad. Otras formas de abuso menores, tales como tocar las partes genitales de otra persona y el abuso físico que solo se extiende a contusiones o verdugones, también se condena, pero los juicios legales son raros. Asimismo, el descuido y el daño físico intermitente se ven como una aberración, pero sin ser dignos de intervención o de consecuencias legales. Así que los que cometen gran parte de los abusos contra los niños nunca se llevan ante la justicia. En cambio, las formas más comunes de abuso se ocultan bajo una cubierta de vergüenza y los hijos sufren el serio y continuo daño sin tener ningún recurso.

Una mujer con la que trabajaba estaba casada con un hombre violento que la humillaba. Exigía que su esposa trabajara fuera del hogar para proveer aporte financiero. También demandaba que hiciera todo el trabajo de la casa. Él pasaba su tiempo en investigaciones de inversiones que en teoría mejorarían las finanzas de la familia, pero que en realidad solo perdía el dinero que ganaba su esposa. Cuando ella le pidió que consiguiera un trabajo a tiempo completo, él se resistió y la acusó de ser fría y rebelde. Ella se acobardó ante este abuso y el resultado fue que aumentaron su vergüenza, su resentimiento y su dolor.

Esto sucedió por años hasta que ella volvió en sí y se negó a seguir trabajando. Su esposo comenzó a machacar verbalmente para que volviera al trabajo y el abuso se extendió a algunos de los hijos. Los que estaban del lado de la madre, el padre les infligió daños físicos y emocionales. A los hijos que se pusieron del lado del padre recibieron recompensas y se les dio la libertad de hacer lo que quisieran.

Al final, la mujer fue a ver a su pastor y le pidió oración y que interviniera. El pastor se negó a meterse en el problema porque el hombre se conocía por ser terco y divisivo. Más tarde el pastor, en un arrebato de conciencia, admitió que tenía miedo que el hombre lo demandara a él o a la iglesia si iniciaba un proceso de dar cuentas o cualquier otra disciplina impuesta por la iglesia. Basado solo en los costos comparados con los beneficios, el pastor y el liderazgo de la iglesia no creyeron que tenían los recursos, ni el apoyo de la congregación para exponer, disciplinar y discipular a un misógino. En cambio, fue más fácil enfrentar a la persona que estaba más abierta a Dios, la esposa del hombre abusador, y pedirle que confiara en que Dios cambiaría el corazón de su esposo si solo hacía lo que él quería.

Dios odia el divorcio y se opone a quienes en poder devoran las ovejas y se niegan a detener la carnicería que resulta del abuso de poder en una relación[4]. Estas ovejas soportan a hombres brutales y a mujeres que hacen un daño indecible. Y luego le permitimos a esta gente brutal que evite nuestro escrutinio y que escape a las consecuencias porque para hacer algo parece que no vale la pena el enorme esfuerzo que implica la investigación, la evaluación y la intervención.

A decir verdad, este escenario no siempre es el caso. Hay comunidades de fe que, con gracia y fuerza, se ponen a la misma altura de un hombre enojado. En una iglesia que conozco, a un hombre abusador se le exigió que perteneciera a un grupo que enseñaba a controlar el enojo. Lo invitaron a consultar a un buen terapeuta, y a su esposa le proporcionaron vías para escapar al enojo del esposo si su ira llegaba a restarle fuerzas a su familia. De una manera brillante y amable, la iglesia intervino y dijo: «Sí, a usted lo aman. Y no, no se puede salir con la suya».

Es triste, pero es más fácil arreglar la inmoralidad sexual visible y el enojo hacia ella que exponer el abuso emocional, físico y sexual que al final informa una mujer que es víctima. No tenemos problemas diciéndoles a los adolescentes que digan no a las relaciones sexuales prematrimoniales, pero estamos demasiado ansiosos de decir tal vez a un esposo abusador.

Aquí no hay una zona gris. El abuso es cualquier situación que causa daño severo en el ámbito emocional, físico o sexual. Eso es verdad sin duda alguna. Por otro lado, he tenido el privilegio de trabajar con familias tremendamente disfuncionales que han estado dispuestas a revelar sus secretos, en forma profunda y significativa, y a cambiar. El número es pequeño, pero no es bueno dar por sentado que todos los hogares violentos y la gente están más allá de la capacidad de cambiar. La iglesia debe llamar a los hombres y en ocasiones a las mujeres a rendir cuentas por crear un mundo violento y oscuro, y luego ayudarlos a darle un nombre al pecado y aceptar el privilegio de crear un hogar tierno y fuerte. El hecho de que haya algún cambio nos debe compeler a invitar a *todos* los que son abusadores a cambiar.

Después de todo, ¿qué le hace al corazón de un niño una familia abusiva? La respuesta simple es que el abuso siembra las semillas de la violencia para la próxima generación. La violencia crea una relación de perpetrador-víctima que siempre se sustituirá por la víctima que se convierte (de alguna manera) en el perpetrador y recrea la dinámica para más niños en el futuro. El amor es el único antídoto para un ciclo que ha evolucionado desde el alboroto de Caín y Abel.

Una vez examinado los hogares que apagan a gritos las voces de sus hijos, vayamos a otra clase de hogar que escucha a los hijos y los invita a que vayan a los brazos de Dios.

La música de un matrimonio piadoso

Donde sea que los padres fracasamos en madurar como seres humanos, también les negamos esa oportunidad de madurez a nuestros hijos. No podemos llevar a nuestros hijos más lejos en la vida, en cuanto a las relaciones y el amor, que el punto que hayamos escogido para progresar en nuestro propio matrimonio. No obstante, si un matrimonio debe llevar las marcas de la santidad que inviten a los hijos a llegar a ser lo que fueron creados para ser, dicho matrimonio debe experimentar tres asuntos centrales. Estos involucran la complejidad del pecado y la redención, la libertad y la responsabilidad, y la intimidad y la independencia. Estos asuntos difíciles de resolver no se someten a una mentalidad lineal, de blanco y negro y de respuestas fáciles. Demandan que vivamos en medio de la tensión. Exigen que luchemos bien y que nos entreguemos de manera profunda a una Persona, no a una fórmula que todo lo arregla con rapidez.

El pecado y la redención

La tensión entre el pecado y la redención es nombrar la constante y asombrosa enfermedad de oscuridad en mi alma aun cuando estoy rodeado y penetrado por la gloria de la luz de Cristo. No es una postura de esto o de aquello. Yo soy tanto luz como oscuridad; estoy vivo y muerto; soy pecador y redimido. Esta postura me permite enfrentar de manera más profunda todo lo que queda para que se redima en mi ser, mientras que no niega la gloria de lo que se me ha revelado y se ha hecho dentro de mí.

Un matrimonio piadoso reconoce que no hay nadie más amado ni más odiado que el cónyuge. El odio no desentraña al amor, ni el amor de mi cónyuge erradica por completo mi necesidad de una redención más total y que cambie la vida. Un matrimonio piadoso se convierte en el terreno central que prueba que Dios está trabajando. Si el matrimonio solo sobrevive o si va en espiral hacia el distanciamiento emocional o la violencia grave, no hay buen terreno en el cual pueda crecer el fruto de la redención en nuestros hijos.

Los padres deben tener la habilidad de confesar a sus hijos lo que cada niño sabe por intuición: que hay una deficiencia de amor en la familia. Es tonto pensar que nuestros hijos no ven lo que tratamos de ocultar con tanto empeño. No llevó muchos encuentros con mis hijos para que supieran y le pusieran el nombre a que yo soy propenso a enojarme por tonterías.

Cuando tenía seis años, mi hija del medio, Amanda, me dijo mientras estábamos haciendo fila en un parque de diversiones: «Papá, sé que tenemos que esperar más de lo que a ti te gusta. ¿Me prometes que no le vas a gritar a nadie y sobre todo a mí?». Me sentí débil ante su total comprensión dulce, inocente y que dio en el blanco. Sus palabras, y muchas desde entonces, me han perseguido e invitado a enfrentar mi fracaso (todavía no tan a menudo ni con tanta rapidez como deseo).

Si nosotros los padres no somos capaces de confesar primero nuestras deficiencias de amor a nuestro cónyuge, la posibilidad es muy pequeña de que lo logremos hacer dentro del contexto de la familia. Es más, la manera en que confesamos a nuestro más íntimo colega va a dar la norma por la forma en que le damos un nombre al pecado con los demás. También debemos tener la habilidad de confesarles a nuestros hijos que existe una esperanza real para el amor en la contrición. Una cosa es admitir el fracaso. (Algunos lo hacen con tanta frecuencia y demanda patética, que es casi peor que no admitir el fracaso en absoluto). Sin embargo, confesar el fracaso, en verdad, es hambre por redención.

Y la redención no es un simple cambio, ni tampoco es reconocer que nos perdonaron. Hay algunos que cambian y solo se enorgullecen y demandan que otros hagan lo mismo. Otros saben que son perdonados y usan eso como una excusa para perpetrar el mismo daño una y otra vez, sin esperar consecuencias personales. La verdadera redención involucra quedarnos mudos por la enormidad de nuestro fracaso y luego quedarnos aun más mudos por la enormidad del corazón de Dios que cancela nuestra deuda. La redención trae un nivel de gratitud que libera el corazón para desear el dulce bálsamo del perdón para uno mismo y para otros. Libera el corazón para extenderles a otros lo que se nos ha dado de forma tan liberal a nosotros.

La redención es la tierra que capacita a nuestros hijos para que vean nuestros fracasos y, por lo tanto, enfrenten los propios. La redención también mueve a toda una familia a un nivel de bondad y sinceridad en el cual no tememos luchar con los asuntos centrales de nuestras almas.

La libertad y la responsabilidad

La vida está llena de constantes acertijos de elección. Por ejemplo, tenemos libertad de elegir casi cualquier cosa, pero no podemos escapar a la responsabilidad que viene con la elección, en especial porque todas las elecciones que hacemos traen consigo una consecuencia segura.

En el matrimonio hay una elección sobre el que corta el césped y el que prepara las comidas. La mayoría de las veces esa elección está ligada a nuestra suposición en cuanto a los papeles de los sexos. La mayoría de los hogares le da la tarea de cortar el césped al hombre y la de cocinar a la mujer. Para muchas familias, este arreglo encaja bien con los intereses primarios del esposo y de la esposa, pero no es un asunto de necesidad ni un requerimiento de aptitud determinada por el sexo de la persona.

Lo que hace cada uno es una decisión, y no se tiene mucha sagacidad si se da por sentado que no hay consecuencias relacionadas a esta elección. Si la división del trabajo se atribuye a papeles determinados por el sexo de una persona, los hijos suponen que todos los hombres cortan el césped y que todas las mujeres prefieren cocinar. Y aunque este asunto es en sí de poca importancia, coloca en lugar una estructura mayor de suposiciones que tiene poco que ver con lo que Dios quiere revelar con las radicales diferencias que tejió en el sexo de las personas.

La forma en que un esposo y una esposa definen y negocian la elección (desde quién hace qué en la casa hasta dónde irá la familia de vacaciones y cómo se distribuirán los limitados recursos del tiempo y del dinero) son el forraje en bruto que permite que los hijos intenten resolver la gloria y el horror de la elección. Si los hijos no ven a los padres en esta tensión, no estarán preparados para la elección y van a llegar a despreciar el peso de la libertad a medida que crecen.

Demasiados de nosotros adoptamos de forma ciega las normas culturales sin reflexión ni intención. Ya sea que la cultura sea una iglesia local o la más amplia cultura de los medios de comunicación, a menudo definimos lo que bueno y justo según lo que es más aceptable para otras personas. Cuando nuestros hijos se oponen a esta conformidad, desafían normas que tienen poco que ver con los asuntos del corazón de la Biblia. Si confundimos los papeles definidos por la cultura con los requisitos bíblicos, por ejemplo, las elecciones de nuestros hijos que difieran de la norma se van a considerar rebeldes. De forma errónea trataremos de empujarlos a encajar con la cultura antes que hacia la sujeción a los requisitos bíblicos. En realidad, sembramos semillas de división en las relaciones futuras de nuestros hijos cuando nos dejamos llevar por las demandas de la cultura antes que buscar las normas de Dios para el matrimonio.

Las realidades del pecado y de la salvación nos obligan a enfrentar lo que es verdad sobre nuestro mundo interior y el mundo más allá de lo que podemos ver. La libertad y la responsabilidad nos impulsan a luchar con el conjunto casi infinito de elecciones y con lo inevitable de las consecuencias que siguen a las elecciones que hacemos. Mientras tanto, la intimidad y la independencia llaman nuestra atención a la manera en que tendemos un puente entre el mundo interior del deseo y el mundo exterior de las relaciones y los logros.

La intimidad y la independencia

No podemos escapar a la tensión que surge entre la intimidad y la independencia. La intimidad es el deleite que uno encuentra en conexión con otra persona. En la intimidad encontramos descanso y estabilidad. Aun así, nos crearon para más que encontrar descanso mientras disfrutamos de la cercanía de alguien. También nos hicieron para experimentar, arriesgar y explorar lo desconocido. Nos crearon tanto para ser independientes como para estar en relaciones íntimas. La independencia nos invita a vivir el llamado de nuestra vida a pesar de nuestro compromiso con otros y a causa de esto. Es la tensión que se siente a menudo en esta elección: «¿Haré lo que *yo* quiero hacer o haré lo que te hace feliz a *ti*?». Cuando se lleva a un nivel superior, la pregunta se formula en estos términos: «¿Haré lo que siento que es mi llamado y lo que quiero hacer, o haré lo que promete traerme la mayor cantidad de aprobación de quienes amo?».

Cada elección por la intimidad sacrifica algo de la independencia, y cada elección para ser independiente nos cuesta una porción de intimidad. Si me quedo hoy en casa escribiendo este capítulo, pierdo la oportunidad de ir a una excursión con mi familia. Si voy con mi familia y disfruto convivir con ellos y las sorpresas de un día en las montañas, me atrasaré en mi tarea de escritor la cual depende por completo de la manera en que actúo como individuo. (Fui de excursión).

La tensión entre la intimidad y la individualidad requiere que cada uno de nosotros con sinceridad le dé nombre y luego escoja cuánta intimidad e independencia desea en un momento determinado. Esta discusión no puede ocurrir con respecto a los hijos a menos que los padres la enfoquemos. ¿Tenemos la libertad de diferir los unos con los otros en asuntos importantes sin perder el gozo de la conexión? ¿Podemos *ambos* estar en lo cierto (o estar equivocados) en una conversación sin exigir que un punto de vista opaque el otro? Si no es así, la independencia siempre va a traer el alto costo de la pérdida en una relación.

Por ejemplo, ¿qué pasaría si no puedo permitirle a mi esposa que persiga sus sueños acordes con las pasiones de su vida? ¿Qué pasaría si ella siente que Dios la llama a participar más en el cuidado de los ancianos y eso significaría utilizar mucho más de su tiempo en esta empresa? Entre tanto, quiero que busque un horario más flexible a fin de que tomemos más vacaciones que aliviarían la tensión de mi trabajo. La pasión de ella compite con mi deseo. ¿Cuál deseo será el predominante? ¿Cómo se tomará esa decisión? ¿Puede un cónyuge madurar en el llamado de ser lo que debe ser (independencia) de una manera que sea compatible con ser parte de la relación (intimidad)?

Las respuestas a estas preguntas dependen, en alto grado, de la forma en que vivimos los asuntos del pecado y la redención. ¿Qué sucede si se da por sentado que ni yo ni mi esposa en realidad pecamos y necesitamos redención? Tal vez reconozcamos con un movimiento afirmativo de cabeza el pecado como fracaso y miremos la redención como un hecho que solo se realiza una vez. De ahora en adelante, mientras seamos bastante buenos en hacer bien las cosas, no hay mucho de qué hablar en realidad.

Si esa es la perspectiva, los asuntos del pecado y de la redención no se tratan de forma práctica y consecuente. Tampoco llegamos al centro de lo que sucede en la vida de cada miembro de la familia. No es de extrañarse que la crianza de los hijos en hogares así sea menos dirigida al corazón del niño y esté más preocupada con las reglas y la conformidad. Dicho en forma más precisa, la crianza de los hijos con esta tendencia es en realidad el esfuerzo excesivo de hacerse el propósito de que los hijos tengan éxito en la escuela, el vecindario, la iglesia, los deportes, antes que esforzarse por encontrar a Dios y sus propósitos.

Una familia así simplemente cae en los papeles definidos por la religión y las autoridades culturales. Y si la elección y la responsabilidad recae en gran medida en lo que otros nos dicen, no es factible que haya una disposición para escuchar lo que nos dicen nuestros hijos, si lo que dicen sentir difiere de lo que suponemos que «deberían» sentir. La habilidad de los padres de escuchar a sus hijos depende de lo que están dispuestos a escuchar. Si soy sordo a los complejos asuntos de la intimidad y la independencia porque «las autoridades» han dicho que criar a los hijos es solo un asunto de seguir ciertas reglas, no voy a escuchar el clamor de mis hijos para que participe en el enredo que hay dentro de ellos.

Para ayudarle, le daré una ilustración. Cuando mi hija Amanda estaba en el cuarto grado de primaria, una niñita le dijo que no podía ir a su casa a jugar porque iba a ir a la fiesta de cumpleaños de otra amiga. Esta niña sabía que a Amanda no la habían invitado. Mi hija estaba abrumada de tristeza. Mi esposa estaba atenta y la consoló. Después de un tiempo, me di cuenta cómo de su aflicción fluía una demanda de alivio que era imposible suplir.

Yo soy más inclinado a la postura de «debes aguantarlo». Mi tendencia pecaminosa es a huir de las lágrimas y exigir acción. Sé que no está bien pasar por alto las lágrimas de mi hija solo basado en mi propia propensión. Por otro lado, la vida es injusta, y tenemos la libertad de decidir qué hacer cuando ocurre una pérdida. Podemos llorar de dolor o podemos hacer algo en cuanto a las injusticias de la vida.

Amanda quería consuelo, pero sus lágrimas ocultaban una profunda nota de venganza. Yo necesitaba escucharla y luego responder a sus preguntas más profundas, a sus acusaciones y a sus deseos. Sin embargo, no quería dedicar el tiempo que eso requiere. Solo me sentí tentado a ofrecerle unas pocas frases condescendientes al tiempo que pasaría por alto su dolor y enojo sin expresar. ¿Por qué retrocedía? ¿Por holgazanería, miedo a su respuesta, incertidumbre en cuanto a qué hacer, una demanda de que la vida sea más fácil de lo que es? La respuesta abarcaba lo suficiente de cada cosa como para decirme que si quería amar a mi hija, tenía que hacer más.

En ese fugaz momento, hacía una decisión sobre la intimidad y la independencia. Si atendía a Amanda, eso iba a tomar tiempo de mis planes y ponerme en la posibilidad de enemistarme con mi esposa y con mi hija. Tenía una elección: continuar con mis planes previos para esa hora o responder con entera liberad a la necesidad de mi hija en ese momento. Decidí sucumbir a la intimidad y a la pérdida de independencia.

Me senté al lado de Amanda y le dije en voz alta para que me pudiera escuchar por encima del ruido de su llanto:

—Estoy tan enojado con Sara que voy a ir a su fiesta y le voy a tirar al suelo su pastel de cumpleaños.

Amanda se volvió hacia mí, pero sus brazos y su cuerpo estaban todavía alrededor de su madre.

—No, no lo voy a hacer —dije—. Voy a ir allí y me voy a traer su pastel y todos sus regalos.

A esta altura, Amanda comenzó a reír. Eso era todo lo que necesitaba para saber que íbamos por buen camino.

—¿Quieres ir conmigo? —le pregunté—. Nos podemos poner máscaras para que no sepan quiénes somos. Vamos a entrar de pronto a la fiesta, derramaremos los refrescos y robaremos el pastel y los regalos. ¡Eso le va a enseñar a no meterse con Amanda Allender!

Amanda me miró con veinte por ciento de seriedad y dijo:

—¿De veras?

Yo me reí y le pregunté si quería que lo hiciera.

—En realidad, no —me dijo—, pero me gustaría.

Ahora fluía la conversación. Ella no lloraba ni reía. Sentía curiosidad. Lo que le dije fue breve y simple:

—Amanda, cuando estoy herido, a menudo quiero que alguien pague. Sin embargo, hacer que alguien pague no le añade dolor, sino que siempre regresa para hacer que me sienta incluso peor. Me alegra que puedas admitir que estás herida y enojada, y todavía me alegra más que estés dispuesta a admitir que la venganza no es lo que quieres en realidad. Así que deja de llorar, niñita, y ayúdame a limpiar el garaje.

No tengo idea de lo que esa conversación hizo para ella. No sé ni siquiera si todavía la recuerda. Sé que mi esposa estaba contenta, Amanda estaba más feliz, hicimos un trabajo esa tarde y el dolor de la vida ni nos silenció ni nos venció.

Todos los matrimonios son el campo de pruebas para luchar con los asuntos más profundos del corazón. Si un cónyuge se niega a escuchar los asuntos de la eternidad en la relación matrimonial, es poco probable que sea capaz de hacerlo en su función de padre. El nivel de tratar de resolver los problemas, y la profundidad de nuestra sinceridad al enfrentar la vida, al igual que en nuestro matrimonio, va a determinar nuestra habilidad de guiar a nuestros hijos a una búsqueda sincera de Dios y sus propósitos. Esa es la música y el poder de un matrimonio piadoso.

CAPÍTULO 7

La vida en el corazón del misterio

Cómo les damos a probar a nuestros hijos el carácter de Dios

Dada la cantidad de ruido que nos rodea, es un milagro que logremos escuchar a nuestros hijos en absoluto. Sin embargo, siempre nos están hablando y nosotros podemos mejorar la forma en que los escuchamos. No basta con decir que hay demasiado ruido o solo nombrar las diferentes fuentes de cacofonía. El ruido del mundo no tiene fin, y aunque conspira contra nuestro éxito como padres, la tarea está lejos de ser imposible.

Cuando era un padre joven, tuve la oportunidad de interactuar con un gran teólogo, William Hendrickson. El doctor Hendrickson tenía más de ochenta años cuando lo conocí en un almuerzo con varios otros pastores jóvenes. Era un hombre devoto que había escrito nueve comentarios del Nuevo Testamento. Durante la conversación, entre tomar té helado y comernos un sándwich de atún, nos sorprendió a todos. «Creo que solo comienzo a comprender el evangelio», reconoció él.

¿Cómo es posible que hubiera escrito todos esos comentarios y ahora dijera que comenzaba a comprender el evangelio? Yo llevaba solo un año en el ministerio y sin duda tenía más que un conocimiento somero de las buenas noticias de Dios. O el doctor Hendrickson perdió la habilidad de pensar con claridad o yo era presuntuoso y arrogante. Con todo, su comentario, y otro que expresó más tarde, tocaron algo en mí más profundo que mi arrogancia.

Los jóvenes pastores alrededor de la mesa comenzaron a hablar sobre las enormes demandas que sentían como padres. El doctor Hendrickson sonrió y dijo: «Recuerden que criar a los hijos no es difícil; es imposible». Su risa expresó a la vez agonía y esperanza. Respondió a unas pocas preguntas más, y luego antes que terminara nuestro tiempo con él, volvió al tema de la crianza de los hijos. Nos miró a nosotros los jóvenes y nos dijo: «Nada de lo que hagan será más importante que ser padres y en nada van a fracasar de forma más rotunda. La crianza de los hijos es imposible, así que necesitarán a Dios más que [necesitarán ser] un buen padre».

En ese momento no logré prever lo hondo que se arraigarían dentro de mí. No puedo apreciar todo lo que fallo para llegar a entender el evangelio, mucho menos los inmensos almacenes de la verdad de Dios acerca de la vida. Aun así, comienzo a captar la verdad de la segunda declaración del doctor Hendrickson: No soy tan buen padre como quisiera serlo y sé que criar a los hijos no es algo que una persona domine por completo. Es el llamado más exigente, ambiguo y que consume toda la vida. Y es en verdad y por completo imposible. Es imposible en parte porque nosotros, seres finitos y falibles, tenemos el llamado a revelarles a nuestros hijos el infinito y puro carácter de Dios. No somos capaces de desentrañar todo lo que Dios nos ha dado, ¿entonces cómo esperar que logremos ofrecer lo mismo a nuestros hijos? Y, sin embargo, ese es nuestro llamado. Es más, nuestra tarea es nada menos que darles a nuestros hijos un sabor del carácter de Dios.

El don del carácter de Dios

La crianza de los hijos es más que hacer eructar a un bebé o proveer para los elevados costos de la universidad. Es más que ayudar como padre en el fútbol o sufrir las interminables humillaciones de los recitales de piano. Un padre puede hacer todo esto o nada de eso y ser un buen padre o un padre terrible. La verdadera meta de criar a los hijos es presentarle a Dios a un hijo, y no me refiero a la simple ayuda que se le da a un hijo para que repita la oración del pecador. El llamado de un padre es reflejar cada día el carácter de Dios en la vida de un hijo. El dilema, por supuesto, es que resulta difícil encontrar a Dios aun para los que lo conocemos desde hace muchos años.

El apóstol Pablo nos brinda la respuesta que necesitamos. Nuestro Dios invisible decide hacerse visible en su creación, por medio de cosas tales como las estrellas, las babosas, las canciones y los padres[1]. Dios está ansioso de usar todas las cosas y los seres creados, sin importar lo insignificante que sean, para revelar su carácter. Sin embargo, Él solo se revela a sí mismo como una persona. Y como tal, tiene dos cualidades únicas y al parecer contradictorias: Él es tierno y misericordioso, y es fuerte y lleno de ira. Además de la imposibilidad de la tarea de criar hijos se encuentra que tenemos el llamado a revelar a Dios en medidas iguales en la misericordia y la fortaleza.

El salmista ofreció una de las teologías más breves en la Biblia cuando escribió: «Tú, oh Dios, eres poderoso [...] tú, Señor, eres todo amor»[2]. Dios nos hace responsables de todo lo que hacemos mal (poder, fortaleza), aunque también provee todo lo necesario para cubrir nuestra deuda de desobediencia (amor y misericordia). Exige que obedezcamos su ley (fortaleza) y luego envía su sacrificio perfecto, el inmaculado Cordero de Dios, su Hijo, para que pague la culpa de nuestra rebelión (misericordia). La fortaleza de Dios provee el orden y la organización de la vida (colocando los límites entre el agua y la tierra, la noche y el día), mientras que su misericordia nos invita a jugar y a crear en su creación. En fortaleza y ternura, Dios nos guía a una unión más íntima con Él, al igual que lo conoció la primera pareja del mundo, caminando seguros y libres cuando el día comenzaba a refrescar. El problema es que nosotros no vivimos cerca del jardín del Edén.

Fuera del jardín, la fortaleza y la misericordia de Dios parecen estar en conflicto. Su fortaleza justa y santa no va a venir a la presencia de lo impuro; y, sin embargo, su tierno corazón no puede resistir el impulso de correr al impuro pecador. Dios está en conflicto con su creación y sus propios impulsos de fortaleza y misericordia.

Dios dice:

> ¿Acaso no es Efraín mi hijo amado? ¿Acaso no es mi niño preferido? Cada vez que lo reprendo, vuelvo a acordarme de él. Por él mi corazón se conmueve; por él siento mucha compasión[3].

Es imposible leer este clamor de Dios sin escuchar la fortaleza y la ternura en una danza compleja y llena de tensión. Siente ira y disciplina a su hijo. Aun así, no se puede volver en su contra ni olvidarse de él, y anhela restaurarlo y estar en paz con su hijo rebelde.

Hay un debate teológico continuo en este conflicto ya sea que se niegue, se pase por alto o se acepte. Una escuela de pensamiento mantiene que Dios es uno y, por lo tanto, no está dividido. Es sincero, está en perfecta paz y no siente conflicto interior. Aristóteles concibió un dios «móvil inmovible». Asimismo, muchos teólogos desde Santo Tomás de Aquino hasta Calvino dieron por sentado que Dios no tenía un lado afectivo comparable a las emociones humanas y que todas las declaraciones bíblicas sobre el conflicto de Dios entre su fortaleza y su misericordia eran solo antropomórficas, cuyo objetivo era comunicar en lenguaje simple lo que no podría impartir por completo de la verdad absoluta.

Este es un ejemplo de levantarse para defender a Dios cuando Él no necesita que lo defiendan. Demasiado a menudo la teología es un esfuerzo de quitarle la vergüenza a un Dios que comete el error de revelarse como demasiado «humano», algunas veces más humano que los teólogos que trabajan para quitarle su más bien rara e idiosincrásica personalidad.

Dios lucha consigo mismo en cuanto a su relación con sus pecadores hijos. Resulta, entonces, que Dios lucha para criar a sus hijos rebeldes. Por mucho que nos desesperemos por el mal comportamiento y la terquedad de nuestros hijos, jamás presumamos que nuestra lucha esté a la par del conflicto interno que Dios sufre por nosotros. Comprender la total maravilla y misterio de este conflicto divino no solo es ser libre como padre para luchar, sino para fracasar, y fracasar sin perder la esperanza. Debemos revelar el carácter de Dios aun cuando fracasemos como padres. Eso es parte de lo que implica reflejar la fortaleza de Dios y su misericordia.

El llamado de Dios en nuestras vidas

Dios nos llama a reflejarlo mientras caminamos por la tierra. Si este llamado parece del todo absurdo, también deberíamos darnos cuenta de que es inevitable por completo. Puesto que nos hicieron a imagen de Dios, forma parte de quienes somos. A excepción de nuestra disposición a pecar, reflejamos o revelamos algo sobre Dios en cada aspecto de nuestro ser. Nos hicieron para hacer nuevos senderos y bebés. Nos programaron para construir torres y cuidar a una tía que se muere en un asilo de ancianos. Tenemos el llamado a ser fuertes, una fuerza creativa que le dé forma al mundo. Tenemos el llamado a ser tiernos, un origen relacional que crea, nutre y dirige las relaciones hacia la gloria de Dios.

Si la fortaleza y la ternura, la creatividad y las relaciones, forman nuestro llamado, llevar la imagen de Dios debe revelar las directrices centrales de criar a nuestros hijos. Estamos armados de tal modo que debemos llamar a nuestros hijos a que se sometan y que dominen, que sean fructíferos y se multipliquen[4].

Sometimiento y dominio

La idea de someterse es hacer un sendero en una selva virgen. Significa poner nuestra marca en algo dándole nombre a una visión, un proceso o un producto y luego correr el riesgo de crearlo. Dominar es supervisar la creación para protegerla y luego hacerla crecer en una nueva gloria aun más superlativa.

Recuerdo el día en que mi hijo, que tenía tres años en ese entonces, se sentó en nuestra biblioteca conmigo. Estaba demasiado quieto. Yo debería haber sabido que algo andaba mal, pero estaba demasiado enfrascado en mi libro, como de costumbre, y escribía notas al margen. Mi hijo estaba sentado frente a mí, con un lápiz de cera rojo en su mano. Él también leía y escribía. Su rostro estaba muy serio con la tarea de controlar el libro mientras marcaba cada página y luego procedía a la siguiente. Me quedé sin aliento cuando vi su crimen. Me miró como si estuviera loco. Hacía lo mismo que su padre: sometiendo y dominando.

Mucho de lo que nosotros los padres llamamos comportamiento travieso o malo es en realidad nuestros hijos coloreando fuera de los márgenes para ver a dónde los lleva un nuevo sendero. Los hijos están hechos para explorar y hollar. Están hechos para derramar leche y dejar huellas de tierra. También están hechos para traspasar nuestros límites en complejidades que ni se pueden imaginar, hasta que están con el agua sobre sus cabezas.

Hace años, cuando mi familia fue a esquiar, era típico que yo decidiera las cuestas que recorreríamos. Mis hijos siempre querían ir por las cuestas más pronunciadas, y rara vez yo accedí a sus pedidos, pero pronto fue evidente que mi precaución se debía a mi propio deseo de evitar el peligro. A medida que los hijos mejoraron en su manera de esquiar, comenzamos a tomar cuestas más difíciles. Ellos siempre se querían adelantar y tomar las cuestas más difíciles. Mi tarea de padre era escoger con sabiduría los parámetros del riesgo y del peligro que creía que estaban dentro de sus posibilidades, y solo apenas un poco más allá. Después de algunos años, me di cuenta de que mis hijos habían superado mi nivel en cuanto a esquiar. Era hora de que los dejara escoger cuestas más empinadas y que les permitiera esquiar sin mi directa supervisión.

Si nos negamos a darles a nuestros hijos la oportunidad de sobrepasar los límites, ellos se arriesgarán de todas formas, pero a menudo en silencio o con engaño. Los riesgos de esos niños nunca se dirán, procesarán ni disfrutarán. No habrá aprendizaje mutuo, ni tampoco la oportunidad de que el padre y el hijo se enseñen el uno al otro lo que significa someterse y dominar.

El sometimiento y el dominio siempre nos llevan al peligro. Y un niño al que se le evitan todos los peligros nunca aprenderá a ser osado, libre y valiente. Como padres, sabemos que el mundo actual requiere esas tres cualidades. Sin embargo, además del sometimiento y el dominio, nuestros hijos también deben fructificarse y multiplicarse.

FRUCTIFICARSE Y MULTIPLICARSE

La forma más literal de fructificarse y multiplicarse es cuando tenemos relaciones sexuales, concebimos y traemos al mundo un niño. El proceso de las relaciones sexuales, juntar el semen con el óvulo, y dar a luz requiere una intimidad cara a cara, corazón a corazón y cuerpo a cuerpo. Como tal, el mandamiento divino de fructificar y multiplicar llega a ser mucho más que la unión sexual y dar a luz. Es participar en una relación con otra persona para crecer en gloria.

Dos amigos que se encuentran para almorzar y hablar de sus vidas y sufrir y gozarse juntos llenan la tierra con una fragancia de vida y multiplican la gloria de Dios. Por otro lado, dos amigos que se encuentran y chismean sobre otro amigo llena la tierra de un olor nauseabundo y multiplican la división y el sufrimiento. En forma constante estamos desarrollando la tarea de fructificar y multiplicarse, pero no siempre para la gloria de Dios.

Para cuando tenía nueve años de edad, mi hijo Andrew esquiaba y se deslizaba en la tabla para nieve muy bien. A él le gustaba mucho traer a amigos que vivían fuera de Colorado, que es nuestro estado, para que esquiaran con él. Los supervisaba bien y elegía las cuestas apropiadas para el nivel de habilidad de ellos. Después de varias aventuras como esas, le permitimos llevar a sus amigos de cualquier edad a las cuestas que él quisiera.

Ahora bien, Andrew tiene un primo que también practica el deslizamiento en tabla para nieve, John, a quien quería impresionar de todo corazón. Durante la primera vez que estuvieron juntos en las cuestas, Andrew se deleitaba en el placer de formar un nuevo sendero en la nieve recién caída. Escogió una cuesta que era demasiado difícil para ambos muchachos. Llegaron al valle vivos, pero no sin riesgos innecesarios y mucho miedo. Fue sin duda una experiencia sobre someter y dominar, pero fue mucho más de eso.

Cuando Andrew trataba de ir por un terreno que nadie había surcado antes, intentaba impresionar a su primo. Tal intento de ganar respeto de otra persona cae en la categoría de fructificar. Conquistar un nuevo mundo con un compañero (someter) es una forma de relación de fructificar y multiplicar porque, en este caso, la experiencia vinculó a los dos muchachos con historias que quizá duren toda una vida. Fue una decisión imprudente, pero casi todas las experiencias de someter y fructificar requieren un riesgo que más tarde parece insensato. Dios nos llama a que nos aventuremos y arriesguemos cuando nos llama a un terreno desconocido.

Cuando Dios nos habla, su fortaleza demanda obediencia. Esa es una manera en la que se asegura de nuestro bienestar, y es una forma fundamental por la que trae orden a nuestro mundo. Sin embargo, desde nuestro punto de vista característico, el proceso parece como algo más que obediencia. Como es natural, los padres buscan la seguridad de sus hijos, y para muchos padres eso significa evitar los riesgos. Aun así, nuestros hijos se mueven hacia la obediencia cuando se arriesgan en una cuesta peligrosa para impresionar a su primo. Mi hijo fue imprudente en su elección, pero seguía el llamado de Dios cuando corrió un enorme riesgo al desear obtener el respeto de su primo. Si se negaba, ya sea al deseado respeto o a correr el riesgo, habría desobedecido a la forma en que Dios lo había programado. Recuerde que nuestra comisión como portadores de la imagen de Dios es someter y llenar la tierra.

Separados, pero juntos

Al igual que el carácter de Dios se expresa en las polaridades de fortaleza y misericordia, así Él nos llama a otro conjunto de fuerzas opuestas: la individuación y la intimidad. Obedecemos a Dios cuando procuramos distinguir nuestra condición de individuos únicos y diferentes a los demás (individuación). También obedecemos a Dios cuando nos entregamos a otros para su bien (intimidad). La individuación requiere que experimentemos cada momento como una elección de ser la persona que Dios nos hizo para ser. La intimidad exige que decidamos entregar nuestra individualidad para unirnos a otro y llegar a ser algo mayor que nuestro ser individual.

Si juega en un equipo deportivo, sabe la necesidad de ese proceso. Tal vez lo hicieron delgado y rápido o grueso y fuerte. Si es delgado y rápido, es posible que sea alguien que recibe la pelota en el fútbol americano; si es fuerte y grueso, quizá sea un guarda de línea. En cada uno de los casos, debe aprender y sufrir como un individuo único a fin de llegar a ser lo mejor posible. Debe individuar para desempeñarse bien en su posición. No obstante, sin importar lo bueno que llegue a ser, debe someter su individualidad al equipo. Si juega muy bien en el centro, pero su equipo necesita alguien que juegue en la defensa, debe volverse de lo que ha llegado a ser y ser algo diferente para el bien de la comunidad.

Asimismo, un excelente músico tal vez prefiera tocar el violonchelo, pero sus dones únicos lo capacitan para tocar primero el violín. ¿Cuál es la decisión más sabia y la mejor? ¿Elegir ser único y ser usted mismo, o decidir abandonar su primera elección para servir a alguien o a algo mayor que usted? La obediencia a Dios nunca nos permitirá escapar a la tensión de su demanda de que seamos únicos en nosotros mismos y también involucrados de forma íntima con otros. Es triste que muchos escojan un lado sobre el otro, o un elemento de obediencia a Dios y no los dos. Esta es una de las elecciones erradas que nos llevan a ocultar y a culpar a otros.

En caso de que no se haya dado cuenta, Dios nos pone en más problemas de lo que nos gustaría. Sin duda, pone en problemas a nuestros hijos. Después de todo, la obediencia es mucho más que seguir órdenes claras. Y hay muy pocos mandamientos directos e inequívocos en la Biblia (diez de ellos me vienen a la memoria). En cambio, en las enseñanzas de Jesús tenemos el llamado a amarnos los unos a los otros de todo corazón y a que nos guíe el Espíritu de Dios en lugar de la carne. Estos mandamientos establecen límites que debemos cumplir en cuanto a la obediencia. Con todo, muy pocas veces nos dicen con exactitud lo que debemos hacer. ¿Salgo a desayunar el sábado por la mañana a leer el periódico, disminuyo el ritmo de mis actividades durante la semana y trato de disfrutar de un poco de silencio? ¿O debería levantarme antes que mi familia, limpiar el garaje, cortar el césped y bañar al perro antes de que interfieran mis demás compromisos? Estas son dos opiniones diferentes por completo y cualquiera de las dos elecciones involucraría obediencia o rebelión. La diferencia se puede entender en el contexto de echar la culpa u ocultar. La rebelión contra Dios es por lo general un rechazo a individuar mediante el encubrimiento y es un rechazo a ser íntimo por echar la culpa.

Ocultar

Las dinámicas de echar la culpa y ocultar se jugaron en el relato de la creación. Adán y Eva decidieron huir de Dios, así que se ocultaron detrás de un arbusto. Estaban desnudos y se negaron a pararse delante de Dios y confesar su rebelión. En cambio, escucharon el clamor de la vergüenza y huyeron de su presencia[5]. Ocultarse es una negación a aceptar quiénes somos, dónde estamos y qué hemos hecho. Es una huida de las consecuencias de rendir cuentas y la responsabilidad, los productos de la individuación.

Para individuar debemos nombrar lo que es cierto y luego aceptar los dones o las consecuencias que surgen de nuestras acciones. Por ejemplo, a mi hija mayor la aceptaron en las ocho universidades que solicitó y siete de ellas le dieron ayuda financiera. Sin embargo, ninguna de ellas le dio lo suficiente para cubrir todas sus cuentas más allá del dinero con el que nosotros podíamos colaborar. O bien Annie tendría que sacar un préstamo o conseguirse un empleo durante el año escolar además de un trabajo durante el verano.

Annie tenía que tomar una decisión, pero aplazó la decisión y vaciló. Yo le pregunté: «¿Es que no sabes a qué universidad quieres asistir, o es que no quieres tener que trabajar durante el año o cargar con la responsabilidad financiera de un préstamo?». Mi pregunta la ayudó a acercarse al verdadero asunto, pero todavía trató de posponer su decisión. Se ocultaba.

Es mucho más fácil evitar saber lo que queremos o a dónde necesitamos ir que tomar una decisión. Es natural querer ocultar la cabeza en la tierra cuando se requiere que tomemos decisiones que afectan la vida. ¿Me caso con ese hombre? ¿Continúo mis estudios de posgrado? ¿Sigo mi pasión y me convierto en un artista o escojo una carrera «sensata» en los negocios?

¿Quién sabe? Aunque yo sé con exactitud cuándo me escondo de un proyecto, una llamada telefónica, un momento de conflicto o una decisión. Y cada vez que me oculto del llamado de Dios de someter y dominar, soy mucho más desobediente que si actúo y tomo la decisión equivocada. Nuestros hijos también tienen la inclinación humana de ocultarse, así que es tarea de los padres hacerles difícil, si no imposible, que se rebelen ante Dios ocultándose. Se nos llama a preguntarles una y otra vez: «¿Dónde estás, hijo? ¿Dónde estás, hija?». Debemos pedirles a nuestros hijos que elijan, aun sabiendo que sus elecciones quizá dejen mucho que desear. Es extraño, pero mientras más les pedimos a nuestros hijos que elijan antes que esconderse, más debemos escoger *nosotros* y menos arbustos van a existir para que nosotros mismos nos escondamos detrás de ellos.

Dios en toda su magnificencia se revela a nosotros cuando nos movemos, aun si nos equivocamos y escogemos con insensatez, antes que cuando en forma pasiva esperamos que la respuesta adecuada se muestre por sí sola. Mientras más obedientes seamos a sometернos y a fructificar, con ojos y oídos abiertos a Él, más nos revelará Dios su extrema pasión por nosotros. Sin embargo, esconderse es solo uno de los problemas involucrados en la rebelión. El otro es nuestra prontitud en culpar.

CULPAR

Adán y Eva, una vez que quedaron al descubierto, decidieron volver su enojo hacia Dios y el uno hacia el otro. Adán le echó la culpa a Dios por crear a Eva antes que echarle la culpa a ella por darle el fruto. Eva le echó la culpa a la serpiente[6]. Ambos encontraron más fácil atacar a alguien que clamar por la misericordia de Dios. Cuando nos hieren o herimos a otra persona, es casi imposible pedir ayuda y cuidado. En cambio, echarle la culpa a otra persona nos capacita para cortar la vergüenza descubierta y luego destruir al que nos descubrió.

Culpar a otro le da un falso sentido de poder a la persona que se siente desnuda y débil. Esa persona se conforma con la independencia al negar el deseo de la restitución y la intimidad. Al echar la culpa a otro también adormece cualquier deseo de obtener misericordia y ternura. Cuando lo hieren, piense cuán a menudo es más fácil volverse frío y enojado. Que nos hieran y luego desear sentir el toque tierno de otra persona nos parece una herida doble. Preferimos una rápida amortiguación del dolor volviéndonos al enojo. Al menos, eso es lo que parece. Aun así, en lugar de disminuir el dolor, solo aumentamos la tensión y el odio, y ambas partes intensifican el patrón de ocultarse y echar la culpa.

Culpar a otro es siempre una negación a necesitar y depender de la otra persona que en sí se puede volver contra nosotros por nuestro fracaso. Es una lucha contra el atractivo de la intimidad. Y algunas veces, la culpa no se dirige contra otra persona, sino contra uno mismo. Adán y Eva se volvieron contra Dios y el uno contra el otro, pero al final su dolor se volvió contra ellos mismos. Es humano culparse a uno mismo.

Culparse a uno mismo no es sino un esfuerzo de escapar a la necesidad de intimidad. Si me ataco como una persona tonta, fea e indeseable, corto en mí el deseo y la necesidad de invertir mi vida en otros. Culparse a uno mismo invalida la legitimidad de mi hambre de amor, y aun el deseo mayor de ofrecerle amor a otra persona. El resultado es casi siempre una pérdida de la individuación y la intimidad. Para ser íntimos debemos ser receptivos y humildes ante otra persona y permitir que esa persona nos «nombre». Ser nombrado por un niño es ser lo bastante humilde como para escuchar tanto sus acusaciones como sus deseos. Se nos pedirá que cambiemos, que sacrifiquemos parte de nuestra independencia para el bien de otra persona. Eso es intimidad y crece de nuestro deseo de relacionarnos. Solo viviendo en la tensión de la individuación y la intimidad, antes que ocultándonos y echando la culpa a alguien, es que logramos descubrir lo que significa ser los padres que Dios nos llamó a ser.

Es más, en este proceso es que comenzamos a reflejar el carácter de Dios en las vidas de nuestros hijos. A medida que optamos por vivir en la gracia de la libertad de Dios, invitamos a nuestros hijos a ser libres. A medida que expresamos nuestra necesidad de perdón, revelamos el corazón de nuestro Padre que perdona. A medida que celebramos, con humildad y pasión la maravilla del perdón, retratamos para nuestros hijos lo que significa que nos reciban de nuevo en los brazos de Dios. Somos una lección de la escuela dominical viviente cuando nos relacionamos con nuestros hijos en los parámetros del carácter de Dios.

La redención de Dios

Intentar reflejar el carácter de Dios es una proposición que siempre gana. Nadie es capaz de hacerlo siempre bien, pero somos bendecidos cuando fracasamos porque en nuestro fracaso es que descubrimos el carácter de Dios y somos aceptados de forma más profunda por dicho carácter. Si en realidad creyéramos esto, seríamos mucho menos propensos a ocultarnos.

El encubrimiento intensifica el temor. Corremos y nos ocultamos porque tenemos miedo, y luego mientras nos agachamos detrás de un arbusto, esperando que no nos encuentren, nuestro corazón late con el terror a que nos descubran. El sonido de los pasos de Dios que se aproxima nos dice que está cerca y que nuestra astucia quedará al descubierto. Es inevitable que la omnisciencia del Dios del universo nos encuentre.

Quedar al descubierto es que nos vean como desnudos e impotentes. La impotencia nos hace conscientes de que nos falta la fortaleza de someter nuestro mundo como desearíamos. Entonces necesitamos saber que somos impotentes porque ninguno de nosotros aprenderá lo que en verdad significa ser fuerte y valiente a menos que nos contristen y quebranten. Cada vez que la fortaleza se ejercita aparte de una muestra profunda de impotencia, es controladora y avergüenza. Sin un sentimiento de nuestra profunda impotencia, estamos llenos de presunción y arrogancia. No obstante, la fortaleza que se ha temperado por el fracaso será generosa y tierna, alentadora y amable.

Jesús decidió experimentar la impotencia para darnos la libertad de vivir el carácter de Dios. El apóstol Pablo escribió: «Cristo nos rescató de la maldición de la ley al hacerse maldición por nosotros, pues está escrito: "Maldito todo el que es colgado de un madero"»[7].

Jesús soportó las burlas por su impotencia. Un letrero que se le colocó sobre la cabeza lo identificaba, en esencia, como: «El Rey de los judíos que no puede salvarse a sí mismo». Sufrió el mayor vacío y la soledad cuando clamó: «Dios mío, Dios mío, ¿por qué me has desamparado?»[8]. Su disposición de cargar con la maldición del fracaso y la soledad garantizan su promesa de que nunca debemos temer a quedar al descubierto de esa manera y estar solos ante los feroces e implacables ojos de Dios. Jesús enfrentó toda la ira de Dios para que jamás tengamos que conocer la fuerza de Dios vuelta hacia nosotros. Y Jesús experimentó la plenitud del desamparo de Dios para que nosotros jamás estemos solos ni desamparados.

En mi fracaso de vivir de acuerdo al carácter de Dios, vengo cara a cara con la terrible y asombrosa fortaleza y ternura de Dios. En ese encuentro, me invitan a aceptar su amor para así ofrecerles ese amor a mis hijos. Si vamos a aprender el carácter de Dios en medio de nuestro fracaso, ¿cuánto más no lo deberían aprender nuestros hijos?

Cuando se entiende como es debido, esta manera de manejar nuestros fracasos es un modelo de enorme importancia. Los niños aprenden sobre el carácter de Dios cuando pecan y sus padres los tratan mal. Cuando los padres pecan contra el pecado de sus hijos, existe esperanza de que todo el enredo del pecado combinando pecado haga volver los ojos a Aquel que nos puede amar a la perfección. En otras palabras, cuando los padres permiten que el pecado descubra el pecado, así como la mucho más profunda realidad de la gracia, el carácter de Dios comienza a proveer el marco para la seguridad y la libertad.

¿Quiere decir esto que debo pecar para que mis hijos entiendan mejor el evangelio? No en forma deliberada, pero no tenemos que esforzarnos mucho para pecar. Es abundante aun cuando hacemos todo lo posible por evitarlo. Todo lo que debemos hacer es estar dispuestos a permitir que nuestros pecados y fracasos sean parte de la discusión de lo que significa criar bien a los hijos y parte del proceso de abrir los ojos de nuestros hijos a la gracia y la misericordia de Dios.

El dilema es simple. Es mucho más fácil aferrarnos a un lado o al otro del carácter de Dios; ya sea a su fortaleza o a su misericordia. Así que les ofrecemos a nuestros hijos fortaleza sin ternura, y encontramos un mundo rígidamente seguro en la certidumbre religiosa. O nos vamos por el otro lado y les ofrecemos ternura sin fortaleza y vivimos en el mundo poco alentador de la demasiada tolerancia. Ambos extremos pervierten el carácter de Dios. Él es ambas cosas y las dos cosas, no esta o aquella.

Reunámonos con nuestros hijos en el medio de Dios

Los padres solo tienen una tarea central: revelar a Dios. Y la paradoja es que en la certeza del fracaso es cuando estamos más capacitados para revelar el carácter de Dios. Para fracasar y luego revelar a Dios, y para hacerlo bien, debemos vivir de manera que sea a la vez fuerte y tierna. Debemos rehusar aliarnos a la polaridad popular y falsa. Debemos rechazar el enfoque de blanco y negro, o la teoría de llenar los espacios en blanco de la vida.

El enfoque más común de blanco y negro da por sentado que seguir las reglas adecuadas garantiza los resultados deseados. Nuestros hijos saldrán bien si los llevamos a la escuela dominical, tenemos tiempos devocionales regulares en nuestra familia, oramos por ellos y apoyamos las buenas causas religiosas y políticas. La misma mentalidad de visión en túnel se encuentra, con una estructura superficial distinta por completo, en una familia que se dedica a aumentar la autoestima de sus hijos, sus talentos musicales, capacidades deportivas y arte dramático. La familia de la derecha conservadora supone que una adhesión a la doctrina buena y a los valores públicos va a dar buenos resultados. La familia de la izquierda liberal presume que los genes buenos, la instrucción y el desempeño van a dar buenos resultados. Ambas familias confían en medidas de éxito externas, y ambas están del mismo modo equivocadas.

Los padres de ambos bandos creen que producirán la clase buena de hijos practicando ciertos métodos adecuados. Esta es una repetición mecánica, una vislumbre de la crianza de los hijos similar a pintar un cuadro siguiendo los números, y fracasa en cuanto a reflejar tanto la vida como el carácter de Dios. El patrón bíblico para criar a los hijos se entreteje con misterio, paradoja, fracaso, redención y reconciliación; es siempre ambas cosas y las dos cosas, nunca esta o aquella.

Reunirnos con nuestros hijos en el medio de Dios quiere decir que estamos dispuestos a que nos lleven hasta las profundidades enormes y confusas de su carácter. Y nadar en las aguas del carácter de Dios exige que nosotros sepamos que en el instante en que ponemos nuestros pies en su fortaleza, vamos a aterrizar en su ternura y, por supuesto, que lo inverso es también cierto. Considere ahora los resultados si rechazamos el misterio de la fortaleza y la ternura en el carácter de Dios a favor de repeticiones mecánicas o de criar a los hijos según la teoría de llenar los espacios en blanco de la vida.

El error de hacer las cosas bien antes que estar en lo cierto

No hace mucho tiempo, en un vuelo de una aerolínea comercial, me senté al lado de la hija, de poco más de veinte años, de un prominente líder cristiano. Después de un breve período de conversación, pensé que me iba a volver loco. Ella era arrogante, del todo egoísta y estaba llena de la sabiduría de su familia. Yo le tengo mucho respeto a su familia, y si mis hijos me juzgaran, o yo lo hiciera con mis hijos, no tengo esperanzas. Aun así, no pude dejar de notar que esa joven no tenía interés en nada más que su propio mundo. No quiso hacerle ni una sola pregunta a mi esposa sobre nuestra familia. Tampoco me hizo ni una sola pregunta a mí sobre la universidad para estudios posgraduados que hemos comenzado, ni cómo nos conocimos mi esposa y yo, lo que hubiera dado lugar a una conversación interactiva.

Sin embargo, cuando sugerí que muchos cristianos son muy obtusos en cuanto a un encuentro con una cultura caída, me dio un sermón sobre la necesidad de proveerles a los hijos (aun a los adultos) límites definidos para protegerlos de la impía cultura de «las películas, las revistas y la música». Me sentí como si estuviera escuchando a un vendedor telefónico. Cualquier intento de sacar a esta mujer de su andanada de venta de acciones encontraba la firme insistencia de que yo volviera a «la verdad». No hubo lugar para el debate. Conocía bien las respuestas e insistía en que las aceptara.

El punto de vista del mundo de esto o aquello de la derecha conservadora presume que existe una lista clara y sin ambigüedades de cosas para creer y hacer que nos asegurarán el fin deseado. Si los padres tienen tal acceso fácil a esta fórmula probada, ¿por qué más hijos no salen bien? Yo tengo mis propias teorías y he aquí una de ellas: Esta teoría de hacer esto o aquello define a la rectitud o justicia como hacer algo bien en contraste con hacer las cosas partiendo del centro de ser una persona recta.

Cuando definimos la justicia como hacer algo que es bueno, es muy fácil torcer las normas de lo que es bueno. A menudo confundimos lo que la Biblia garantiza si hacemos algo, con la orientación aceptada de la vida de la clase media, estilo estadounidense. En otras palabras, los hijos andan por buen camino si se encaminan a ser buenos ciudadanos que estudiaron en una universidad o tienen un oficio, tienen buenos empleos y son individuos patrióticos. Este enfoque de criar a los hijos quizá contribuya a la estabilidad de nuestra sociedad y a la salud de la economía de la nación, pero no promueve una vislumbre del evangelio como locura[9]. En cambio sustituye la respetabilidad y la conformidad por el misterio de la justicia de Dios que ha venido a ser nuestra solo por la muerte y la resurrección de Jesucristo.

Este enfoque de hacer las cosas bien en cuanto a Dios y su justicia ve la Biblia como un manual para vivir antes que como el texto que invita al corazón humano a un salvaje y extraño encuentro con Dios. Hace de la fe cristiana un currículo para que se estudie antes que una búsqueda de una relación con nuestro indomable Dios. El enfoque de manual de instrucciones sobre la Biblia procura la seguridad y la estabilidad, aunque Dios no nos promete otra cosa más allá de su presencia. Dios nos da las bendiciones de la vida de acuerdo a su voluntad y propósitos, y no basado en nuestra fidelidad en seguir las reglas.

Para que no vaya a pensar que le estoy dando con todo a la derecha conservadora, permítame asegurarle que la izquierda liberal es igual de culpable de un error dañino.

El error del amor propio en el lugar de la justicia

Me senté a conversar con la hija, de casi treinta años, de un líder famoso en el movimiento de recuperación. Ha crecido con una conciencia profunda de la destrucción que trae la vergüenza, la intolerancia y el dogmatismo. Le pregunté qué parámetros le ofrecieron sus padres durante su niñez para ayudarla a discernir la diferencia entre el bien y el mal.

—El bien es darle a una persona la oportunidad de ser libre —me respondió—. El mal es limitar la creatividad y la elección.

Yo continué y le pregunté:

—Pero algunas veces cuando crecías, ¿no existían reglas y límites que requerían que tus padres intervinieran y te hicieran la vida difícil?

—Mi mamá estaba tan dedicada a sacar su doctorado y mi papá estaba tan ocupado con su carrera de escritor y orador que a mí me dejaron que hiciera casi todas las decisiones sola —respondió ella después de pensar un momento—. A mis padres les preocupaba mucho más de que yo me sintiera bien conmigo misma de lo que se preocupaban si iba a ver una película para adultos o a una fiesta en la que quizá se tomaran bebidas alcohólicas.

Muchos padres empujan el carácter al dejarlo aparcado en su devoción sin doblez de elevar la autoestima de sus hijos y asegurarse de que dominen las habilidades sociales. Estos padres miden el éxito de sus hijos por los logros deportivos, musicales, dramáticos o académicos. Dan por sentado que si un hijo aprende a tener éxito, las instituciones que aseguran el éxito de los adultos (los clubes de golf y sociales, la iglesia y la asociación de ex alumnos de la universidad) pondrán los toques finales en una persona aceptable en lo cultural que sirve a la familia, a la sociedad y a Dios. Por consiguiente, es mucho más importante asegurarse de que a nuestros hijos se les enseñe y prepare para llegar a la madurez que enseñarles un punto de vista de la vida que es recto de verdad. Y mientras que quizá supongamos que esta postura es representativa de la izquierda humanista, también admitamos que prevalece demasiado dentro de la iglesia. ¿Qué otra organización es tan orientada a los programas como la iglesia de los Estados Unidos?

Temo que este enfoque de Dios nos ofrezca un incentivo casi irresistible. Promete éxito como un antídoto al sufrimiento antes que carácter devoto como las bases para servir a los débiles y pobres. Ve la vida cristiana como una serie de logros que más bien deben ganarse que como una relación imprevisible, a veces espinosa, que debe aceptar. Eleva la autoestima al supremo bien y hace que la experiencia de la vergüenza sea el mal mayor, antes que guiarnos a adoptar la vergüenza de Jesús como el camino a la redención.

La vida en el medio justo

Si vamos a reflejar el carácter de Dios en la vida de nuestros hijos, necesitamos evitar ambos extremos: La «justicia» envuelta en las reglas, y la conformidad social obsesionada con el éxito. Al igual que Dios es fuerte y misericordioso, debemos ocupar nuestro lugar en este enredado e imposible medio. El padre lleno de gracia y sabiduría crea tanto un ambiente de ambas cosas y las dos cosas, tanto como de este y aquel, y provee un marco para proteger a su hijo (en las formas apropiadas a la edad) de los destrozos del riesgo indebido y del pecado. Por supuesto que hacer ambas cosas es imposible, pero es lo que se nos exige. Y nuestra incompetencia de proveer de forma simultánea la seguridad y la libertad hace que el evangelio sea mucho más necesario. Debemos en verdad conocer el perdón y luego ofrecérselo a nuestros hijos.

La seguridad viene del don de la fortaleza. Yo voy a proteger a mis hijos de los acosadores de su salón de clase y del arrogante desdén de una mala maestra. Les proveeré las habilidades físicas y las aptitudes para relacionarse con los acosadores, y las habilidades verbales y la actitud apropiada para dirigirse a una maestra falta de tacto o incompetente. En cualquiera de los dos casos, al preparar a nuestros hijos a fin de que lleguen a ser fuertes se debe arriesgar la violación de las reglas que nuestra cultura, iglesia o vecinos consideran buenas y justas. Aun así, uno debe fracasar si quiere aprender a usar la fortaleza en el servicio de la justicia.

De manera similar, la libertad viene del don de la gracia. La libertad es la antítesis de la esclavitud y de la servidumbre por temor. El perfecto amor echa fuera el temor y libera el corazón para dar y recibir cuidado, placer y gozo. No solo protegeré a mis hijos, sino que les daré un sabor de la libertad de modo que puedan jugar y descansar. Un hijo libre logra descansar con valentía y jugar con tranquilidad.

El misterio del llamado de Dios a los padres es grande. Cuanta más seguridad tengan los hijos, más fuertes llegarán a ser. Cuanta más ternura experimenten, más libres llegarán a ser. Y una mayor fuerza produce más ternura; una mayor ternura produce una entrega de todo corazón a los débiles y a los necesitados. Es extraño, pero cuando la fortaleza y la misericordia de Dios se entretejen a través del tiempo, los hijos aprenden a vivir en el medio del misterio de Dios.

El aprendizaje de la fortaleza y la misericordia

Solo llevábamos dos semanas viviendo en Puget Sound cuando mi hija Amanda se paró cerca de mi escritorio y esperó a que yo presintiera su presencia. Cuando me volví, vi que su rostro estaba serio y resuelto. Me dijo: «Te he causado problemas. Lo siento y a la vez no lo siento. Necesito decirte algo». Contó con toda mi atención.

Amanda tenía doce años de edad. Sus facciones eran las de una niña, pero me di cuenta de que lo que fuera que me iba a decir involucraría una transición importante de niñita a un nuevo nivel. Me dijo: «Le pegué al muchachito que vive enfrente y su padre está enojado y quiere hablar contigo».

Yo estaba sorprendido por completo. Amanda no le pega a la gente.

Le pedí que me dijera qué había pasado y ella me contó la historia. El segundo día que habíamos vivido en nuestra casa, varios niños del vecindario le habían pegado a mi hijo Andrew (entonces tenía ocho años). No sabía nada de esto. Amanda me dijo que a él le daba vergüenza contármelo. Ella le dijo al vecino de doce años que buscara a alguno de su tamaño para pelear, y que si molestaba de nuevo a Andrew, pagaría por eso. Ese día el muchacho vecino le pegó de nuevo a Andrew. Amanda lo encontró llorando y averiguó la causa del llanto. Se dirigió hasta la casa del vecino, tocó a la puerta y cuando el jovencito abrió la puerta, le pegó.

Ella vino y me lo contó. Estaba horrorizado; pero estaba orgulloso. Prefiero tener un hijo que cometa errores que uno que se esconde del conflicto y del dolor de este mundo. Ella debió haber venido a mí primero. Andrew debía haberme contado su problema. Sin embargo, por cualquiera que fuera la razón, decidieron ocuparse del asunto por su cuenta.

Amanda decidió someter y dominar. Lo hizo bien. Fracasó. Ambas cosas son verdad. Luego se entregó para enfrentar las consecuencias y nombrar lo que era verdad. Me dolió mucho tener que castigarla, pero lo hice. Cruzamos la calle y hablamos con el vecino. Más tarde conversé con la familia y traté de poner en acción un plan que no involucrara más violencia. Amanda no pudo salir con sus amigas esa tarde y se le pidió que mirara un drama de media hora de la Federación de Lucha Libre.

Dios nos ha llamado a la imposible tarea de criar a los hijos. No obstante, esta misma tarea es maravillosa de forma imposible. Tomar el pecado en serio es siempre verlo a la luz de lo que nuestros hijos deben llegar a ser y de lo que nosotros debemos ser. Nosotros (y ellos) debemos gobernar y dominar, fructificar y multiplicar. Ellos (y nosotros) deben ser fuertes y tiernos, como imitadores de Dios.

Sin importar lo paradójico que sea, este misterio es la intención y el llamado que Dios tiene para nosotros.

CAPÍTULO 8

La perseverancia de la esperanza

Soñemos los deseos de Dios para nuestros hijos

Hemos visto que el llamado de Dios para los padres es una tarea imposible de realizar desde el punto de vista humano. Por mucho que lo intentemos, tropezamos y caemos. Luego nos levantamos y tropezamos de nuevo. Mientras que nuestro constante fracaso quizá nos duela, es el camino al que en realidad Dios nos invita para llegar a ser todo lo que podríamos incluso querer que Él fuera. Es cuando el pecado abunda que la gracia crece aun más.

No obstante, la gracia es un concepto problemático para los padres: En verdad, no creemos en eso. Si lo hiciéramos, nos tranquilizaríamos e invitaríamos a nuestros hijos a que se arriesgaran y fracasaran, jugaran y se cayeran. Alborotaríamos mucho menos cuando ellos tengan una nota mala o cuando luchen con los altibajos de las relaciones. Confiaríamos que, aun en medio de las luchas, un bien mayor surge si solo tuviéramos ojos para verlo.

En los momentos de dolor, y aun en el sistema de la vida diaria, nos hacemos preguntas sobre la eficacia de la gracia de Dios y, sin embargo, creemos en la suerte y en el trabajo duro y en el poder de nuestras organizaciones sociales para que les hagan bien a nuestros hijos mediante actividades centradas en los niños. Nuestra confianza en todo menos en la gracia nos ha extenuado, preocupado y en secreto contamos los días hasta que nuestros pequeños querubines ya no usen pañales, hayan terminado la escuela, o dejen de ser adolescentes, o se hayan ido del hogar. El deseo de apurarse a través de un estado para llegar al siguiente es la necedad de creer que el césped es en realidad más verde en la casa del vecino. Por supuesto que no lo es. No apure el futuro; por lo general, la crianza de los hijos solo empeora.

Hablaba con un amigo sobre su hijo menor y me dijo: «Pues bien, me faltan cinco años para que cumpla dieciocho. Creo que lograremos resistir ese tiempo, pero parece una eternidad». Su hijo es un típico adolescente que vuelve locos a sus padres. Y el padre enfrenta el dolor del presente contando los días que le faltan para tener el nido vacío, sin caos, ruido y demandas. Cuando dijo que le faltaban cinco años, supe con exactitud lo que quiso decir porque yo me dije: «Nos faltan cuatro años, tres meses y once días para que llegue el glorioso momento en el que todos los hijos se vayan del hogar, vendamos la casa, nos mudemos a un barco y solo se logren comunicar con nosotros por correo electrónico». Soy un tonto.

Lo que me cruzó por la mente a continuación fue una conversación que sostuve con un padre cuyo hijo tiene poco más de cuarenta años. El padre de más de sesenta años dijo: «Usted nunca en realidad deja de preocuparse, tampoco nunca olvida el pasado porque desearía tener la oportunidad de hacer las cosas de manera diferente». A su hijo lo atrapó la economía de la Web e invirtió años de mucho trabajo y la mayor parte de sus ahorros en el anzuelo del dinero rápido. Cuando las inversiones en la tecnología se vinieron abajo, lo mismo sucedió con el hijo de este hombre. Se quedó sin trabajo, deprimido y al borde de la ruina. El padre le había prestado dinero al hijo y el resultado fue un distanciamiento incluso mayor y una depresión más profunda. El padre me miró y me dijo: «Dígales a sus lectores que una vez que es padre, es padre siempre. Ser padre es una tarea de toda la vida».

Nunca debemos dejar de vivir en el centro de la fortaleza y la misericordia de Dios. Nunca debemos dejar de responder a las dos preguntas centrales de nuestros hijos: «¿Me aman? y «¿Me puedo salir con la mía?». Debemos perseverar en ser padres a través del dolor y la vergüenza. En realidad, no hay otra forma.

Dolor y vergüenza

> El hijo necio irrita a su padre, y causa amargura a su madre[1].

> El padre del justo experimenta gran regocijo; quien tiene un hijo sabio se solaza en él. ¡Que se alegren tu padre y tu madre! ¡Que se regocije la que te dio la vida![2].

> Hijo mío, sé sabio y alegra mi corazón; así podré responder a los que me desprecian[3].

Un proverbio es un dicho sabio. Resume la vida de forma concisa y aguda. Todas las culturas formulan proverbios para llegar a la médula de los asuntos complejos. Decimos: «Los hombres no pueden vivir con las mujeres, tampoco pueden vivir sin ellas». (Lo mismo se puede aplicar a las mujeres con relación a los hombres). Un proverbio puede ser algo tan simple como: «¿Por qué preguntar por qué?». Es un dicho que no malgasta palabras, que expone una verdad y luego le instruye en una forma de vivir.

El libro de Proverbios del Antiguo Testamento está lleno de dichos sabios sobre la crianza de los hijos. Tal vez uno de los más dolorosos es el recordatorio a hijos y padres de la vergüenza que puede venir por medio de un hijo[4].

Los hijos ejercitan su mayor poder en su habilidad inherente de romper el corazón de los padres. La debilidad de los padres es que pueden moldear, pero no pueden hacer a un niño. La única hechura que puede hacer un padre es en la concepción; toda la demás influencia de un padre se forma por esta extraña inversión de poder. Los padres son grandes, los hijos pequeños. Y por años los hijos son del todo dependientes de los padres. Sin embargo, a una edad preciosa, los hijos se dan cuenta de que son libres y que los padres están atados.

Ese momento llegó para mi hija Annie cuando tenía dieciséis meses. Caminaba con confianza y, como muchos primogénitos, había desarrollado su lenguaje con mucha rapidez. Annie estaba de pie con una mano en la puerta del refrigerador y yo estaba sentado en un banco cerca de la mesa de la cocina. En forma alternada, me miró a mí y luego miró con fijeza a la puerta. Pronto noté lo que le interesaba. Era un pedazo de goma en la parte de debajo de la puerta que comenzaba a salirse de la moldura.

Annie se arrodilló y comenzó a tirar de la punta de la goma. Le dije: «No, Annie; no tires. No, no». Ella me miró directo. Sus ojos no mostraban miedo y no los quitó de mí. Se dio vuelta y comenzó a tirar de la punta de la goma. Le dije de nuevo: «Annie, no. Si continúas, voy a tener que disciplinarte». Ella me miró de nuevo y me dijo: «No nalgadas, papá». Yo sonreí y le contesté: «Annie, si tiras de nuevo, te voy a dar unas nalgadas». Ella me miró, también miró al irresistible pedazo de goma que la llamaba, puso ambas manos en la goma y tiró con toda la fuerza que le permitió su pequeño cuerpecito.

No solo me desafió, sino que lo hizo con total conciencia de las consecuencias de desobedecer, y luego dijo en su pequeña almita de dieciséis meses: *¡No me importa! Se siente bien y quiero hacerlo, y el precio de unas nalgadas no es tan grande como el placer de ver cómo se siente este pedazo de goma en mis manos cuando le doy un tirón*. Pesó la proporción entre el precio y el beneficio y actuó. Yo me quedé atolondrado. Le di unas nalgadas, y es probable que haya llorado, y ambos continuamos con nuestro día.

Lo que me sorprendió fue que aun la promesa del dolor no tuvo el poder definitivo para convencer a mi hija (o a cualquiera de mis hijos), para no hacer lo que en realidad quería hacer.

Nuestros hijos no son extensiones de nosotros; son seres separados, autónomos. Tienen la libertad de elegir su propio camino a pesar del dolor y las consecuencias. Aun a los dieciséis meses, Annie era libre para darme dolor y vergüenza. Un hijo es libre y el padre está atado. El padre es un esclavo del amor; un hijo debe romper esos lazos para llegar a ser un nuevo ser.

El don del dolor

Hay dones que los hijos les traen a los padres, pero uno de los más extraños es el dolor. El corazón es literalmente un gran músculo que bombea la vida a través de las extremidades de nuestro cuerpo. Al igual que cualquier otro músculo, se debe ejercitar para que se fortalezca, y esa disciplina requiere sudor y dolor. Lo mismo ocurre con el crecimiento de nuestro corazón emocional. Nuestro amor crece hasta el grado en que sufrimos y nos negamos a volvernos fríos y duros.

En un mundo como el nuestro, el sufrimiento no es una elección, pero el sentirse desdichado sí lo es. Si al enfrentar el sufrimiento, decimos: «Es suficiente, basta ya. Me rindo», estamos escogiendo la desdicha, no el crecimiento. Ser padres es sufrir. El sufrimiento se relaciona al llamado de Dios para nuestras vidas de permitirles a nuestros hijos que les duela, que fracasen y que sufran las consecuencias. El sufrimiento también es personal porque fracasaremos como padres al quedarnos cortos y al extralimitarnos.

Lo que hace doler el corazón

Recuerdo como si fuera ahora una frase que usó mi esposa, Becky. Fue cuando uno de nuestros hijos se cayó al suelo haciendo un gran ruido. Yo estaba indispuesto y no vi la escena, pero era obvio por los sonidos que las lágrimas corrían por las mejillas de mi hija. Y cuanto más demorara un adulto en responder, tanto más intensos se volvían los clamores. Al final, mi esposa dijo: «No manches de sangre la alfombra, y si necesitamos llevarte al hospital, avísame». Yo quería reír y llorar. Nuestra hija gemía y mi esposa estaba indiferente. ¡No le daba crédito a su descuido!

Cuando al fin vi el rostro de Becky, me di cuenta de que estaba muy triste y que su calma era más una decisión que un reflejo de tranquilidad. Optó por honrar a nuestra hija con la dignidad del sufrimiento antes que inundarla de sobrecogedora protección maternal. Mi esposa sufrió el dolor y resistió el impulso natural de levantar a su hija y quitarle el dolor.

Todos los padres han visto a un hijo sufrir y no pudieron (o no debieron) detener el dolor. Jamás olvidaré los apagados, penetrantes y confusos ojos de mi hijo cuando un médico le puso una inyección en la cabeza para adormecer la piel antes de darle unas puntadas para cerrar una herida. Sus ojos decían: «Papá, ¡no dejes que este hombre me lastime!». Ninguna manera de explicación ni de darle seguridad pudo quitar su sentido de traición. Con alegría habría querido que me pusieran los puntos a mí diez veces y sin calmantes, si eso hubiera podido aliviar el dolor y la confusión de mi hijo.

No pasa ni un día sin que no sea testigo del sufrimiento de mis hijos. Por poco enfrento a las dos niñitas que se burlaron de mi hija por usar zapatillas de tenis nuevas. Lo único que me detuvo fue una clara imagen mental de los titulares de los periódicos: SICÓLOGO ATACA A DOS PEQUEÑAS NIÑAS POR BURLARSE DE SU HIJA. Los dolores de la vida, físicos, relacionales o emocionales, son intolerables por completo cuando veo sufrir a uno de mis hijos, o cuando yo debo ser el que permite, y aun a veces ocasiona, el sufrimiento en sus vidas.

El sufrimiento revela que algo está fuera de base en el universo. Expone además que la mayoría de las veces no tengo el poder de detener el dolor. Nada como observar sufrir a un niño trae el gusto salado de las lágrimas y la sangre.

SUS FRACASOS NOS DAN GRAN PESAR

Queremos con todo el corazón que nuestros hijos tengan éxito. De otra forma no tiene sentido que los empujemos a los mismos horarios cargados de actividades con los que luchamos en la vida. Vivimos en una era de obsesión con el éxito y fobia del fracaso. A pesar de todo, el fracaso es el maestro más sabio y el motivador más profundo para ganar la mayor comprensión de lo que debemos hacer con el fin de lograr nuestros deseos. Sin el fracaso, no solo nos aburriríamos, sino que nunca aprenderíamos a amar el aprendizaje.

Sin embargo, dígale eso a un niño que es el peor, sin duda el peor, en la clase de gimnasia. Recuerdo el horror de mirar a todas las demás niñas dirigiéndose hacia la colchoneta, dando vueltas de carnero y siguiendo los mandatos en forma de ladrido del severo entrenador; todas excepto mi hija Annie. Ella se mostraba insegura, torpe y tímida. Observé durante media hora, y no pude soportar la incomodidad, así que me dirigí al estacionamiento.

Me temblaban las manos mientras estaba afuera, tratando de generar el poder para mi hija que había impulsado a la pequeña locomotora del cuento de niños a marchar diciendo: «Creo que puedo, creo que puedo, creo que puedo». Sabía que ella podía, o al menos creía que podía, pero ella no podía, y no podía dilucidar qué hacer. De forma extraña, todos los fracasos de nuestros hijos también son nuestros. A decir verdad, muchas veces son más nuestros que de ellos.

Cuando Annie llegó al automóvil, me miró y me dijo: «Soy terrible. Eso fue terrible y no quiero volver a hacerlo nunca más». Estuve de acuerdo, pero era claro que había sufrido más que ella. Aún tengo pesadillas por aquella tarde.

A un niño se le debe permitir experimentar, y la experimentación requiere que caigamos de bruces. Es obvio que los padres no le deberían permitir a un niño pequeño jugar en el tránsito. Alguna experimentación es mortal y mala; otra debe estar de acuerdo a la edad del niño y debe ser moderada por la participación de uno de los padres. Sin embargo, cuando un niño se golpea la cara contra el piso, se les hace un nudo en el estómago a los padres, las manos se les ponen tensas y aparece un instinto involuntario que hace poner los pelos de punta, de levantar al niño y rescatarlo de la frustración y la vergüenza. En este caso, a menudo el instinto está equivocado. Los padres deben dejar que un niño aprenda las lecciones que solo vienen cuando uno se cae.

El pesar de sus consecuencias

El clásico engaño propio paternal «Esto me va a doler más a mí que a ti» no es del todo una mentira. Hubo unas pocas nalgadas que me causaron más dolor a mí que a él. Mucho más a menudo, sin embargo, las consecuencias han llegado a las vidas de mis hijos debido a sus fracasos que me han dolido tanto a mí, si no más, que lo que les doliera a ellos.

Uno de los casos más recientes fue un proyecto de historia sobre el estado de Washington que arruinó dos fines de semanas en nuestra familia. A mi hijo que cursa el séptimo grado, le asignaron la tarea de investigar un pequeño asunto de los límites de las islas llamadas San Juan, y esa disputa se conoce como «La guerra del cerdo». No es de extrañarse que nunca haya oído sobre este conflicto en los anuarios de la historia estadounidense. Hay muy pocos datos disponibles sobre esto. En realidad, el conflicto involucró la muerte de un cerdo británico a quien un colonizador estadounidense mató de un tiro, lo cual incitó a dos grandes naciones a reunir tropas para defender sus reclamaciones por el mismo territorio de la isla. No se disparó ni un tiro y nadie murió, salvo el pobre cerdo. Ya se imagina cuánto se puede saber sobre esta disputa y más de lo que quisiera saber.

Sé todo esto sobre la guerra del cerdo solo porque mi hijo dejó un enorme proyecto, incluyendo mapas, entrevistas y producción de un vídeo, para el último minuto. Había «olvidado» la fecha de entrega y, de todos modos, supuso que solo le llevaría una hora o dos. Lo que complicó el escenario fue un diálogo que mi esposa y yo tuvimos unos días antes sobre la necesidad de que yo participara más en las tareas escolares de mis hijos. Estuve de acuerdo, creyendo que serían unos pocos minutos aquí y allí para revisar sus tareas. No había planeado descender en los archivos secretos y nimios de una guerra en que no se derramó sangre (sin contar al cerdo). Y todo eso no fue nada comparado con la frustración de hacer un vídeo, entrar información a una computadora diabólica, y luego editar, agregar música, titulares y matices de colores, todo lo cual me llevó a pocos centímetros de cometer un hecho violento.

En lugar de explotar, sin embargo, suspiré profundo y con sabiduría castigué a mi hijo con no salir por el resto de su adolescencia. Proveer disciplina no es algo fácil para nadie. Es un hecho simple que cuando un padre castiga a un hijo a quedarse en casa, también detiene la vida de la familia. Cuando un padre dice: «Si no cambias de actitud, no vas a ir al cine», el resultado es la pérdida de la película, una rotura en el placentero vínculo padre-hijo y el peso emocional que le viene al padre por tener que ser estricto. No es de extrañarse que sea más fácil rescatar a un hijo o pasar por alto su comportamiento. No queremos que el niño sufra, y no queremos sufrir su sufrimiento y el nuestro combinados. Con todo, un hijo indisciplinado (o un hijo al que se le permite escapar de las consecuencias de sus acciones) es sin duda un hijo que no se ama.

Tal vez parezca como que se actúa con gracia y amabilidad cuando se pasa por alto el comportamiento problemático e infantil de un niño. Sin embargo, desestimar tal comportamiento daña al hijo al aislarlo del sufrimiento y del fracaso. El resultado para el niño es la pérdida de la confianza que viene de obstáculos superables, incluyendo los que están dentro de nosotros que frustran mucho de lo que queremos hacer. Un hijo indisciplinado fracasa en cuanto a crecer en respeto por sí mismo y por los demás. Un padre debe traer consecuencias acordes con la ofensa y que, si no se aplican, perjudicarían el desarrollo del niño. Para el padre, estos momentos estarán llenos de renuencia, dudas y dolor.

Cada vez que debemos limitar el movimiento de nuestros hijos, tenemos por otra parte el llamado a sufrir su libertad. Algunas veces eso involucra observarlos tomar decisiones que sabemos o sospechamos que van a llevar al fracaso y a consecuencias desagradables. Otras veces significa insistir en que tomen una decisión solos cuando preferirían darnos esa responsabilidad a nosotros. ¿Cuándo intervenimos y limitamos su sufrimiento? ¿Cuándo los ayudamos para evitar el fracaso? ¿Cuándo perdonamos las consecuencias y ofrecemos gracia, y cuándo nos aferramos a la letra de la ley? Algunas decisiones son tan claras como la vida y la muerte, y otras son tan lóbregas como la vida misma. En la mayoría de los casos, un experto u otro padre le dirá con toda claridad que hubiera sido mucho más sabio hacer todo lo opuesto a lo que decidió hacer. La crianza de los hijos es una invitación a sufrir porque en realidad nadie sabe qué hacer.

Quizá la tarea mayor de criar a los hijos es la de participar con humildad aun cuando no tengamos ni una pista sobre lo que hay que hacer. Es la tarea de un buen padre enfrentar la verdad de que ningún padre es lo bastante bueno. Ningún padre es suficiente en sí mismo para proveerles a sus hijos lo que solo la gracia puede ofrecer. El llamado de todos los padres es a ser conscientes de manera profunda y ferviente de su necesidad de gracia.

Rindamos cuentas por nuestro propio fracaso

Si la crianza de los hijos solo fuera sobre los niños, sufriríamos mucho menos. Criar a los hijos debería ser en gran parte acerca de los niños, pero lo más frecuente es que no sea así, pues es más sobre nosotros. Fracasamos y les traemos dolor a nuestros hijos, el cual entonces regresa a nosotros con dividendos trágicos.

Nuestros fracasos se pueden resumir en tres categorías: irreflexivo, reactivo y malo.

Nuestro fracaso irreflexivo

Mi hija tuvo una terrible caída en la pista de esquí delante de mí y yo esquié con rapidez colina abajo hasta ella. Cuando me quise detener, mis esquís se desprendieron al dar contra un pedazo de hielo y me caí. Mientras me deslizaba hacia donde estaba ella, pude ver el pánico en sus ojos. Su caída había sido lo bastante mala, pero el segundo golpe cuando caí contra ella fue terrible. Estaba llorando y traté de consolarla; pero mis palabras no podían hacer desaparecer el accidente. Me sentí muy molesto conmigo mismo. Las palabras que gritaban en mi mente no las puedo escribir, pero las frases más livianas eran: *Tonto, ¿por qué crees que se cayó? Deberías haber sabido que allí había hielo.*

He dejado a mis hijos en la escuela cuando había prometido ir a recogerlos. Los he pisado, he dejador caer cosas sobre ellos, he jugado demasiado duro y he fracasado en cumplir promesas porque simplemente las olvidé. El fracaso irreflexivo, insensible y no intencionado le rompe el corazón a un padre.

Nuestro fracaso reactivo

Todos los niños aprenden cuáles son los botones que debe apretar para provocar una respuesta. Cuando sus deseos no se conceden, intentan derribar a los padres en un heroico gesto final. Mis hijos saben la exacta modulación de la voz que deben usar para transmitir su desdén por una decisión que yo haya tomado. Por lo general, aumento el volumen de mi voz. Esto intensifica su sentido de desprecio porque creen estar en lo cierto, impulsa mi resolución y nos envía a kilómetros de distancia el uno del otro. A menudo me digo: *Tú eres el adulto. ¡Controla tu enojo!* Pero la frase *Tú eres el adulto*, solo sirve para enardecer mi enojo, puesto que el niño que está sentado en mi automóvil, en su asiento al lado del mío, no tiene que pagar el seguro del automóvil, la hipoteca de la casa, ni ir a trabajar todos los días hasta quedar exhausto. Al menos, mi hijo debería apreciar el verdadero costo involucrado en este viaje en automóvil y lo absurdo de su petición a que paremos para comprar helados.

Algunas veces el fracaso en la reacción de un padre no tiene nada que ver con el hijo. Un hijo se mueve con lentitud y no ha tenido la oportunidad de revisar la agenda diaria de su madre y considerar el peso de sus responsabilidades. Por lo tanto, el mandato de vida o muerte de «Vamos, ya es hora», solo parece como una vaga sugerencia, no el mandato obstinado que es en realidad. Hablando en forma figurada, el niño lee la partitura escrita por el último cantante popular famoso y su padre interpreta una parte del *Mesías* de Handel. Los fracasos en la forma de reaccionar están llenos de justificación propia, pero el resultado es que el padre se siente como un niño, y el hijo se siente igual, sino claramente superior, al débil modelo del papel de padre.

Nuestro fracaso malo

Enfrentémoslo, podemos ser malos. Hay veces en las que me las desquito con el que menos daño me puede hacer. Si le grito al hijo de un vecino, tal vez tenga que enfrentarme con su padre o incluso a la policía. Quizá prefiera darle una patada al perro, pero el perro me puede morder. A veces estamos enojados y medio locos, y nuestros hijos se llevan el peso de nuestro mal día, de nuestro abuso del pasado, del divorcio de nuestros padres, la pérdida del empleo, de que se nos metieron delante en la autopista, y Dios sabe cuántas cosas más. Yo puedo ser un desastre, inmaduro, egoísta, justificarme a mí mismo y tener mal aliento.

No hay cura para tal daño, sino confesar y pedir perdón. Aun si hacemos eso, lo cual pocas veces es el caso, todavía no venda las heridas. Nuestro pedido de perdón tal vez logre que el niño no se vuelva loco en el silencio que rodea al fracaso, pero sin duda que no quita el dolor.

Así que nos quedamos con poca certeza sobre qué hacer. A veces fracasamos y luego aumentamos el sufrimiento de nuestros hijos debido a la falta de conocimiento y sabiduría. Por otro lado, a menudo les fallamos a nuestros hijos solo porque nos falta madurez. En cualquiera de los dos casos, sufrimos cuando sufren nuestros hijos.

La crianza de los hijos sería lo bastante difícil si nuestra lucha solo fuera con el sufrimiento. Aun así, criar a nuestros hijos también abre nuestro corazón a experimentar una lucha más profunda: la vergüenza. Y a menudo actuamos con maldad cuando nuestros hijos nos exponen a la vergüenza.

La vergüenza de la crianza de los hijos

Fue un momento terrible. Era el primer recital de piano de mi hija mayor, una experiencia que todavía la veo como similar al infierno. Nos sentamos en una audiencia de unos diez mil padres, y habíamos esperado cuatro días (o eso fue lo que nos pareció) para escuchar a nuestra hija tocar el piano. Por fin, mi hija de siete años, con su cabello atado en una cola de caballo, apareció en el escenario. Yo casi no podía respirar. Ella se sentó en la enorme banqueta y comenzó a tocar su pieza. Annie estaba tranquila, yo estaba empapado de sudor. Ella tocó de forma maravillosa hasta que llegó a la mitad de la corta pieza y se detuvo. La audiencia contuvo la respiración al mismo tiempo. Un breve momento después comenzó a tocar de nuevo. La audiencia exhaló con alivio hasta que nos dimos cuenta de que no había progresado hasta el final de la pieza, sino que había comenzado de nuevo al principio.

Ahora todos esperamos para ver si podía avanzar a través de la mitad y completar la pieza. Cuando llegó al punto en el que se detuvo antes, se sintió la tensión en la audiencia. Llegó al mismo lugar y sus manos se quedaron quietas. La tensión era muy grande. Annie se volvió a la audiencia, y con una pequeña sonrisa como de un gatito, se encogió de hombros. La audiencia rompió en aplausos y en risa. La maestra de piano vino al escenario, colocó la música delante de ella y mi hija terminó la pieza con aplomo.

Yo estaba furioso y avergonzado. Después que tocó el último alumno del recital, cominos las galletitas, tomamos ponche rosado y caminamos felicitando a los niños y a los padres. Nadie parecía saber qué hacer con nuestra hija ni con nosotros. Eso solo intensificó mi sentido de ser un extraterrestre, un tonto musical, y la cabeza de una familia indisciplinada. Mi perspectiva era tan trastornada y mi reacción tan fuera de lugar que no hubo otra cosa que hacer sino irnos.

Le hice señas a mi esposa que nos teníamos que ir. Ella vio el mentón tenso y la oscuridad en mis ojos y es probable que pensara que sería mejor que me desplomara afuera que delante de un coliseo lleno de amigos.

Caminé al automóvil delante de mi esposa y de mi hija. Cerca del auto, Annie me tomó de la chaqueta y me hizo dar vuelta. Ella dijo: «Tú me odias, ¿no es verdad? ¿Por qué estás tan avergonzado de mí?».

No creo que un diagnóstico de cáncer que me hubieran dado en ese instante hubiera sido más aterrador. Me sentí desarmado y contra la pared, expuesto y desnudo. La vergüenza. Es una enfermedad cruda, que congela el alma y que endurece el corazón. Está garantizado que un padre va a sufrir vergüenza, una experiencia que involucra trastorno, revelación y una cierta combinación de enojo y desdén.

Yo esperaba que mi hija tocara bien o al menos como es debido. Ella había trastornado mis expectativas y deseo. Y todo lo que nos trastorna nos lleva a la incomodidad. Si no quedáramos al descubierto, es probable que no existiera la vergüenza. Por ejemplo, el trastorno de que se cancele un vuelo nunca ocurre por mi causa, así que puedo culpar a otros sin tener culpabilidad directa. Entonces, en el momento en que una falta se ve como mía, los ingredientes para la vergüenza están presentes. El trastorno es mi culpa. La vergüenza surge cuando, enfrentados a un trastorno personal, nos negamos a admitir nuestra humanidad (nuestra calidad de seres finitos, nuestra fragilidad y fracaso) y nos volvemos contra nosotros mismos con desdén.

Annie trastornó mis expectativas y expuso la falta de talento musical en nuestra familia así como nuestro fracaso en preparar a nuestra hija de forma adecuada para su actuación. Luego, en lugar de aceptar su habilidad de escoger el tiempo oportuno para encogerse de hombros o la respuesta cálida de la audiencia hacia ella, volví el trastorno hacia ella, mi esposa y hacia mí mismo al final. Caí en el fango de la vergüenza. Para la mayoría de los padres la vergüenza viene cuando el don de Dios trastorna, revela e intensifica la vergüenza no reconocida y no terminada en la vida de dicho padre.

No podemos dejar de soñar en cuanto a nuestros hijos. La mayoría de nuestros sueños iniciales no tienen conexión con la inteligencia, aptitud ni intereses del niño. Nuestros sueños están relacionados de forma directa y simbólica con nuestra propia historia de la vida. De muchas maneras, cada niño es un lienzo en blanco en el que pueden repintar su propio destino.

El recital de piano creó un enfrentamiento entre yo, el padre, y yo, un niño gordo, tonto y poco atractivo. Yo era un bravucón que tenía pocos amigos y pasaba gran parte de mi vida solo, leyendo, mirando televisión y comiendo galletitas. A mí no me gustaba cómo fui en mi niñez y me había prometido que mis hijos serían saludables (delgados), les gustaría aprender (alumnos que solo sacarían «A») y que se preocuparían de los demás (populares con sus compañeros). Es sorprendente cómo podemos tener razonables y honorables sueños para nuestros hijos que son poco más que nuestros propósitos para enmendar al final nuestro pasado.

Es una regla justa: Los sueños de los padres por sus hijos deben romperse para que el niño logre armar sus propios sueños. No podemos exigir que nuestros hijos sigan paso a paso nuestros planes predeterminados.

He aquí la ironía de nuestros sueños: Los padres deben tener sueños para sus hijos, o estos van a fallar en cultivar el terreno de la fe. Al mismo tiempo los sueños deben ser rompibles, quebradizos, o el hijo va a vivir en una camisa de fuerza paternal. Es en la angustia entre esos dos mundos donde la mayoría de los padres experimentarán que sus sueños se convierten en pesadillas.

Nuestros sueños para nuestros hijos se pueden hacer añicos, pero los fragmentos permanecen en el suelo, donde los podemos pisar. Esas partes rotas comienzan a hacernos cicatrices y a su tiempo envían una fuerza de desdén que sale de nosotros hacia el mundo. No podemos vivir con un pandemonio interno sin volcar esa energía en quienes están más cerca de nosotros. Entonces la vergüenza nos quema con tanta intensidad que nos volvemos duros a fin de lograr sobrevivir, y volvemos esa misma llama intensa contra la persona que ha roto nuestros sueños. Si hay una esfera en la que la mayoría de los padres fracasan en perseverar, es en la de soñar para sus hijos.

El soñador perseverante

No nos gusta el dolor y despreciamos del todo la vergüenza. Para muchos padres, la posibilidad de más sueños hechos añicos les quita el valor para soñar de nuevo. Hace falta un profundo compromiso para esperar si vamos a encontrar el valor que necesitamos. El apóstol Pablo escribió sobre el dolor, el sufrimiento, la vergüenza y la esperanza usando palabras de gran belleza y poder. Él dijo:

> Nos regocijamos en la esperanza de alcanzar la gloria de Dios. Y no solo en esto, sino también en nuestros sufrimientos, porque sabemos que el sufrimiento produce perseverancia; la perseverancia, entereza de carácter; la entereza de carácter, esperanza. Y esta esperanza no nos

defrauda, porque Dios ha derramado su amor en nuestro corazón por el Espíritu Santo que nos ha dado[5].

El camino hacia el amor viaja a través de la esperanza. Y el camino hacia la esperanza siempre viaja a través del sufrimiento. Sin embargo, el puente entre el sufrimiento y el amor se construye en los cimientos de la perseverancia. Si no resistimos, no ganaremos la carrera. Y aun si viajamos a la velocidad de una tortuga, el que corre con perseverancia siempre le gana a aquel cuyos veloces pies lo llevan al descanso y a la ociosidad.

Las palabras del apóstol Pablo sobre la esperanza nos llevan a viajar hacia el amor que Dios ha derramado para nosotros a través del Espíritu Santo. El Espíritu es como un viento fresco y salvaje que sopla a través de nosotros. Ya sea aliviando nuestro dolor o arrancando nuestras pretensiones, Él clama, al igual que una madre que está con dolores de parto, con palabras que nosotros no podemos escuchar, pero que escuchan el Padre y el Hijo[6]. Y cada vez que el Espíritu sopla a través de nosotros, nuestra alma se eleva en esperanza. Aun así, a menudo los sueños de un padre están en desacuerdo con los planes del Espíritu.

LOS SUEÑOS PATERNALES

Nuestros sueños por nuestros hijos a menudo se basan en probar algo sobre nosotros o en rectificar algo de nuestro pasado. Si mi hija puede tocar una pieza de piano sin ningún error, no solo nosotros somos dotados y competentes, sino que el ruido de mi propio pasado se ahoga en la efusividad de la gloria de ella. Nuestros sueños también son altamente dictados por la cultura. No es probable que una familia de escasos medios sueñe que su hijo reciba una beca de tenis. Soñamos en términos de las cosas que nos son conocidas y convencionales.

Con más frecuencia soñamos que nuestros hijos no van a sufrir en las mismas esferas en que nosotros hemos fallado. Un padre que decidió no estudiar mucho, y que como resultado sufrió las consecuencias de una carrera académica deficiente, a menudo empuja a su hijo a que sobresalga en lo académico. Un padre que se sintió a la deriva del grupo de moda, a menudo está absorto en asegurarle a su hijo un comportamiento confiado y superior.

Además, nuestros sueños surgen de los marcadores culturales que hemos identificado como los indicadores del éxito. En un contexto cristiano conservador, eso puede incluir aplicar con firmeza los principios morales, asistir al grupo de jóvenes, saber bien la Biblia y ser valiente en proclamar el evangelio. Un hogar religioso inclinado más a lo social tal vez incluya todos los sueños anteriores, pero le agregaría trabajo voluntario donde se les sirve comida a los desamparados o trabajar en un asilo de ancianos. Cada familia estará ligada a los sueños ampliados que tenemos por nuestros hijos.

Tal vez lo haya dicho de forma demasiado fuerte, pero pocos de nuestros sueños tienen algo que ver con el carácter, en especial el carácter de Dios. Es posible que deseemos o exijamos que nuestros hijos sean honestos, trabajadores y corteses. Podemos insistir en que coman bien, se bañen al menos una vez al día y que les abran las puertas a sus tías ancianas. ¿Pero soñamos de verdad en que nuestros hijos lleguen a ser más tiernos y fuertes?

No creo que el Espíritu de Dios le preocupe mucho si su hijo o el mío puede entrar a la Universidad de Harvard o si anota el gol de la victoria en el campeonato estatal de fútbol. No obstante, el Espíritu sueña en carácter. ¿Deseo unirme a los sueños del Espíritu para mis hijos?

Los sueños del Espíritu

El Espíritu Santo vuelve sin cesar nuestras vidas hacia Dios[7]. Cuanto más vemos de Dios, más llegamos a entender su llamado en nuestra vida y en las vidas de nuestros hijos. Es nuestro privilegio tener sueños mucho mayores que esperar que les sucedan buenas cosas a nuestros hijos y que no les sucedan malas cosas.

Debemos soñar, orar, desear y hablar sobre las posibilidades de que el dolor y la tragedia, el placer y la gloria formarán a nuestros hijos en seres que tengan hambre de tocar el rostro de Dios.

Durante años oré que mi hija Annie fuera una niña buena, inteligente, devota, feliz, santa y no la causa de muchos problemas. Algunas veces oré por mucho más y otras por mucho menos. Sin embargo, debo confesar que mis oraciones rara vez fueron más que pedir que la vida no la hiriera mucho, que no se hiriera en un accidente y que tuviera un corazón dispuesto hacia Dios. Y entonces recibí una llamada telefónica en el otoño de su segundo año en la universidad.

Una mañana del mes de octubre, Annie salió para ir a sus clases. Hacía unos cinco minutos que había salido de su apartamento cuando sintió como que algo la llamaba a regresar a casa. Se volvió y fue a su casa. La puerta del baño estaba cerrada y con la cerradura puesta. Le gritó a su compañera de cuarto y no oyó nada. Siguió golpeando la puerta y su temor aumentaba. Al final, empujó con todo el peso de su cuerpo la puerta, rompió la cerradura y encontró a su compañera en la bañera después de haberse tomado seis frascos de píldoras.

La amiga ya se estaba poniendo azul; sus vómitos le cubrían la nariz y la boca. Annie la sacó de la bañera, llamó a la ambulancia y comenzó a administrarle resucitación cardiovascular. Cuando me llamó varias horas más tarde, después de haber acompañado a su amiga en la ambulancia al hospital, lo cual fue terrible, y después de haber tenido que soportar la desatención profesional de los ocupados empleados del hospital, había envejecido una década en un día.

Sus palabras estaban llenas de agonía y extenuación: «Estoy bien, papá, pero en verdad necesito que estés aquí tan pronto como puedas. Me haces mucha falta». Me sentí enfermo, asustado, triste, furioso, y ah, muy orgulloso. Mi hija había escuchado al Espíritu. Había escuchado muy dentro de sí que la había llamado a actuar. Ella sabe escuchar. Puede tirar abajo una puerta. Sabe administrar resucitación cardiovascular y es una persona diestra, apasionada y valiente. Es alguien que salva vidas.

Yo cené con un amigo al cual Annie había entrevistado cuando estudiaba para sacar su maestría. Ese amigo me dijo: «Tu hija es alguien que produce sanidad. Es suave y consuela. Sabe formular preguntas difíciles y penetrantes, ve cosas que la mayoría de la gente se niega a ver, y con gentiliza te invita a que le des nombre a lo que está involucrado en el proceso de la sanidad. Tú debes estar muy orgulloso de ella».

Estoy muy, pero muy orgulloso. Sin embargo, me siento más humilde que orgulloso de que el Espíritu decida soñar para Annie de una manera que utiliza mi fracaso y mi pasión y las combina en un misterio de música mucho más conmovedor que cualquier pieza de un recital de piano.

Tener esperanzas por nuestros hijos no es atarlos a nuestros sueños de que tengan éxito, fama, seguridad o aun felicidad. Tampoco es la esperanza el débil esfuerzo de redimir nuestro propio pasado y ver a nuestros hijos actuar mejor de lo que nosotros lo hicimos. Soñar para nuestros hijos es aprender en la quietud de los clamores del Espíritu Santo que llama por el verdadero nombre que le ha dado Dios a cada hijo. Si nos negamos a dejar de soñar, tal vez un día escuchemos este nombre. Debemos tener la esperanza para imaginar, y la imaginación para soñar, la realidad de Dios para nuestros hijos.

Capítulo 9

Dé y reciba nombre

Cómo aprender el nombre que Dios nos va a dar

Nada es más obvio que esto: Todos los niños salen del vientre con rostro, cuerpo, manera de ser y mente diferentes. No obstante, si esto es tan obvio, ¿por qué la mayoría de los padres se confunde tanto por lo diferentes que son sus hijos? Quizá haya escuchado a alguien decir esta frase clásica: «No sé cómo estos dos niños pueden ser tan diferentes cuando vienen de la misma familia». Lo que es absurdamente obvio es también lo desconcertante hasta lo más profundo debido a las implicaciones de tal gran diversidad. Si somos diferentes de forma tan radical aun dentro de la misma familia, ¿cómo es posible que alguien mantenga la compostura en su rostro mientras nos ofrece un enfoque de criar los hijos estilo «una misma talla le sirve a todo el mundo»?

Cada niño es un tapiz único, un patrón que se usa una sola vez y nunca más se va a ver. Es aterrador considerar la complejidad de una persona, y mucho más de un mundo poblado por miles de millones de tales seres singulares y gloriosos. Y cuando nace, cada persona recibe un nombre, uno que llega a reflejar el significado único de su existencia.

El mayor regalo que les damos a nuestros hijos es su nombre. Les damos un apellido que los identifica como parte de una familia en particular, la cual por un tiempo, llega a ser su puerto seguro. Les damos un nombre de pila y un segundo nombre que los marca con una conexión particular a su pasado (a un abuelo, una tía, un mentor), y a una visión de su futuro. Mi hija del medio nació el día del cumpleaños de mi padre. La llamamos Amanda por la ciudad del sur de Ohio donde nació mi madre. Es un lugar rústico, montañoso y hermoso. Dejó una marca en una gran parte de mi niñez y adolescencia, y desde el momento en que vi a Amanda, sentí que era suave y tranquila. Su segundo nombre es Leigh, una forma femenina del nombre de mi padre que es Lee.

Mi padre amó a todos mis hijos con una entrega que rara vez me mostró a mí mientras crecía. Gateaba por el piso con mis hijos, caminaba con ellos en brazos y los mecía durante horas, y era un abuelo muy cariñoso, orgulloso de sus nietos y que siempre llevaba consigo fotos de ellos. Sin embargo, con Amanda desarrolló una relación muy especial. Amaba la ciudad llamada Amanda y cultivó la tierra de la granja familiar hasta que murió. Apreciaba mucho la tierra, y adoraba a la persona que llevaba el mismo nombre de él y reflejaba las ondulantes y bellas colinas de su herencia. Y es Amanda, diez años después de la muerte de mi padre, a la que se le llenan los ojos de lágrimas cuando mencionamos el nombre de su abuelo.

Los nombres son las sílabas más poderosas que hablamos y los sonidos más claros que escuchamos. Nada es más importante que el regalo del nombre que le ponemos y el nombre que el niño descubre por sí mismo. Es este extraño, y en exceso difícil y maravilloso proceso, el que hace que dar nombre sea un proceso de toda la vida. Se nos da un nombre sin que tengamos nada que decir en el asunto. Y mientras que pasamos toda una vida entendiendo nuestro nombre humano, también descubrimos algunos indicios de un nuevo nombre que nos va a dar Dios[1].

Si esto no es lo bastante extraño, el padre vendrá a conocer su propio nombre a través de la experiencia del niño de aprender su nombre, y vislumbrando los contornos del futuro nombre. En el descubrimiento de mis hijos de sus nombres reales, yo también encuentro algo de la geografía de significado que me ayuda a escuchar y descubrir el nombre que un día va a ser mío. Yo le doy un nombre a mi hijo, pero mi hijo llega a darme un nombre a mí. Esta es otra de las maneras en que un hijo cría a sus padres.

La singularidad de los nombres

Si a Dios se le diera nombre hoy, basados en nuestra experiencia y entendimiento de cómo Él sin cesar revela su carácter, quizá llevara el nombre de Fortaleza y Misericordia[2]. Este es un nombre, y no dos, porque esos atributos llegan como uno. Dios no es Fortaleza en los días impares y Misericordia en los pares. Él siempre es ambas cosas.

Dios nos invita a nosotros los padres a participar en un proceso eterno de dar y recibir una muestra de su fortaleza y su misericordia. Como hemos visto, tenemos el llamado a reflejar el carácter de Dios en las vidas de nuestros hijos, y no podemos hacer esto sin esta pareada combinación.

Como padres, debemos ponerles nombres a nuestros hijos y ellos nos deben poner nombres a nosotros. Recuerdo el día que mi hijo llamó por su nombre a mi hija menor. Entonces Amanda tenía cinco años y Andrew comenzaba a caminar. A mí me llamaba «pa». Becky, como «mamá», era el único ser del universo con dos sílabas. Annie era «An», y por alguna razón en el universo de Andrew, Amanda no tenía nombre. Recuerdo que él estaba sentado en su silla alta a la hora del desayuno y mirando a Amanda como si la hubiera visto por primera vez, le dijo: «Dei». La señaló y le dijo de nuevo: «Dei, Dei, Dei». El rostro de mi hijo estaba lleno de deleite y yo miré a Amanda. Había lágrimas en los ojos de ella y tenía una mirada de total asombro. El que pone un nombre es fuerte; el que recibe un nombre está lleno de completo asombro y gratitud. Dar un nombre es un regalo; recibir un regalo es estar lleno de tierno gozo.

A mí me pusieron mi nombre por un perro. Mi abuelo, Oliver Wendell Homes Bope, le dijo a mi madre en términos bien claros que no debía llamar a su primer nieto, ni a ninguno de sus nietos, con los nombres que le habían endosado a él. Le dijo que si quería honrarlo, que le pusiera a su primer nieto el nombre de su perro favorito. Mi abuelo era un príncipe común y terrestre que estaba dispuesto a darles una oportunidad a las personas, y que era un defensor feroz de los derechos de los animales, de los débiles y de los pobres. Había criado varios perros que eran de la línea de los comanches y su favorito era uno que se llamaba Dan. El nombre del perro no era Daniel, tampoco lo es el mío. Mi nombre es solo Dan. Estoy agradecido a mi madre hasta el día de hoy que no me llamó Comanche.

Mi herencia es que me llamaran con el nombre de un perro. Sin embargo, su significado va mucho más allá de ser un cazador que tiene buen olfato. En hebreo, Daniel quiere decir «la justicia de Dios». No tengo idea de si mi abuelo sabía este significado antiguo, o si esta palabra le gustó y causó una impresión en él. Aun así, yo soy un cazador, un terapeuta y un hombre llamado a darle un nombre a la injusticia y al abuso. ¿Cómo llegó a ocurrir eso? ¿Cómo es que llegamos a entender nuestro nombre?

Un nuevo nombre dado por Dios

Mi nombre terrenal es Dan, pero un día se me va a dar otro nombre. El nombre que más atesoraré y que en forma más fiel reflejará mi ser es el que recibiré cuando esté delante de la presencia del Dios del universo. El apóstol Juan dijo: «El que tenga oídos, que oiga lo que el Espíritu dice a las iglesias. Al que salga vencedor le daré del maná escondido, y le daré también una piedrecita blanca en la que está escrito un nombre nuevo que sólo conoce el que lo recibe»[3].

Juan le escribía a la iglesia en Pérgamo. Para entrar al famoso teatro de Pérgamo, la persona debía tener una entrada, la cual era una piedra blanca. Tal vez Juan usó esta imagen para recordarle a la iglesia que para entrar a la presencia de Dios se requiere un boleto, una entrada, que se va a personalizar llevando nuestro nombre nuevo. De cualquier forma, esto no está claro. Nos conocerán por un nombre que aún no conocemos. También nos alimentarán y nutrirán más allá de nuestras expectativas más entusiastas. «Escuchen al Espíritu», dice Juan, «y sean alimentados y reciban vida por medio del maná y la intimidad que nos espera». Es como si Dios tuviera un sobrenombre espectacular que nos está esperando.

SOBRENOMBRE ÍNTIMO

Yo tengo un sobrenombre que le digo a mi esposa que ni mis hijos lo saben. No es atrevido, pero es un nombre privado y querido, que no debe usar otra persona. Cuando digo ese nombre, pronuncio sílabas que nos llevan a un nivel de unidad que ni siquiera la unión sexual logra imitar. La relación sexual lleva a los sentidos al punto del éxtasis, pero el nombre secreto que yo le digo nos lleva a ambos a una cascada de recuerdos que son tanto no sexuales como sexuales, íntimos, profundos, tristes, terribles y gloriosos. En un nombre, toda nuestra vida e historia, recuerdos y sueños, pasado y futuro, nos abren un lugar a nosotros en el cual nadie puede entrar. El nombre es el santuario de nuestra unión.

Aun si su propio sobrenombre no representa esa clase de intimidad, sí crea un lazo especial. En una palabra, un sobrenombre habla de historia, una prueba, un momento de vergüenza redimida o una derrota burlada. En el seminario, uno de mis queridos amigos me llamó Nahash. Es la palabra hebrea para *serpiente*. Él sabe algo de mi pasado como representante de ventas de compañías farmacéuticas ilícitas; sabía que había sido mundano, perspicaz y que estaba lleno de problemas. Un día, mientras estudiábamos hebreo durante la hora del almuerzo, escuchó cómo mi esposa, quien trabajaba en un restaurante, tomaba su propio almuerzo y lo envolvía para sacarlo del restaurante, y luego me lo daba a mí para que tuviera una buena comida al día siguiente. Nunca supe por qué la palabra le captó la atención, pero en su bonito acento del sur, me dijo: «Eres una serpiente, Nahash». Ese sobrenombre me duró durante todo el tiempo que estuve en el seminario. No obstante, nadie me decía ese nombre, tampoco significaría nada para mí que me lo dijera otra persona que no fuera John Hall.

Los sobrenombres reflejan un momento significativo. Conectan el pasado con el futuro y crean un lugar especial de gozo en el presente. Es por eso que no todo el mundo debe usar los sobrenombres. Están diseñados para que los digan alguien único. Así también es la manera en que Dios nos da un nombre a nosotros.

Él tiene un nombre para nosotros, escrito en una piedra blanca, que nos lo van a dar cuando le demos un beso. Su nombre para cada uno de nosotros no es para que otras personas lo conozcan. Sospecho que vamos a estar a miles de kilómetros del trono de Dios cuando escuchemos que dice nuestro nombre, un nombre pronunciado solo por la voz de Dios. Nos va a llamar hacia su rostro. Tal es el poder de un nombre; nos define, y luego nos llama a Aquel que es el único que importa. Saber nuestro nombre es estar descansando en el tierno cuidado de Dios.

A medida que reflejamos el carácter de Dios en la vida de nuestros hijos, debemos aceptar nuestro nombre. Y al hacerlo, debemos darle un nombre a quienes Dios ha encomendado a nuestro cuidado.

El impacto de dar un nombre

Uno de los mayores dones que Dios nos da es un papel en la creación. Después que creó a Adán, el Señor le dio al primer ser humano una pesada y venerable responsabilidad: darles nombre a todos los animales.

> Entonces Dios el SEÑOR formó de la tierra toda ave del cielo y todo animal del campo, y se los llevó al hombre para ver qué nombre les pondría. El hombre les puso nombre a todos los seres vivos, y con ese nombre se les conoce. Así el hombre fue poniéndoles nombre a todos los animales domésticos, a todas las aves del cielo y a todos los animales del campo. Sin embargo, no se encontró entre ellos la ayuda adecuada para el hombre.
>
> Entonces Dios el SEÑOR hizo que el hombre cayera en un sueño profundo y, mientras éste dormía, le sacó una costilla y le cerró la herida. De la costilla que le había quitado al hombre, Dios el SEÑOR hizo una mujer y se la presentó al hombre, el cual exclamó:
>
> «Esta sí es hueso de mis huesos y carne de mi carne.
> Se llamará "mujer" porque del hombre fue sacada»[4].

Dios creó todas las cosas vivientes, y luego le dijo a Adán que les diera significado al darles un nombre. Es imposible en nuestro mundo de infinita nominación abarcar el esplendor y la maravilla de ese momento. Adán debía leer a cada animal y luego descubrir en sí mismo el nombre que mejor comunicaba lo que creó Dios. El radio de extensión de la creación de Dios es del todo extravagante. Lo único que se necesita es visitar un zoológico para preguntarse en qué pensaba Dios. El mandril es extraño. Y el elefante no lo es menos. El armadillo es suficiente como para hacerle dar vueltas la cabeza a uno con la pregunta: «¿Está loco Dios?».

Adán se enfrentó a esta mezcolanza de bestias y lo llamaron a ponerles nombre por una razón encubierta. Lo llamaron a crear, y al hacerlo, a darse cuenta de que todos los seres menos él tenían compañero. Toda criatura tenía un complemento, y con ese complemento hizo cosas frente a Adán, el hombre, que en su existencia individual, nunca había concebido. No sea tan mojigato. Vaya al zoológico y observe a los monos montarse unos sobre otros, y al ñu procrear con delicadeza de la manera que

Dios ha prescrito como santa y buena. Adán vio a los dos, y luego los vio convertirse en uno... y él estaba solo, se sentía solitario y deseoso de experimentar alguien como él aunque del todo diferente a él. A pesar de eso, no tenía compañera, y después de un día de mucho trabajo, se durmió.

Cuando se despertó y vio a Eva de pie allí, gritó a toda voz y sin duda por el despertar de su ser: «¡Mujer!». Le puso nombre y, por lo tanto, se puso nombre a sí mismo. En hebreo su nombre es *Ish*; el nombre de ella es *Ishah*. Él es como ella con la diferencia de una letra (en hebreo). No obstante, en una letra es diferente a él tanto como él lo es a un ñu. Su nombre para la mujer significa que ella es de forma radical la misma aunque distinta por completo a él. Y así sucede con todo lo de poner nombres. Solo podemos nombrar lo que sabemos, pero cada vez que ponemos un nombre conquistamos un nuevo territorio que no conocemos porque es muy diferente al propio.

Construimos basados en la identidad, la similitud y la analogía, y luego nos movemos a la esfera de lo misterioso. Existe un enorme riesgo en ponerle un nombre a lo que en verdad no conocemos todavía. Tal vez estemos equivocados. Lo que aún no sabemos puede arruinarnos.

Adán llamó a Eva por su nombre: «Ishah», por lo tanto, evoca el significado sin saber lo que va a salir de esa relación. Se siente atraído hacia ella no solo por la vista, sino también por el sonido. Siente la similitud y la inalienable diferencia del cuerpo y del ser de ella. El sonido del nombre de ella despierta deseo, curiosidad y persecución. Lo atrae a la órbita de ella y pronto comienza a participar en la acción de la re-creación. Toda la re-creación involucra esta interacción de poner nombre a lo que se conoce a fin de poder entrar a lo que todavía no se conoce. El poner nombre provoca más nombres. Y cuanto más sabemos, tanto más somos conscientes de lo poco que sabemos o de lo poco que entendemos a la persona que le pusimos nombre.

Cualquier persona que ha aprendido algo nuevo, una cosa o una materia, desde el golf hasta la física cuántica, sabe de esta espiral de saber y no saber viene con poner nombre. Tal vez los que escriben ficción o poesía sepan esto mejor que los demás. En un libro llamado *Bold Purpose* que escribí con Tremper Longman III, tuve el privilegio de escribir la parte de ficción del libro. Es un estudio del libro de Eclesiastés tal como lo experimentaron seis personas en un grupo de estudio bíblico. Uno de los personajes, Noé, es un analista financiero y un desastre como ser humano. La primera parte de la historia describe su apasionada dedicación a irse a acostar lo más temprano posible y de quedarse en la cama hasta lo más tarde posible. Escribí esa sección sentado en mi cama, cubierto con un edredón, con la seguridad de que el día ya había pasado y yo podía escaparme de la realidad en el instante en que me cubriera con el edredón. En ese momento, yo era Noé. Hoy, todavía soy Noé.

Sin embargo, a medida que se desarrollaba el personaje de Noé, hubo infinidad de momentos en que él no era yo. No pienso como Noé ni tomo sus mismas decisiones. A medida que escribía un capítulo tras otro, me encontraba pensando con detenimiento en cómo Noé enfrentaría la misma situación que enfrentaba yo. Fue una experiencia alarmante cada vez que Noé se burlaba de mí al escribir una sección del diálogo. Él me diría: «Esa no es mi voz. Ese es tu pensamiento, no el mío. Yo nunca diría eso». Noé casi se vuelve una voz en mi cabeza. A medida que escuchaba, sin embargo, comenzó a ayudarme a desarrollar un personaje literario que fue bastante diferente al que yo había comenzado.

Noé no existe en la vida real. Es y era un nombre creativo para muchas personas, momentos y experiencias internas en mi vida. Aunque Noé soy yo, él y yo no somos lo mismo. Con todo, fue solo cuando le puse nombre a su forma de vivir que comencé a obtener claridad en la forma en que pienso y vivo, a leer los asuntos de la propia historia de mi vida. La historia de cada persona tiene uno o dos asuntos centrales. Y la historia de cada persona tiene un asunto diferente aun cuando comparte con otras historias algunas de las mismas características, ambiente y diálogo.

A fin de saber quién puedo ser, debo saber quién soy. Para saber quién soy, debo ponerle nombre a las historias y a los asuntos de mi vida y luego avanzar con lo que sé al ámbito de lo que no sé. Esto también es cierto a medida que crío a mis hijos y que ellos me crían a mí. Al ponerles un nombre a mis hijos, tal vez escuche el susurro del nombre que Dios con tanto amor tiene para mí. Para escuchar ese nombre, debo estudiar a mis hijos, ponerles nombre a sus asuntos y deleitarme en el diálogo de poner nombre y que me pongan nombre. El peligro en poner nombre es que lo que nombramos al final nos va a nombrar a nosotros. Esto sucede con nuestros hijos a medida que nos crían a nosotros.

Escuchemos la tendencia de un hijo

Si alguna vez esperamos aprender la historia de la vida de cada hijo, debemos escuchar a cada individuo con más cuidado que nunca. Ya hemos hablado de escuchar la verdadera voz de nuestro hijo. Sin embargo, para hacerlo bien, no solo debemos prestar atención especial a escuchar lo que se dice, sino también lo que se *vive*. Si prestamos cuidadosa atención, veremos que cada uno de nuestros hijos está tejido de un material diferente; cada uno tiene una tendencia diferente. Es nuestra responsabilidad escuchar la forma en que se colocaron los cables de cada uno. Cuando prestamos atención, obtendremos el cuadro inicial del verdadero nombre de cada hijo, el cual incluye los asuntos de la vida, las cargas y el llamado.

Mi hija mayor, Annie, nació en caos y crisis con los ojos bien abiertos. Ella vive muy bien la forma en que nació. Permítanme contarles su entrada al mundo.

Mi esposa y yo llegamos al hospital a una buena hora: las nueve de la mañana. El cuarto de parto era cómodo y el televisor tenía buena recepción. Yo podía sentir la tensión en el cuerpo, pero pronto estuvimos en calma. Coloqué la foto de nuestra primera «hija», una temerosa springer spaniel llamada H. Diggity Dog, en la pared de enfrente de la cama de mi esposa, para que se enfocara en ella durante los ejercicios de respiración que llegarían. Estábamos listos con todo el programa Lamaze.

Nuestro ginecólogo hizo una rápida visita y luego se marchó a su oficina. Esperamos, pero el procedimiento no avanzaba. Mi esposa tenía cuatro centímetros de dilatación, pero parecía que no estaba apurada por superarlo. Alrededor de la una y media de la tarde, desde su oficina, nuestro doctor ordenó que se le hicieran rayos X para ver si algo bloqueaba el proceso. Los rayos X mostraron que no había problemas.

Para las cuatro de la tarde, mi esposa comenzó a tener dolores de parto bastante fuertes, pero todavía no había dilatación. Notamos que la máquina que controlaba las pulsaciones del corazón del bebé había bajado de 160 a cero. Yo había alertado a varias enfermeras, pero todas me dijeron que eso era de esperarse. Sin que lo supiéramos, el doctor había salido de su oficina y su automóvil se había descompuesto como a un kilómetro y medio del hospital. Por alguna razón, dejó su automóvil allí y corrió al hospital. Cuando llegó, fue directo al monitor del corazón y en unos pocos segundos comenzó a gritarles a las enfermeras y a otro doctor para que lo ayudaran a realizar una cesárea.

Al parecer, el cordón umbilical se había enredado alrededor del cuello de nuestro bebé, y cada vez que Becky tenía una contracción y pujaba, el cordón estrangulaba a nuestra hija. Los siguientes treinta minutos fueron una pesadilla. Me acuerdo muy poco y, sin embargo, mi cuerpo se estremece con el recuerdo de cada segundo que pasó.

Al final, una enfermera me dijo que podía ver a mi hija recién nacida. Miré a través de la ventana y acercaron al vidrio a ese pequeño manojo envuelto en una frazada. Tenía los ojos muy abiertos, la boca cerrada y no había ni una sola lágrima en sus ojos.

No sé por cuánto tiempo la miré con intensidad, pero después de un rato, la enfermera que tenía en sus brazos a mi hija abrió la puerta y me trajo a Annie. Ella me preguntó si quería llevar a mi hija a la sala de los niños. Con mucho cuidado, la colocó en mis brazos, y con mucha precaución, yo seguí los pasos de la enfermera. No podía quitar los ojos de mi hija.

Sus penetrantes y perturbadores ojos me clavaron la vista y miraron a través de mí. Fue como si hubiera estado preguntando: «¿Qué fue lo que sucedió allí? ¿Quién eres tú y por qué no hiciste algo?». No sería la última vez que me interrogarían los ojos de Annie. Permítanme avanzar a los catorce años.

Yo estaba leyendo un libro cuando Annie se sentó a mi lado y me preguntó:

—¿Tengo que pasar el Día de Acción de Gracias con mi familia este año?

Dejé de leer y le respondí:

—Por supuesto. ¿Qué estás diciendo?

Annie tiene la habilidad de perturbar mi paz con facilidad.

—Detesto pasar el Día de Acción de Gracias con mi familia —me dijo—. No quiero pasar de nuevo otro Día de Acción de Gracias como aquel.

Yo no sabía si debía reír, llorar o gritar. No sabía si debía preguntarle qué planeaba hacer ni por qué odiaba el día festivo con su familia. No tuve necesidad de preguntarle porque ella continuó:

—El Día de Acción de Gracias en nuestra casa es un día para comer, quejarse de lo mucho que se ha comido, hacer ruidos extraños, mirar fútbol en la televisión, dormir, comer más y luego acostarse temprano. Es un feriado egoísta.

—Pues bien —le dije—, ¿qué planeas hacer en cambio?

—Ya he preguntado si puedo ir a servir comida a desamparados, y me dijeron que sí —me respondió—, si puedo llegar al centro de la ciudad.

Miré con fijeza sus penetrantes ojos color café y me di cuenta de que estaba desnudo y avergonzado.

Tenemos el llamado a estudiar a nuestros hijos desde su nacimiento. A menudo en los primeros años comenzamos a ver patrones que indican inclinaciones, debilidades y programación bien definida. Algunos de los primeros hábitos e inclinaciones desaparecen. Sin embargo, hay otros aspectos de su ser que son tan duraderos como sus nombres.

Es preciso que observemos a nuestros hijos cuando luchan con sus frustraciones, dolor, placer y éxito. Los vemos con compañeros y con niños menores y mayores que ellos. Después de un tiempo, emergen los asuntos organizados, lo cual nos capacita para hablarle de nuestros hijos a una persona desconocida, usando unas pocas frases o unas pocas historias resumidas. A medida que estudiamos a nuestros hijos, comenzamos a ver sus asuntos centrales, sus cargas y sus sueños.

Póngale nombre a lo que se escucha y se sabe

Si alguna vez vamos a aprender los asuntos, las cargas y los sueños que relatan la historia de nuestro hijo, tenemos que escuchar lo que cada hijo nos dice sobre su verdadero nombre. A medida que escuchamos, tenemos que ponerle nombre a lo que vemos. Poner nombre no solo involucra declarar lo que vemos, sino decir lo bueno que es, cómo se podría usar para mal y las esperanzas que tenemos para la vida de ellos. El acto de nombrar siempre capacitará al niño a ver de modos nuevos, y siempre es más poderoso cuando logramos unir los asuntos, cargas y sueños de un niño.

LOS ASUNTOS

Si escuchamos lo que no se dice, les podemos poner un nombre a los silencios. Es un proceso tentativo y lento. Cuando nació mi hija menor, Amanda, fue del todo diferente a su hermana. Vino al mundo por una operación cesárea, y es posible que naciera una o dos semanas antes de lo que hubiera nacido de otra manera. Era casi imposible despertarla. Si quería verle los ojos, tenía que oprimirle las mejillas hasta que ella elevaba un pesado párpado y luego caía de nuevo en un estado soñoliento. De pequeñita, era tranquila y fácil de llevar, más bien que intensa y de ojos abiertos como Annie.

Annie era intensa, pero cuidadosa; Amanda era tranquila, pero sin miedo alguno. Todos los días Becky me contaba las historias de horror de Amanda. Se libró de su cuarto asiento de auto, como Houdini, y comenzó a abrir la puerta del vehículo cuando tenía menos de dos años de edad. Cuando tenía dos años, la pillamos balanceándose en una araña de luces, tratando de saltar el pasamano del segundo piso de un centro comercial y saltar a una pista de patinaje.

La mayoría de los hechos me los informaban, en lugar de ser testigo de primera mano, pero un domingo por la mañana temprano, estaba leyendo el periódico y tomando una taza de café. La casa estaba silenciosa. Me pareció escuchar que se abría la puerta del frente, pero no hice caso. Unos pocos minutos más tarde miré por la ventana del frente de la casa y vi a mi dulce Amanda desnuda, parada en el medio de la calle, justo al pie de una pequeña colina. Si hubiera venido un automóvil por la colina nunca hubiera tenido tiempo de detenerse. Casi echo la puerta abajo y corrí gritando hasta llegar a la calle. La tomé en mis brazos, la abracé y por poco la ahogo con el alivio y la furia que sentí.

Hemos pasados incontables años dándole nombre a la habilidad de Amanda de deslizarse a los lugares peligrosos con poca conciencia o preocupación. Ella lee muy bien y a menudo lee mientras camina, y también a menudo ha caminado derecho hacia la pared, se ha caído, sin romper su concentración en el libro. Nos ha dado terror permitirle conducir un auto, esquiar sola o caminar o masticar chicle. Es amable en gran medida y muy sigilosa. Y necesita escuchar ese nombre.

LAS CARGAS

La habilidad de Amanda de caminar hacia el peligro y hacerlo con gracia, la ha capacitado para ser amiga de varios de sus compañeros que sufren el divorcio de sus padres. Después de ver el dolor, es una defensora feroz de los hijos que han perdido sus voces en medio de la cacofonía de la violencia familiar.

Es triste, pero la violencia no está limitada a los hogares de sus amigos. Muchas veces ha visto la volatilidad y la intensidad de mi enojo. Una vez hizo erupción en el aeropuerto de Frankfurt cuando Amanda tenía trece años. Habíamos estado de pie en una fila por lo que pareció una eternidad cuando nos vimos obligados a cambiarnos a otra fila. Insistí en que nos dieran prioridad a los que llevábamos esperando más tiempo. A la agente de pasajes no le interesaba mi opinión y le dije a ella, y a la mayoría de los que estaban alrededor, que era descortés e injusto. La mujer me habló mal; yo refunfuñé como respuesta. Mi familia estaba mortificada y la multitud se mostró rara y silenciosa.

Amanda rompió el silencio. Les dijo a todos los que nos rodeaban: «Su enojo es muy poco atractivo, pero la mayor parte del tiempo es un hombre mucho mejor de lo que es ahora». Dijo la verdad y la multitud se tranquilizó por su valor. Yo estaba tanto mortificado como orgulloso. Y así como la vida gira en sus revoluciones extrañas y que dejan perplejo, la agente se encaminó hasta la fila, tomó nuestros pasajes y nosotros nos dirigimos al avión. Mi hija es dulce y valiente en secreto; amable y dispuesta a correr riesgos significativos.

Las cargas se forman de las heridas peculiares de la vida. Las cargas se interceptan con habilidades singulares, talentos y fracasos para llevar el corazón de un niño a momentos significativos en los que sabe, o al menos siente, que debe estudiar ingeniería, medicina o ser maestro. Y tal vez aun más, las cargas están asociadas con momentos peculiares y rostros, escenas y hechos que marcan a un niño de una manera que jamás lograríamos prever.

Si les ponemos un nombre a los silencios que vemos y escuchamos de nuestros hijos, y luego les damos el espacio y el tiempo para que se sincronicen con las pasiones que deben salir a la superficie, comenzarán a desarrollar sueños a corto y a largo plazo que proveen el sonido básico para la pista de música de la historia de sus vidas. Y al permitirles a nuestros hijos que tengan sus sueños, nos marcarán y nombrarán como padres.

Los sueños

«¿Qué quieres ser cuando seas grande?», es una pregunta que a menudo les hacemos a los niños pequeños. Es una de las maneras para prepararlos a que deseen y sueñen, y anticipar que no siempre serán niños. Invitamos a los niños a que sueñen con los regalos de Navidad, los rituales de los días festivos y los paseos especiales. A veces les damos la oportunidad de planear una comida que sea toda de su elección. Otras veces los dejamos que miren en una tienda y que escojan su propia ropa dentro de un cierto estilo y límite de precio. Cuando hacemos esto, les enseñamos a que deseen y sueñen. Esa es una parte de enorme importancia en la crianza de los hijos.

Debemos recordar que todos los sueños no están llenos de nubes espumosas y rostros sonrientes. Los sueños invitan deseos que más tarde quizá se derrumben bajo el peso de la desilusión. Los sueños se pueden convertir con rapidez en pesadillas. Sabemos que eso es cierto en nuestras propias vidas; no queremos que lo sea en la vida de nuestros hijos. Por lo tanto, a menudo protegemos a nuestros hijos de sueños poco realistas o peligrosos. Al hacer eso, estamos muy equivocados y demasiado acertados. Nuestros hijos deben aprender a soñar y a estar llenos de gozo, y deben aprender a soñar y a que los aflija el dolor. Si todos sus sueños se realizan, van a estar aburridos y serán arrogantes, tomando el crédito por escribir su propia historia de la vida. Si todos sus sueños mueren, odiarán la esperanza y se volverán a la vida de un robot, perdiendo la confianza en algo mayor y más sabio que ellos mismos. Soñar y permitir que otros sueñen es peligroso.

Debemos soñar sueños para nuestros hijos, con nuestros hijos y a veces contra nuestros hijos. Amanda es una excelente atleta. Su deporte favorito es el tenis y participó como titular de los individuales cuando estaba en segundo año de secundaria. Su estilo dejaba mucho que desear. Por lo general, perdía el primer set o manga porque parecía distraída y cansada. Perdía 6 a 4 (lo que no está tan mal), casi siempre debido a falta de concentración y fervor.

Después del primer set, se enojaba si su oponente era irritante o arrogante. Si su oponente era amable y agradable, sin embargo, el próximo set no se sabía lo que sucedería. Si Amanda estaba enojada, casi siempre ganaba. Si su oponente era amable, a menudo ganaba, pero también podía con facilidad perder el juego.

Luego jugaría el set final del último juego y por lo general ganaba 7-5 ó 6-4. Eso me enfurecía. Era emocionante observarla si no era su padre y agotador si lo era. Gritaba desde las graderías, ella me miraba con severidad y casi se dejaba ganar si gritaba demasiado. Cuando me mantenía callado, jugaba bien. Desde el punto de vista de ganar, era mejor que no fuera a los partidos o que me quedara callado, sin caminar de un lado a otro.

No obstante, había otro asunto en juego. Quería que Amanda compitiera con todo lo que tenía, sin cohibirse, comenzando con el primer servicio. Ella tenía miedo de abandonar la cautela y apoyarse en su pasión. Es amable y solapada. ¿Jugaba su propia clase de juego o se negaba a ser valiente? ¿Vivía de acuerdo a su nombre o se negaba a considerarlo como propio?

Me gustaría que fuera claro. ¿Luchaba yo con su manera de jugar porque me causaba ansiedad o veía, escuchaba, olía, gustaba y tocaba una parte de su vida en la que ella no estaba dispuesta a soñar? Los padres tienen el llamado a caminar en terrenos demasiado escabrosos, sintiendo lo que es cierto y lo que no es cierto. Debemos inflamar los sueños y luego ayudar a nuestros hijos a que vean lo alarmante y riesgoso que es apoyarse en sus sueños. Sin embargo, también debemos ponerle nombre a lo trágico que es ahogar un sueño por el propósito innoble y la satisfacción fácil. Y no vamos a poder hacer esto a menos que dialoguemos con nuestros hijos.

El deleite del diálogo

Repito, tener éxito en dejar que nuestros hijos nos críen depende de que escuchemos con cuidado sus voces, tanto en lo que se habla de forma directa y lo que se comunica mediante su tendencia dada por Dios. En ningún momento este proceso se limita a nuestra voz instruyendo y corrigiendo a nuestros hijos. Después de todo, el diálogo requiere dos voces, con ambas partes hablando y escuchando. En el diálogo, nuevas cosas salen a la superficie, que nunca hubieran salido si solo una persona hablara y la otra escuchara. Es el acto conjunto de la creación, nombrar y recibir nombre, escuchar y ver de maneras nuevas. En todos los casos, es raro y santo.

Nombrar la vida de nuestro hijo

Me senté con Amanda en un muro de piedra después que ganó un juego de tenis. Me referí a la forma en que durante el encuentro devolvió la pelota en forma maravillosa. Describí su rostro y sus movimientos, su aparente estrategia y gracia. A todos nos gusta que se nos describa cuando estamos en el apogeo de la gloria. Ella describió sus pensamientos y sus sentimientos relacionados a algunos de esos momentos. Fue dulce y tranquilo.

Yo comencé a describir el momento en que noté que comenzaba a disminuir la velocidad en su juego. Por supuesto, eso era cuando estaba ganando. Nombré lo amable que era al no desanimar a su oponente. Nombré también cómo quise entrar corriendo y gritando a la cancha para lograr que intensificara su ritmo. Ella sonrió y me dijo lo contenta que estaba de que yo de alguna forma hubiera encontrado las fuerzas para contenerme. Describí lo que experimentaba a medida que la observaba jugar en mareas altas y bajas de motivación.

La conversación se movió hacia algunas de mis luchas en el trabajo y cuando escribo. Le hablé de mi dificultad para terminar un proyecto debido a mi tendencia de pasar de una responsabilidad a otra. Hablamos sobre lo difícil que es ganar y perder. Hablamos sobre los temores de no terminar bien y cómo ese temor nos puede impedir que terminemos algo por completo.

Llevábamos hablado unos veinte minutos y era claro que Amanda estaba lista para unirse a sus amigas. No tengo idea del bien que salió de esa conversación. En su próximo partido, que se jugó una semana más tarde, su estilo y resultado no variaron. Todo lo que sé es que aquella noche dialogamos. Después fui al gimnasio e hice ejercicio por primera vez en un mes, y terminé uno de los primeros capítulos de este libro.

Recibir nombre por la historia de nuestro hijo

Nuestra familia estaba sentada con unos queridos amigos en un elegante restaurante en Australia. Estábamos de vacaciones y pronto iba a impartir un seminario en una universidad bíblica. Había sido un día muy bueno y también era el cumpleaños de mi esposa. Estábamos celebrando, pero el resultado de la tarde no dejó mucho que celebrar.

No recuerdo cómo fue que nuestra conversación se oscureció. Nuestra comida todavía no había llegado y surgió algo sobre un asunto social controversial. Yo manifesté una posición firme, una en la cual mi hija Annie y yo diferimos por completo. Comenzamos a debatir y la tensión azotó alrededor de la mesa con la fuerza de un ventarrón.

Reprimí la voz debido al lugar y la ocasión. Sin embargo, a Annie no le preocupaba ni el lugar ni el cumpleaños de mi esposa. Fue intensa, concentrada e inflexible. Le pedí que se calmara, prometiéndole que terminaríamos la discusión después de la cena. Hasta este día no sé lo que pasó, pero ella comenzó a llorar. El tono de su voz bajó, pero su llanto era fuerte.

«Esto es lo que tú siempre haces. Manifiestas tu posición de forma clara y enfática, y cuando yo difiero, me haces callar», dijo ella. Ya sabía que en parte tenía razón. Se lo dije y llegó otra ráfaga. Ella sollozó: «Estoy tan cansada de ser tu hija. Vamos a lugares maravillosos y vemos muchas cosas en verdad notables, pero solo porque tú enseñas en una universidad bíblica. Estoy muy cansada de que la gente piense que estoy comprometida con tu mismo punto de vista en cuanto a Dios. Estoy muy cansada de que la gente me diga lo maravilloso que debe ser tenerte como padre. No tengo ni idea de quién soy yo porque tú eres muy grande a los ojos de todo el mundo, incluyendo los míos».

La mesa estaba en silencio. Me sentía como si estuviera en un escenario, no frente a un pequeño grupo compuesto por mi familia y algunos amigos, sino ante el trono de Dios. Annie estaba equivocada. Y tenía toda la razón. Habló impulsada por su dolor y cansancio, y habló del daño que le había traído. Yo no me pude defender ni desafiar sus aseveraciones. Y no pude guardar silencio. Dije: «Estoy muy triste por lo que mi vida y mi trabajo te han traído. Y estoy muy orgulloso de que tú no permites que mis fracasos bloqueen mi relación contigo. Gracias, amor. Hablaremos más cuando ambos estemos listos».

Y lo hicimos. Y seguiremos hablando por todo el tiempo que tengamos vida. Los diálogos nos capacitan para escuchar, no solo el uno al otro, sino también la voz que habla desde detrás de la nube y a veces tan cercana como el latido de nuestro propio corazón. Si nos deleitamos en el diálogo que nos ofrecen nuestros hijos, comenzaremos a dejar que nos pongan nombre y tal vez comenzaremos a escuchar el nombre que Dios tiene reservado para nosotros.

En los diálogos con mis hijas, escuché que me aman. Tengo el privilegio de estar en sus corazones. No las puedo controlar, pero tengo el honor de tener un lugar en el que me escuchan y en el que escucho, donde hablo y donde me hablan. Mis hijos me han puesto el nombre de pecador. A decir verdad, lo soy, lo he sido y lo seré. Sin embargo, el que hayan expuesto mi pecado me ha ayudado a nombrar que soy el heredero rescatado de Dios. Estoy perdido y también me han hallado. Y de alguna forma mis hijos me han honrado con el respeto suficiente que puedo escuchar de sus labios que soy más que desesperado y necesitado; también estoy madurando y ahora descubro que me encuentro más en Dios de lo que estaba cuando ellos eran más pequeños. Me han ayudado a crecer en Dios.

Mis hijos me han dado el nombre de necesitado y sabio, pecador y valiente, tonto y noble, enojado y tierno. Me han puesto el nombre de un hombre que anhela a Dios.

A medida que consideramos el poder del diálogo, por supuesto que debemos perseguir el diálogo por excelencia. A través de la oración, llegaremos a conocer el nombre más importante de todos: el nombre de Dios.

CAPÍTULO 10

El diálogo divino

Cómo nuestros hijos revelan el nombre de Dios

Hace años, unos amigos queridos me invitaron a pescar con moscas artificiales y eso cambió mi vida. Experimenté la gracia y el poder de lo que es la belleza elegante. La fuerza que se necesita para mover la línea de pescar requiere ritmo, pero no poder bruto, y la interacción con una trucha es ballet y no un baile de salón. Después de unas pocas veces de pescar en uno de los ríos más hermosos del mundo, quedé atrapado de forma irremediable.

Poco después de esto, me invitaron a hablar en una conferencia bíblica en el estado de Montana y me di cuenta que no tenía que preguntar si era la voluntad de Dios. Cualquier invitación a La Meca de la pesca a mosca tiene que ser divinamente designada. Una de las primeras noches, tomé mi flotador personal y los aparejos de pesca y me interné en el lago como de unos cuarenta kilómetros cuadrados detrás de nuestra cabaña. El sol se veía como una bola color naranja entre los picos montañosos del oeste. Remé unos cuarenta metros desde el muelle y miré al horizonte en el oeste. La vista me quitó la respiración.

Puse una mosca en mi línea y comencé a tirarla. Acorté la línea y después de unos diez minutos noté que en el cielo se veía una bandada de pájaros que volaban a gran velocidad. Me sorprendió que las aves volaran a tal velocidad. En unos pocos segundos, no volaban a la distancia, sino que volaban en una misión de ataque sobre mí. En ese momento fue que me di cuenta de que no eran pájaros, sino murciélagos.

Soy alérgico a los murciélagos. Muy alérgico. Me asustan mucho. Comencé a mover la caña sobre mi cabeza para marcar los parámetros de la zona de no vuelo. Tal vez ha escuchado que es imposible pegarle a un murciélago debido a la capacidad de radar que tienen de esquivar cualquier objeto en una fracción de segundo. No es cierto. Le pegué a un murciélago y cayó al agua como a un metro y medio de donde yo estaba. Salió a la superficie y comenzó a tratar de encontrar con desesperación un lugar sólido donde pararse. Yo era su única esperanza. Mientras se movía hacia mí, le pegué con mi caña de pescar y traté de mover mi flotador lejos de mi atacante.

El murciélago se me aproximaba cada vez más cuando decidí que era o él o yo. Voté por mí. Comencé a pegarle al murciélago y pronto me convertí en un asesino de murciélagos. En unos pocos segundos, mi línea comenzó a sonar porque un pez había mordido el anzuelo. Yo estaba agitado y quería solo una cosa: huir del agua. En ese instante. Así que tiré del pez enrollando la línea sin preocuparme de mantener el pez en la línea. Cuando estaba cerca del flotador, tomé la línea y vi un pez como jamás había visto. Lejos de ser una hermosa y colorida trucha, era gordo en el medio sin un color distintivo, y cuando lo saqué del agua, sin tocarlo, su boca se abrió como una caverna profunda. Después me enteré que era un róbalo de boca grande. No me importó lo que fuera; lo que quería era que no estuviera en mi línea.

A mí no me gusta tocar a los pescados. Puedo sacar una trucha de veinticinco a treinta centímetros con cierto placer debido a su belleza y elegancia, ¿pero un pez grande y feo con una boca como una caverna y llena de dientes? No lo iba a tocar, así que comencé a tirar de la línea para ver si se soltaba el anzuelo. No tuve suerte. Estaba bien metido a través de la boca del róbalo y mis tirones fuertes parecían incrustarlo con más firmeza. Ya en esos momentos no pensaba con claridad, y sin vacilar un segundo, comencé a hacer girar la línea sobre mi cabeza como un lazo de los que se usan en los rodeos. Tres vueltas lograron el cometido y el pez se soltó del anzuelo e hizo un ruido respetable al caer en el agua.

Enrollé la línea y me dirigí hacia la costa. En cuanto llegué al final del muelle, tomé mis aparejos y me dirigí al camino que llevaba a nuestra cabaña. El cielo estaba casi negro con solo un vestigio de luz del sol ártico. Mientras caminaba, noté que una persona estaba sentada en una silla como a unos treinta metros más adelante. Oré que no hubiera visto el fiasco de los murciélagos y el horrible pez, y decidí pasar por su lado sin decir ni una palabra. Mientras me acercaba, sin embargo, el hombre extendió su mano y tomó mi brazo. Era un anciano, de más de setenta años, entrecano y de ojos penetrantes. Pude oler tabaco de pipa barato en su aliento.

Me dijo: «Hijo, he estado pescando por más de cincuenta años. Nunca he visto en toda mi vida nada ni siquiera parecido a eso». No le pude responder antes que él dijera: «Y quiero darte las gracias». Murmuré: «De nada», y me dirigí directo a mi refugio.

Los próximos días siguientes evité a ese hombre. Mi hijo y yo fuimos a pescar todos los días alrededor de las diez de la mañana, y pescábamos hasta que nos daba hambre, como a eso de la una de la tarde. No pescamos nada. Después de tres días, mi hijo desertó y fue a andar a caballo mientras yo aseguraba el bote y tomaba nuestro aparejo. En ese momento el anciano se me acercó. Me tomó del brazo y me dijo:

—Sospecho que quiere que su hijo pesque un pez, ¿no es verdad?

—Sí, señor, me encantaría que pescara algo. Y después de tres días, no hemos pescado nada.

—Lo sé —me dijo—, los he visto pescar todos los días cerca del mediodía, y me imagino que lo va a continuar haciendo toda la semana si no les digo algo. Es obvio que usted no sabe mucho de la pesca.

—Creo que lo ocurrido la otra tarde prueba eso —dije.

Él se rió suavemente y dijo:

—Los peces no pican al mediodía —dijo él sonriendo con amabilidad—. Usted tiene que estar en el agua temprano, a eso de las seis de la mañana o de la tarde como estuvo la otra noche.

Lleve a su hijo a aquel lugar cerca de la costa donde están aquellos juncos, y luego aléjese del muelle unos treinta metros donde hay unos troncos caídos y buena cobertura. Use estos dos cebos y esté allí antes de las seis de la mañana y su hijo va a pescar algunos peces.

Yo le podía haber dado un beso. Tenía las carnadas apropiadas, los mejores lugares y la hora adecuada, y me sentí como el rey del mundo. Cuando le conté a Andrew sobre el regalo recibido, él estaba casi en éxtasis. Me di vueltas y más vueltas en la cama toda la noche, temeroso de que no iba a escuchar el reloj despertador.

Llegó la mañana y nos pusimos en camino. Pescamos en los dos lugares varias veces, y después de más de dos horas, yo estaba furioso y extenuado. Cada vez que Andrew tiraba su línea, sabía que iba a ser «el momento», y cada vez que sacaba el anzuelo del agua, yo sentía que el corazón se me desplomaba. Esta repetición de esperanza y desesperación continuó hasta cerca de las ocho de la mañana. Era hora de reunirnos con mi esposa e hijas para desayunar. Me sentía del todo furioso. ¿Por qué no podía Dios darnos el más pequeño de los favores y permitir que mi hijo sacara del agua un pez? Había dividido las aguas del Mar Rojo y levantado a Jesús de los muertos, pero mi hijo estaba con las manos vacías y nada que mostrar por más de dos horas de intensa pesca. Como el impotente pescador padre de Andrew, decidí que era hora de terminar la farsa.

Le dije a mi hijo que era hora de irnos. Él me miró como si yo le hubiera quitado uno de los mejores dones de la vida y con rapidez me dijo: «Papá, por favor, déjame tirar el anzuelo una vez más». Sabía que se arriesgaba a que yo me enojara por pedirme eso, pero su deseo era tan intenso que no podía guardar silencio.

Hasta aquí la historia tiene perfecto sentido. El siguiente momento, sin embargo, es difícil de explicar. El Espíritu de Dios me habló, no en forma audible, pero tampoco en una forma en que pudiera pensar que era mi mente la que se hablaba, y me dijo:

«Mataste la esperanza en tu propio corazón. ¿Planeas matarla también en tu hijo?». Mi reacción fue rápida y furiosa: «No parece que esperar en *ti* hoy nos haya llevado a ningún lado». La voz del Espíritu fue igual de rápida. Me dijo: «Si estás tan seguro de que no estoy presente, ¿por qué quieres herirme? Tú me quieres más a mí que a un pez». Casi me caigo del bote. Miré el rostro de mi hijo y le dije: «Andrew, puedes tirar tu línea cinco veces más». Y él lo hizo.

En la cuarta tirada me sentí enfermo de nuevo. Terriblemente enfermo. El Espíritu Santo, o tal vez mi torpe cerebro, me había dado esperanza y yo había sido un tonto al creer. Mi hijo comenzó a tirar por quinta vez y yo volví la espalda para poner los remos en el bote y comenzar a remar para ir a desayunar. Unos pocos segundos después que escuché que el anzuelo le pegaba al agua, escuché a Andrew gritar:

—¡Papá! ¡Para! ¡Mira!

Su caña de pescar estaba doblada casi al punto de quebrarse. Él tiraba de la línea y le dije que aflojara la punta y luego la trajera de nuevo. Así lo hizo y no hubo movimiento en el agua. Se había enredado en un tronco. Me di vuelta de nuevo y me gritó:

—¡Papá! ¡Mira!

Me di vuelta por segunda vez y vi que la línea se movía con fuerza en el agua. Andrew tenía un pez grande. Peleó con el pez por unos cinco minutos. Los pequeños brazos de mi hijo se cansaban y la punta de la caña se movía de forma peligrosa hacia el agua. Le dije que me diera su caña para ayudarlo. Me miró con un dejo de desafío.

—¿Para qué, para que lo puedas traer como lo hiciste la otra noche?

Decidí que era hora de dejarlo sufrir.

Poco a poco, cansó al gigantesco pez y lo trajo al bote. Andrew levantó la línea y nosotros contemplábamos un lucio de unos ochenta centímetros de largo. En lo personal, no me gustaba la apariencia del róbalo que pesqué unas noches antes, pero los dientes como navajas de este lucio me dieron mucho miedo.

Andrew luchó hasta que le sacó el anzuelo. Lo medimos y lo tiramos de nuevo al agua, sin haber podido encontrar la cámara fotográfica para sacarle una foto.

Volvimos al muelle y mi hijo me dijo:

—Papá, tenemos un Dios, ¿no es así?

Él nunca me había dicho nada semejante.

—Sí, hijo —le respondí.

Yo sentí el placer de haber pescado y la vergüenza de mi incredulidad, y la sonrisa de las palabras sabias de mi hijo. Luego dijo algo que me cortó la respiración.

—Yo sé el nombre de Dios —me dijo.

Él no me miraba, tampoco decía las palabras para informarme. Parecía estar diciendo las palabras para marcar un momento importante en su vida. Le interrumpí sus pensamientos y le pedí que me dijera el nombre de Dios.

—Mi Dios se llama el Dios de la Quinta Tirada —me dijo.

La oración no es lo que a menudo pensamos que es. No es cuando le pedimos a Dios que nos dé un pez ni que rescate a nuestro hijo, sino que es sobre todo cuando entramos en un diálogo que nos lleva a conocer su nombre y nuestro nombre. La oración es las punzadas antes del nacimiento y los dolores de cobrar vida con Dios. No está designada para ser antiséptica ni reverente en particular. Es más, las oraciones de los santos tienen fuerza, temor, culpan, honran y son sinceras. No podemos escuchar a Dios hasta que nos relacionamos con Él en oración. No hay nada más importante que podamos hacer como padres que orar por nuestros hijos y con ellos. Así que, por supuesto, debemos responder a esta pregunta crucial: ¿Qué es la oración?

El diálogo del deseo

Orar es darle un nombre al deseo delante de Dios. Es un grito pidiendo redención que siempre comienza admitiendo la consternación de que Dios está presente y ausente. ¿Por qué clamo a Él si está allí, participando por completo, ya en actividad y omnisciencia? La oración es un secreto oculto que nos insta a formular las preguntas más difíciles sobre la fe: «¿Está Él allí? ¿Escucha o aun le importa? ¿Es determinante que ore o que no ore? ¿Por qué me importa y por qué no puedo escapar de Dios?».

Ya sea que lo admitamos o no, la oración es un diálogo sobre las dos preguntas centrales que todos formulamos cada día: «¿Me aman de verdad?» y «¿Me puedo salir con la mía?». Cuando oro, a menudo intento tener la certeza del amor de Dios y su permiso para hacer lo que quiero. Y mientras oro, la oportunidad amable de Dios es invitarme a los deseos más profundos de mi corazón. Yo anhelo su amor y quiero hacer su voluntad. La oración despierta las preguntas más profundas del corazón y luego hace un lugar para que Dios hable.

Oré varias veces la mañana que mi hijo y yo fuimos de pesca. Al principio del día oré pidiendo seguridad, un tiempo significativo y memorable, y por supuesto, oré que pescáramos. Andrew y yo estuvimos seguros; nuestro tiempo fue inolvidable; mi hijo pescó un pez. Y ese día yo fui el pez que pescó Dios. Esa mañana oré varias veces acusando y con indiferencia. Oré y endurecí mi corazón, y oré y escuché la dulzura del Espíritu. La oración puede ser elocuente y distinguida en alabanza y esplendor, o puede ser gutural y que escupe sangre a través de dientes rotos, pero en todos los casos, la oración verdadera busca el rostro de Dios y el nombre de Dios.

La oración atrae a Dios a que se incline a escuchar nuestro deseo murmurado entre dientes; la oración nos eleva al trono de Dios y le habla cara a cara. Es el diálogo del deseo que nos atrae a una intimidad y a un asombro de Dios que no se logra encontrar por ningún otro medio. Si decidimos perseverar en medio del misterio de Dios para nuestros hijos, solo lo hacemos hasta la extensión en que oramos. La oración involucra al menos estas cuatro cosas: elevar el rostro de quienes amamos (y quienes odiamos) a Dios, escuchar el dolor de nuestro espíritu, reflexionar en las palabras que escuchamos y acoger con agrado los dones que recibimos.

Elevemos el rostro

Por casi dos décadas, cuando era un joven creyente, traté de orar de la forma en que se me enseñó. Me dieron el acróstico CASA, que significa Confesión, Adoración, Súplica y Agradecimiento. Hizo que la oración fuera eficiente y bien organizada. Casi siempre me quedaba aburrido y molesto en la experiencia. Todavía uso esta estructura y la recomiendo, pero en aquel entonces faltaba algo.

Al principio de la década del 1990, Tremper Longman y yo comenzamos a escribir un libro que transformó mi vida: *Cry of the Soul.* Lo escribimos en una época en que la vida se me desmoronaba con la muerte de mi padre, la muerte del mentor de Tremper y el derrumbamiento de mi carrera y mis amistades. Es el período en que por primera vez comencé a orar de una manera que cambió mi vida. También es el tiempo en que comencé a pescar a mosca y descubrí que la oración es otra forma de cooperación. Debido a la conmoción ya no podía orar sentado, con las manos juntas y con serenidad lanzando palabras al cielo que sentía absurdas y vacías. En cambio, discutía, regañaba, rogaba, trataba de persuadir con lisonjas y lloraba.

Es difícil y tonto quejarse y llorar en silencio. Me aburría mi silencioso monólogo interior. En cambio, lo que encontré de ayuda fue hablar en voz alta y en ocasiones gritar bien fuerte. Me hablaba a mí, a mi padre, a las amistades rotas, a mi esposa y a mis hijos, y de vez en cuando decía: «Y si me estás escuchando, Dios, puedes unirte a mí cuando quieras». Ahora suena absurdo, pero después de todo, una parte de la oración es hablar.

Aprendí mucho, en especial cuando regresaba a mi oficina después de orar y comenzaba a escribir. A veces escribía en forma de oración. Otras veces era otra queja en forma de prosa, o poesía, o una historia corta, o un capítulo en un libro, o solo palabras arrojadas en un inestable esfuerzo por apropiarme de lo que había escuchado que me decía Dios.

Fue durante uno de esos momentos en que me di cuenta de que orar es elevar el rostro de los que amo y odio ante el rostro de Dios. Es el rostro lo que nos marca como individuos, distintos y humanos. Es nuestra identidad. Sin duda, tocar el rostro de un enemigo es repugnante. En esa época tenía unos pocos enemigos elocuentes y yo quería menospreciar sus rostros; por cierto, no quería tocar con suavidad las mejillas de los que me habían herido tan hondo. Y tomar sus rostros y elevarlos a Dios me pareció como una ofrenda destinada a aplastarme. Sin embargo, hizo justo lo opuesto. Me liberaba (a veces) para preocuparme y ofrecer mis oraciones como un regalo, una mezcla impía de humildad y odio, deseo y demanda, y desesperación y esperanza al Dios del universo.

Antes de ese despertar a la oración, solía decir unas pocas frases sobre los que amaba u odiaba, y luego terminaba sabiendo que no era distinto. Era fiel en mi deber, pero el ejercicio conducía a poco más que a palabrerías y basura. Aun así, en cuanto veía en mi mente el rostro de un amigo o de un enemigo, sentía un cambio hondo, profundo. Y cuando ponía las manos en el rostro de esa persona y me enfocaba en sus ojos, percibía el peso de todo lo que sentía hacia esa persona y lo que sospechaba que esa persona sentía por mí. Y después de decir su nombre en voz alta y meditar en su rostro, ya sea en silencio o en voz alta, podría causar que recordara sus historias, luchas, puntos fuertes y puntos débiles. A menudo sentía el peso de su dolor y su enojo, o escucharía la gran pasión que nuestro gran Dios siente por esa persona, y no era difícil unirse a Dios en bendecir a quienes me odiaban.

Muy pronto comencé a orar con mayor pasión y deseo por los que me hieren. Al final, me di cuenta de que oraba más por los que me hieren que por mi propia familia. Así que comencé a nombrar y a elevar los rostros de mis hijos y de mi esposa ante Dios. La oración se convirtió en un sacrificio de alabanza y deseo con el rostro de la persona presentada en ofrenda ante la llama ardiente del amor de Dios.

ESCUCHEMOS EL DOLOR

Elevar un rostro a Dios es poner delante de Él lo que es más querido de esa persona. No es pedir discernimiento para que haya un cambio. No es una repetición monótona de las mismas palabras al silencio vacío dentro de nuestra cabeza. Es un clamor y es llevar a nuestro enemigo, a nuestro amigo, a nuestro hijo, a nuestra hija, a nuestro cónyuge ante el trono de Dios. Fue durante ese tiempo de elevar el rostro cuando escuché los nuevos niveles de mi orgullo, demandas y temor. Escuché las sombrías palabras de regateo y tergiversación. Mientras más clamaba delante de Dios, más comprendía la crueldad y el egoísmo de mi corazón. Es extraño, pero mientras más clamaba ante Dios, sentía más hambre de ser lo que no soy y el dulce dolor de conocer a Dios. Y quizá más extraño aun, escuchaba cosas nuevas sobre el dolor, el hambre y la esperanza de la persona por la que oraba. Ese es el poder de elevar el rostro de otra persona ante Dios.

Dios está en el dolor. Está en el deseo no correspondido del corazón. No podemos esperar escuchar a Dios si nos negamos a escuchar los gemidos del Espíritu. Si miramos el rostro de otra persona, vamos a sentir el dolor. Si estamos dispuestos a ver las cejas levantadas, las arrugas en la frente, el temor en los ojos y la boca torcida en una sonrisa forzada, podemos levantar nuestro dolor y confusión a Dios, en lugar de fingir que no existen.

Pocas veces me han exilado al dolor profundo del corazón como aquel día que corrí a la estación de policía después del arresto de mi hija. Al final del capítulo 3 escribí lo siguiente:

> Mientras caminaba las tres cuadras desde la terminal del trasbordador hasta la estación de policía, le pedí a Dios que me ayudara. Y Él me habló, no en una voz audible ni tampoco con una señal dramática, pero me habló:

«¿Le ofrecerás misericordia a tu hija o le ofrecerás un juicio crítico? ¿Qué será, Dan, mi ternura o tu enojo?».

Mientras caminaba, cada paso me acercaba más a la cárcel y me alejaba más de mi hija. Antes de entrar al edificio donde me esperaba mi esposa, me detuve, cerré los ojos y traje a mi mente el rostro de mi hija de diecisiete años. Tomé su rostro en mis manos y lo elevé a Dios. También elevé mi rostro. No es de extrañarse que Dios le dijera a Caín: «¿Por qué estás tan enojado? ¿Por qué andas cabizbajo?»[1]. Le daba nombre al rostro de Caín y le daba una oportunidad de llevar ese rostro a su Autor. Caín se negó. ¿Me negaría yo?

Nos llevaron a Becky y a mí hasta un pequeño cuarto, una celda, con una gruesa puerta de metal que incluía una pequeña abertura en forma de rectángulo para mirar adentro. Vi el rostro de mi hija que se volvía hacia la abertura, y sus ojos estaban húmedos por las lágrimas y denotaban temor. La puerta se abrió y entré. Ella no se levantó, pero miró mi rostro. No sé lo que vio, pero saltó a mis brazos y comenzó a llorar. Se convirtió en una niña pequeña, con las lágrimas corriéndole por el rostro.

El policía preparó la cámara para tomarle la foto y la tinta para tomarle las huellas digitales. Leyó en voz alta los cargos contra mi hija y luego la puso en libertad bajo nuestra custodia. Amanda transportó una botella abierta de vodka en el maletero del auto y la descubrieron en los terrenos de la escuela. Estaba en un gran problema. En cuanto nos enteramos del primer detalle del delito, sentí que mi esposa se ponía rígida y a mi hija tensa. El primer golpe dio bien duro. Para elevar el rostro de nuestro hijo, debemos estar dispuestos a escuchar el dolor y la acusación. Veía en el rostro de Amanda la expectativa de preguntas, incriminación y ataque.

Las preguntas de mi esposa se mezclaban con la demanda de detalles y la ansiedad de la vergüenza. Me volví a ella y estaba temblando de dolor y furia. Puse mis manos en su rostro y le dije: «Ahora se trata de si bien creemos en el evangelio o lo rechazamos. Vivimos en la gracia o escogemos el juicio». Junté en un abrazo a mi esposa y a mi hija, y por un breve momento se le entregó el dolor a Dios. La oración nunca está terminada. Sin duda, nunca está completa cuando solo elevamos y escuchamos. Entonces se nos invita a reflexionar en lo que escuchamos.

Reflexionemos en las palabras

La oración es masticar los pensamientos delante de Dios. Al igual que una vaca sigue masticando el bolo alimenticio, así nosotros debemos masticar las palabras y la Palabra de Dios. Meditar quiere decir reflexionar. Debemos dejar que los pensamientos giren alrededor de nosotros y dentro de nosotros. Uno solo necesita considerar el hábito destructivo de preocuparse, que es la falsificación de la reflexión, a fin de obtener una vislumbre de lo que abarca la meditación.

Cuando nos preocupamos, estamos repitiendo. Volvemos al momento de la ofensa o de la preocupación, y luego alargamos el marco del tiempo y las circunstancias. Algunas veces volvemos a nuestra forma de pensar más allá del comienzo de este incidente particular. Entonces volvemos a la conversación o al acontecimiento y repetimos las frases, los delicados grados de diferencia y las expresiones faciales. Luego pensamos en lo que quisiéramos haber dicho o en lo que no hemos dicho. Culpamos. Explicamos. Después nos movemos al futuro y comenzamos a desenredar las implicaciones y las consecuencias. Comenzamos a ver los demás rostros que van a escuchar sobre esta interacción. Pronto el hecho se esparce a una comunidad y al efecto en nuestra reputación. Comenzamos a planear y a formar refutaciones y excusas. Al poco tiempo, el que se preocupa está paranoico y extenuado. Demasiado a menudo la preocupación nos guía a un comportamiento más complicado y menos racional.

La preocupación es una forma de reflexionar que ni levanta el rostro ni escucha el dolor. En contraste, la meditación es mantener un pensamiento, una imagen o una palabra en nuestras manos y darle vueltas una y otra vez para llevarla hasta la anchura, la longitud, la profundidad y la altura de la inmensidad de Dios en una sola faceta que es nuestro foco. Si aminoramos la marcha y miramos a una faceta y luego otra hasta que vemos un hecho a la luz de la eternidad, cada momento hablará una palabra que viene de Dios. No es ni magia ni misticismo; es solo ver. Dios ha manifestado su ser en todo el universo y ha marcado cada piedra, pétalo y rostro. Dios está tallado de forma maravillosa en cada situación y en especial en los rostros de nuestros hijos.

Todos los días mis hijos me hablan. A menudo los escucho como un tipo de padre financiero que decide si van a recibir un poco más de dinero o el auto esa tarde. Sin embargo, es diferente cuando los escucho y medito en sus palabras y rostros en oración. Solo lo puedo hacer si marco palabras para llevarles a Dios en oración. Solo lo puedo hacer al grado de que estudio a mis hijos como un libro de texto para leerse con Aquel que está más que dispuesto en ayudarme a interpretar a mis hijos. Solo lo puedo hacer si escribo las palabras en un pedazo de papel y las elevo en la filacteria del pensamiento a fin de obtener un sentido de lo que se está diciendo.

No existe criatura ni creación más digna de nuestra reflexión que nuestra familia. Tome notas. Mantenga un diario de oración. Haga referencias recíprocas de momentos y de conversaciones. Si estamos dispuestos a llevar a esos pequeños comilones miles de kilómetros al mes en nuestro automóvil para asistir a todas las lecciones, clubes y programas de deportes bajo el sol, ¿por qué al menos no usar algo del tiempo (quizá el que pasamos conduciendo) para considerar sus palabras como un don invaluable? A través del portal de las palabras de nuestros hijos y de sus rostros es que entramos a los atrios del Rey.

Acojamos el don con agrado

Volvamos por un momento a aquel lago en Montana. Mientras Andrew y yo remábamos hacia la costa, sabía que había visto a alguien caminar sobre el agua. Dios decidió que un pez parecido a un monstruo se fijara al anzuelo de un niñito para darle a ese niño el nombre de Dios. Aun más, al menos desde mi punto de vista, fue para arrastrar al padre de ese niño gritando y dando puntapiés hasta las lodosas profundidades de su corazón a fin de ver la gloriosa e irrefutable bondad de Dios. Mi hijo me dio el don de Dios.

Únase a mí en el presente, con los tres de pie afuera de la estación de policía. Mientras caminábamos hacia el automóvil que más temprano transportó la botella de vodka, mi hija me preguntó si podía conducir. La miré y le dije: «No, es tu automóvil y yo he tenido un día muy largo». Ella me miró y me dijo: «Yo también. Tú conduces». Me tiró las llaves y nos fuimos hablando de lo sucedido en el día de cada uno. Cuando llegamos a casa, miré a Amanda y le dije: «Este va a ser uno de los días más maravillosos o más terrible de tu vida. Es posible que estés castigada sin poder salir por varios meses, si no más, y la forma en que manejes la pérdida del privilegio, las consecuencias legales y la vergüenza es probable que determinen la clase de persona que llegues a ser. Te veo adentro». Su sonrisa y sus claros ojos me dieron el don de Dios.

Nuestros hijos nos crían hasta el grado en que estamos dispuestos a recibirlos como el don que Dios nos dio para madurarnos y ser como Él. No podemos llegar a ser esa persona hasta que recibamos a nuestros hijos de vuelta en el hogar. No podemos recibirlos en el hogar hasta que nosotros también no hayamos vuelto al hogar. Tan extraño como quizá parezca, al invitar a nuestros hijos a que regresen al hogar es que enfrentamos lo lejos que estamos de Dios. ¿Quién es el hijo pródigo en la historia de nuestra vida? ¿Y quien es en realidad el hermano mayor que se cree justo? Cuando llegamos a ser tanto el hijo pródigo como el hermano mayor, es que recibimos el llamado a nuestra actuación más seria y eterna en la crianza de nuestros hijos: la libertad de aceptar la gracia de Dios.

CAPÍTULO 11

Reciba bien la gracia en el hogar

Lo que debemos aceptar para llegar a ser buenos padres

La llamada telefónica no terminó muy bien. Un amigo que me hirió y que llamó para disculparse, me colgó el teléfono. Había hecho los arreglos para que un amigo mutuo participara en la conversación y sirviera de intermediario. Después de la llamada, ese amigo me dijo: «Todo lo que tenías que hacer era decirle que estaba perdonado y luego recibirlo bien en el hogar. En cambio, le pediste prueba de que no te iba a herir de nuevo y luego le diste un portazo en la cara».

Discutí con él. Repasé todo el daño que me había hecho y el daño que este amigo me podría hacer todavía. De manera amable y precisa, nuestro mutuo amigo dijo: «Tus preocupaciones son válidas y las seguridades que buscas tienen sentido. Aun así, no cambia el hecho de que le cerraste la puerta en la cara».

Hubo una pausa. El silencio entre los dos duró. Su voz era calmada y sincera: «Tómate unos días o el tiempo que necesites. Todavía sientes mucho dolor y traición. Siento no haberme dado cuenta del alcance del dolor, pero necesitas meditar en lo que tienes a la vista». Terminamos la conversación telefónica, y yo me sentí terrible, acusado, culpable y solo. La gracia esperaba; corrí hacia ella.

La gracia es una mujer que tiene un toque tierno y brazos fuertes, vigorosos. Es una guerrera que lucha por la rectitud. La gracia no es flexible ni frágil, tampoco es abrupta ni grosera, y en el momento de la recepción, su presencia es en extremo amable. Nos recibe, sin negociaciones ni inclinaciones de ponernos donde nos sintamos cómodos. En su lugar, toma control total de nuestro ser al poner sus brazos alrededor de nosotros, deleitada por nuestro regreso al hogar. Es imperativo obtener una imagen visual de la naturaleza de la gracia. La imagen más paternal de Dios que sirve como una figura de la gracia se encuentra en el relato de los dos hermanos, a menudo llamada la historia del hijo pródigo.

> Cuando todavía estaba lejos, el padre lo vio acercarse y, lleno de compasión, corrió, lo abrazó y lo besó. «Padre, he pecado contra el cielo y contra ti», dijo el joven. «Ya no soy digno de que me llames hijo...» «¡Pronto!», lo interrumpió el padre, dirigiéndose a sus esclavos. «Traigan la mejor ropa que encuentren y póngansela. Y denle también un anillo y zapatos. Y maten el becerro más gordo. ¡Tenemos que celebrar esto!...»
>
> Mientras tanto, el hijo mayor, que había estado trabajando, regresó a la casa y oyó la música y las danzas, y preguntó a uno de los esclavos qué estaba pasando. «Tu hermano ha regresado», le dijo, «y tu padre mandó matar el becerro más gordo y ha organizado una gran fiesta para celebrar que regresó bueno y sano». El hermano mayor se enojó tanto que se negó a entrar. El padre tuvo que salir a suplicarle que entrara, pero él respondió: «Todos estos años he trabajado sin descanso para ti y jamás me he negado a hacer lo que has pedido. Sin embargo, nunca me has dado ni un cabrito para que me lo coma con mis amigos. En cambio, cuando este

> otro regresa después de gastar tu dinero con mujeres por ahí, matas el becerro más gordo para celebrarlo».
>
> «Mira, hijo», le respondió el padre, tú siempre estás conmigo y todo lo que tengo es tuyo. Pero tu hermano estaba muerto y ha revivido, estaba perdido y apareció. ¡Eso hay que celebrarlo!»[1].

Este pasaje nos invita a ver que la gracia llevó a cabo tres funciones que todos necesitamos con desesperación. La gracia espera, corre y celebra.

La gracia espera

Esperar es una de las tareas más exigentes de la vida. A la mayoría de nosotros nos provoca irritación o enojo. No hay nada como estar parado en una larga fila cuando un empleado distraído y lento pasa un artículo detrás del otro por el escáner de la caja registradora. No hay nada que hacer sino esperar, pero pocos esperamos con paciencia y expectación. En su lugar, el ser humano promedio espera con una pasión ardiente de comprar la tienda a fin de despedir al relamido y torpe adolescente. Con Dios no es así.

Dios espera por los dos hijos descritos en la historia de Jesús. Dios espera por el pródigo, esperando sin razón alguna, que tal vez su hijo vuelva hoy. ¿Fue por casualidad que el padre de la historia vio a su hijo cuando venía de lejos o estaba allí mirando? La posibilidad de que estuviera mirando implica que su corazón estaba dispuesto a aguardar con esperanza, a pesar de la alta probabilidad de que su hijo estuviera perdido para siempre. Es casi patológico, el padre que no se rinda, que no admita la realidad y que no la supere.

Vemos la misma disponibilidad de esperar por el hermano mayor. Comenzó la fiesta. Se corta el asado, abunda el buen vino, la música y el baile están en todo su apogeo. Sin embargo, nadie fue al campo a invitar al hermano mayor para que abandonara sus labores y se uniera a las festividades. El padre no mandó a uno de los siervos a buscar al hijo mayor. Si lo hubiera hecho, las normas culturales de aquel entonces hubieran requerido que el hijo se uniera a la fiesta. Uno simplemente no se negaría a las órdenes del patriarca. No obstante, el padre espera para permitir que crezca el pecado, que ruja la tormenta, cuando el hermano mayor vuelve a la casa sin que lo llamaran y escucha el gozo del corazón del padre por el regreso del pródigo.

Es imperativo pensar sobre este punto. Dios espera que el pecado regrese al hogar. Permite que el pecado crezca al punto en que se puede enfrentar y se comprenden sus costos. Demasiados padres son impacientes en exceso para alejar la tontería de sus hijos. Aunque un padre sabio espera. No apura el proceso de exponer el pecado, tampoco toma medidas extremas para rescatar a su hijo de su insensatez. En su lugar, espera. No endurece su corazón ni se niega a mirar hacia el horizonte cada día por si ve regresar a su hijo perdido, ya sea el pródigo o el que se cree bueno. El padre sabio espera.

La gracia corre

El padre ve venir al hijo menor, todavía lejos, y emprende una carrera de gozo. No hay nada decoroso ni majestuoso en esto. En esa época, un padre típico no se hubiera humillado dándole la bienvenida al hogar a un hijo que había caído de la gracia. Hubiera esperado que el indecoroso hijo cayera a sus pies y mendigara el perdón. Si el hijo tenía éxito en ganarse la misericordia, la compasión de su padre, esperaría, en el mejor de los casos, que le dieran el lugar de un siervo. Esto es lo que el hijo pródigo tenía en mente cuando se vio mendigándole a su padre: «Tómame como a uno de tus jornaleros»[2]. El hijo que había regresado sería entonces como un siervo contratado que permanecería en esa posición hasta que hubiera pagado la deuda que debía. Puesto que el hijo ya había recibido la mitad de la fortuna de su padre, pagar esa deuda hubiera significado una vida entera de servidumbre.

Sin embargo, lo que sucedió fue justo lo opuesto. El padre que esperaba se levantó la túnica con las manos y corrió hacia su hijo. En aquellos días, levantar la túnica lo suficiente alto como para emprender tal carrera de amor, le hubiera acarreado al hombre el ridículo y la desaprobación de su comunidad. Un hombre nunca mostraba sus piernas en público a menos que estuviera en medio de la guerra. Entonces y solo entonces, podía «ceñir sus lomos» sin temor o vergüenza. Sin embargo, al padre no le importó si alguno se burlaba de él. Su hijo, a quien temía muerto, ¡estaba vivo! Las personas que conocen el gozo no pueden estar quietas. Corren, saltan, dan volteretas. Corren como si estuvieran en una carrera y bailan.

Con todo, fíjese en el contraste en el movimiento del padre hacia el hermano mayor, el que nunca se había ido del hogar. Con el pecado osado del hijo menor (vivir con desenfreno), uno debe esperar que el pecador vuelva y luego correr a encontrarlo. Con el pecado sutil del hijo mayor (desenfreno de creerse bueno, farisaico), uno debe esperar por el pecador y luego caminar hacia él. La respuesta del padre al hijo mayor no es el abandono total del gozo ilimitado; es la firme y persistente persecución del verdadero criminal. Esta historia es sorprendente en sus giros, y solo es incidental en cuanto al pecador pródigo que volvió a sus cabales, musita una disculpa patética y a quien el padre acepta con fervor. La historia del corazón del padre es en realidad por el hijo *mayor* que se cree justo, que está cansado, enojado y lleno de orgullo. Es una historia sobre el corazón de nuestro Padre por usted y por mí.

Pocos de nosotros practicamos con regularidad los pecados tan descarados como el hijo pródigo. Mucho más a menudo trabajamos en los campos dejados atrás, extenuados, heridos, desilusionados y calladamente rebeldes y malagradecidos. Antes que avergonzarnos de forma abierta por nuestro pecado, resistimos los sonidos de la celebración que se producen debido al remordimiento de un pecador arrepentido. De la historia de

Lucas no podemos decir dónde desembocaron las emociones del hermano mayor; pero sabemos que lo consumía el resentimiento. Y sabemos que en el estado pecaminoso del hijo mayor, lo encontró el padre.

El diálogo es muy doloroso. El padre pide, invita y ruega. Se humilla y se expone al desprecio de su hijo mayor. Lo reprenden y, sin embargo, sigue tras este hombre que se cree bueno. La gracia ni presiona ni demanda. La gracia perdura. Espera con un movimiento que es respetuoso aunque inflexible. ¡Y todavía el hermano mayor escupe en el rostro de su padre!

No solo la gracia jamás se endurecerá contra una persona, sino que tampoco se negará a moverse hacia el pecador y abrazarlo cuando se presente la ocasión. Un hijo viene y el otro hijo se va, y el padre va tras los dos con un movimiento que es conmensurable con el corazón de la persona. Aun así, el padre no va a obligar al hijo mayor a pedir disculpas mediante el regaño, la vergüenza ni las demandas. En su lugar, invitará a su hijo a la fiesta y luego vuelve a celebrar.

La gracia celebra

Una fiesta es una cosa tonta. Es un espectáculo, un hecho que rara vez sale como lo esperábamos. Hay una lista de invitados. Como no puede invitar a todo el mundo, algunos conocidos se sienten heridos. Tiene que asignarles un asiento a los invitados, ¿pero lo hace en orden de prioridad o según la manera de ser de ellos? ¿Quién se va a sentar con el patriarca? ¿Quién se va a sentar al final de la mesa? Un asunto de unos pocos centímetros, a veces determina alianzas y destinos políticos. También debe considerar la comida y la bebida. ¿Casual y simple, o elaborada y cara? ¿Trocitos de pechuga de pollo empanizados o carne a la chateaubriand? Y también hay que considerar el asunto de la vestimenta apropiada. Nunca, ni aunque su vida dependiera de ello, le crea a una persona que le dice: «Usa ropa informal». La vestimenta, sobre todas las cosas, es importante. Mientras más significado tenga un acontecimiento, más difícil se vuelve la actividad. Las fiestas implican mucho trabajo y maniobras sociales a cambio de unos pocos bocadillos y breves intercambios agudos.

Si no hubo ninguna pelea, y si no se dejaron caer muchos platos, la fiesta fue todo un éxito. Si el anfitrión y la anfitriona se pueden sentar y estar tranquilos por solo un momento, la fiesta fue un éxito rotundo. Muchas personas se sienten muy felices si no asisten, o si asisten y se van sin que se note su partida. Una fiesta es un gran asunto, y sabemos que los grandes asuntos tienen un precio alto para lo poco que devengan. Hay mucho más que puede salir mal de lo que puede salir bien.

Todo esto se ajusta a la fiesta que dio este gozoso padre. Piense en los invitados. Serían la misma gente, familiares y amigos los que en algún momento deben haber pensado que el padre era un tonto para dar la mitad de su fortuna y aun ahora mucho más al correr por el camino con su túnica volando al viento. ¡Debe estar loco para comportarse de esta manera! Sin embargo, él todavía es un rico y muy poderoso propietario de tierras. No es sabio rechazar la comida y la bebida de un hombre rico, en especial uno con tanta inestabilidad mental. ¿Y por qué no asistir? Podría ser algo emocionante. Quizá el hijo mayor salga de su dormitorio, ebrio y con una espada en la mano. Tal vez lo mejor de la viña del padre se use este alocado día. La mayoría asistiríamos solo para ver el espectáculo.

No obstante, la cosa que hace de esta una fiesta de proporciones asombrosas es el gozo del padre. No es una celebración de brillantes logros terrenales; es solo la celebración de la vida. El hijo estaba muerto y ahora está vivo. ¿Se arrepintió en realidad? Para el presente inmediato, ¿a quién le importa? Todo lo que importa es el regreso del hijo. Mañana comenzaremos a contar el precio.

Es difícil aceptar la gracia por nuestros propios pecados y es casi imposible que la acepten los que están heridos por el pecador arrepentido que es el motivo de la celebración. Al principio de mi andar espiritual, amaba al hijo pródigo, me maravillaba del padre y despreciaba al hermano mayor. Ahora encuentro que estoy irritado con el padre, menosprecio al pródigo y me siento inclinado hacia el hermano mayor que se lleva los palos en un solo día. La gracia no es razonable, pero provee una historia muy buena. Toca algo en cada corazón, pero es poco práctica, hasta escandalosa. La fiesta de Dios es peor que una de esas llamativas, inexorables y derrochadoras bodas británicas que vemos en la televisión más o menos cada década. La fiesta de Dios no es ni más ni menos que una celebración de la vida; es el espectáculo magnífico de la resurrección. Entonces, ¿de qué manera vivimos eso en lo que respecta a nuestros hijos?

Henri Nouwen, en su libro titulado *El regreso del hijo pródigo*, uno de los mejores libros del siglo veinte, nos invita a que veamos que vivimos en la tensión de *ambos* personajes: el hijo pródigo y el hermano mayor. Con mucha facilidad nos vamos a los extremos, maltratando la bondad de la misericordia y la ternura (como en el caso del pródigo), y los requisitos de la fuerza y la justicia (como en el caso del hermano mayor). El coqueteo con la misericordia puede llevar a pasar por alto el fracaso, cayendo, a través de los excesos sensuales, en la indulgencia y el libertinaje, la tolerancia y la lujuria. Con el otro extremo, la fuerza que crea como es debido el orden y la estructura, se puede tensar demasiado en la severidad atada a la ley que ahoga la gratitud y el gozo. La sujeción unilateral a la justicia produce el resentimiento del hermano mayor.

Tenemos el llamado a ser padres que les den la bienvenida al hogar a los hijos que regresan después de haber cometido excesos. Nuestro llamado también incluye buscar a nuestros hijos en el hogar cuando se esconden detrás de sus celos y de creerse que son buenos. Sin embargo, no podemos darle la bienvenida ni ir detrás del ofensor, ni del ofensor ofendido, hasta que no sepamos lo que significa que Dios nos busque de manera personal. Correremos al pródigo y caminaremos hacia el hermano mayor solo si hemos experimentado esa clase de persecución por el Dios que es nuestro Padre perfecto; el equilibrio divino de la misericordia y la fuerza. Somos el pródigo *y* el hermano mayor, y si aceptamos la verdad de que somos los dos, tal vez escuchemos a Dios cuando nos invite a unirnos a la fiesta[3]. Entonces, y solo entonces, llegaremos a ser la clase de padres que fuimos creados para ser.

El padre pródigo

Yo soy un pródigo. Mis deseos son tan difusos, contradictorios, sombríos y sin fin como es mi aliento de mañana. Aun así, el motivo de mis deseos es tan universal como todo el deseo: Quiero el Edén. Quiero un mundo, una vida (esposa, hijos, casa, barco velero, trabajo, amigos, dinero) que me saque de este valle de sufrimiento y me sumerja en las glorias de una eternidad placentera. Quiero a Dios. Con todo, lo que sucede es que no quiero al Dios de la Biblia que parece estar inactivo a través de mi cautividad y sin ningún gran apuro para terminar este día de problemas y comenzar un nuevo día.

Debemos confesar el pecado de nuestro profundo y envanecido compromiso de estar en el centro del universo. Una cosa es asentir con la cabeza a este hecho; es una realidad diferente por completo confesar que no podemos asistir a un recital de piano, un partido de fútbol, una conferencia de padres y maestros o un culto de la iglesia sin que el repugnante olor de nuestro egoísmo sea la primera presencia que entra al espacio. Esta no es una idea popular de afirmar el valor de una persona. No solo no es linda, es horrible.

No puedo ver a su hijo anotar un tanto en el partido de lacrosse y regocijarme de verdad cuando su equipo le ha hecho a mi hijo, el arquero, dos goles. Estoy enojado con el defensa que no bloqueó al atacante y con el entrenador que no parece gritar lo bastante fuerte. A decir verdad, no me entusiasma mucho un sistema escolar que dice que lacrosse es un deporte que se juega en los clubes y que no es un equipo apoyado por la secundaria, con el resultado de que a los jugadores de lacrosse se les niegan más entrenadores, equipos para el juego y entrenamiento. Cuando llega al fondo de esto, estoy molesto con la familia de mi esposa por no agregar más genes atléticos al fondo de genes de mis hijos.

Soy mezquino. Pierdo los estribos con facilidad. Soy una víctima, uno que culpa a los demás, alguien que nunca hace todo bien y que no le gusta ver lo que hay dentro de mí. En su lugar, prefiero gritarle al árbitro, hablo de lleno con uno de los otros padres, tomo un perro caliente y un refresco (mientras en secreto quiero algo más fuerte), y luego me voy a mirar televisión y olvidarme de todo por el tiempo suficiente como para cansarme y luego dormir el resto de la muerte.

Tengo que luchar con el hecho de que me gustaría tener un padre que me permitiera un tiempo de libertinaje e indulgencia. En el corazón de cada pecador ronda una urgencia de escaparse y salirse de donde existen las reglas. En ocasiones, hacemos eso gritando demasiado fuerte en los eventos deportivos o hablando de forma solapada de nuestro aburrido pastor o comiéndonos otro perro caliente. Hay un sinnúmero de formas en que complacemos nuestros deseos pecaminosos sin que nadie se dé cuenta. Sin embargo, hay veces cuando nuestras legiones de indulgencias «inofensivas» nos llevan al final a crímenes más públicos.

He hablado con innumerables hombres y mujeres que se cubren el rostro con las manos y confiesan una relación ilícita, episodios de mirar pornografía en la Internet, un enredo emocional no apropiado, crímenes en los negocios y otros pecados. Comienzan a contar el precio de las pequeñas decisiones que hicieron a lo largo del camino. A menudo, los efectos dañinos que una elección pródiga tiene en un cónyuge, en un trabajo o en los amigos, aumenta en forma rápida y arrolladora. Solo más tarde es que los hijos aparecen en el cuadro con ojos sorprendidos y expresiones de incredulidad. Hablé con un hombre que por varias horas había estado luchando con su relación extramarital cuando le pregunté: «¿Qué va a decirles a sus hijos?». Su rostro perdió el color y él tartamudeó cuando me dijo: «Nunca pensé en eso. Nunca pensé que les tendría que decir esto a mis hijos».

¿Se debe a que los hijos son tan poco importantes? Es todo lo opuesto. Nuestros hijos son el vivo retrato de nuestros mejores y peores momentos en la tierra. Son los que nos ponen nombres más de lo que nosotros les ponemos a ellos. Tal poder inocente debería hacernos detener en seco.

Reconocer el hecho de que somos padres pródigos es clamar, junto al apóstol Pablo, estas tres grandes preguntas:

> ¡Soy un pobre miserable! ¿Quién me librará de este cuerpo mortal?[4]

> ¿Dónde está, oh muerte, tu aguijón?[5]

> Porque para Dios nosotros somos el aroma de Cristo [...] ¿Y quién es competente para semejante tarea?[6]

Soy un desastre, y el desastre que soy se ha redimido. Entonces, ¿cómo vivo en medio de esos dos mundos (desastre y desastre redimido) como padre? En todo momento, nuestra función de padres involucra tres actitudes centrales hacia nuestros hijos.

Ah, padre miserable

No hay nada que mi hijo o hijas harían que yo no haya hecho o que no sea capaz de hacer si se me presenta la oportunidad, junto a la garantía de que no me descubran. Otra manera de decir esto: Todo el pecado es común y posible para toda la humanidad[7]. Por lo tanto, no se nos permite el lujo de escandalizarnos ni consternarnos por la egoísta e indulgente idolatría de nuestros hijos. Sale de la semilla de su padre y madre. Además, no se nos permite juzgarlo y nosotros ya se nos ha juzgado como culpables por igual. ¿Y qué hacemos con nuestro propio fracaso? Es la pregunta central que determinará cómo criamos a nuestros hijos. Si consentimos el pecado y abrigamos un corazón de condenación personal por nuestro propio pecado, permitiremos que la suciedad de nuestro aborrecimiento por nosotros mismos pase a nuestros hijos. Por otro lado, si descansamos en el abrazo del perdón de Dios por nuestros pecados, estaremos más dispuestos a extender la bondad de la misericordia de Dios a nuestros hijos.

La muerte está muerta

Nada de lo que mi hijo o mis hijas hagan es capaz de alterar el plan y la pasión de Dios. Por último, no hay errores en la vida. Hay pecado y fracasos, por cierto, pero no errores. Y todo lo que está anotado en el texto de la vida de uno no está, a fin de cuentas, escrito por un Dios misericordioso. El embarazo ilegítimo no descarrila su historia. El colapso o el nacimiento de nuestros sueños, la bondad y la fidelidad de los que amamos, son la escritura de nuestro genial Dios. La muerte está muerta. Por lo tanto, puedo mirar a la vida temporal con la visión, que se ha invertido, de la eternidad. Tal vez no sepa cómo va a terminar, pero sé el final. Y el final es bueno. Por eso, la terminación de mis días de criar a mis hijos tendrá el buen final de la venida de Dios. Con tales buenas noticias, no solo logro vivir con la humildad de mi estado miserable, sino que vivo en el descanso confiado de su regreso.

¿Quién es competente para la tarea?

Ya dijimos que los padres tienen el llamado de reflejar el carácter de Dios en las vidas de sus hijos. También vimos que no importa lo que hagamos como padres, el fracaso está garantizado. Entonces, ¿quién es competente para la tarea que Dios nos ha dado? Ni yo, ni usted tampoco, a pesar de cualquier transformación de la vida o cambio de corazón. Sin embargo, Dios puede usar la humildad de nuestra confesión de condición de pródigos para acercar a nuestros hijos al deseo que es el más profundo deseo en todo corazón: el hambre de conocer a Dios. Puede usar nuestro enojo pródigo que exige salirnos con la nuestra para revelarnos que deseamos desde lo más profundo su voluntad y no la nuestra. Las preguntas centrales: «¿Me aman?» y «¿Me puedo salir con la mía?», son tan ineludibles para nosotros como lo son para nuestros hijos. Si solo entramos en la tensión que llega por vivir entre esas dos preguntas, invitamos a nuestros hijos a luchar con el único Padre que es perfecto y que es capaz de responder a la perfección las dos preguntas centrales.

Cuando Amanda era pequeña, le preguntó a mi esposa: «Mamá, ¿siempre fuiste tan inteligente o sucedió después que me tuviste a mí?» Fue algo muy dulce y, como era de esperar, presuntuoso (para una niña pequeña). Recuerdo que mi esposa tomó el rostro de Amanda entre sus manos y rió con placer. «Querida, tú solo me has enseñado a criarte. Por cierto, que después de decirme lo maravillosa que soy, por lo general me pides otro helado. Gracias por ser tan amable, y no, no puedes comer más helado».

¿Eres amado? Te queremos mucho y nos deleitamos en ti (al menos casi siempre). ¿Te puedes salir con la tuya? No, no como una regla invariable, una demanda o un derecho. ¿Quién puede contestar esas preguntas sin tacha, en forma consecuente sin violar la una cuando la otra toma más prominencia? Ninguno de nosotros es capaz de hacerlo; solo Dios lo puede hacer. Sin embargo, aun nuestros torpes esfuerzos de hacerlo traen un sabor de Dios a nuestros hijos. A decir verdad, somos el aroma de Aquel que redime nuestra calidad de pródigo.

El padre que es como el hermano mayor

Si soy el padre pródigo, sin lugar a dudas también soy el obediente y cumplidor hermano mayor. El hermano mayor trabaja muy duro, obedece las reglas y pide poco o nada a cambio.

Guarda resentimiento hacia los que triunfan y un presumido desdén hacia quienes no son tan afortunados. Si es difícil verse como el pródigo, es casi imposible enfrentar la enfermedad de creernos justos.

Tal vez la voz del hermano mayor resuena más alto en la mayoría de nosotros cuando nos escuchamos decir: «¡Es tan injusto! Después de todo lo que he hecho por ti, ¿y ahora me tratas así?». No solo sentimos esto hacia nuestros hijos, sino también hacia nuestra iglesia, nuestro cónyuge, nuestro jefe, nuestros amigos y aun hacia nuestros enemigos. «¿Cómo me puedes hacer esto cuando no te hice nada? ¿Cómo puedes decir cosas tan terribles cuando ni siquiera sabes mi lado de la historia?»

Al hermano mayor lo consume la demanda por paridad y la igualdad siempre se mide en términos de una cuenta. Contamos cuántos becerros gordos le dieron al hermano menor comparado con la cantidad de carne que mis amigos y yo hemos disfrutado. Usted ha tenido cinco y yo ninguno. Mi clamor se eleva al cielo: «¡No es justo!».

Y Dios está de acuerdo. Una de las parábolas más inquietantes de todas es la del dueño de la viña que un día temprano contrata a un grupo de labradores por un salario determinado[8]. A medida que el día progresa, se contratan cada vez más transeúntes para trabajar en la viña. Los hacendosos y sabios vinieron temprano. Mientras tanto, los que habían estado tomando y parrandeando dormirían hasta tarde y luego saldrían de la cama para trabajar unas pocas horas antes de volver a los antros de su iniquidad. Entonces, se debe hacer el trabajo, así que se contratan a estos holgazanes.

Luego llega el momento en que les pagan sus salarios y, de manera increíble, todos los que trabajaron en la viña reciben el *mismo* salario. Los hacendosos muchachos que trabajaron todo el día bajo el calor del sol gritan enojados: «¡No es justo!». Y Dios responde, en esencia, con esta pregunta penetrante de fácil respuesta: «¿Me odias por mi gracia?»[9]. La respuesta sincera de todos los hermanos mayores que se creen buenos es: ¡Sí! La afirmación del evangelio no es justa; es un escándalo. Y Dios está de acuerdo. Es más, lo que sería justo, aun para los pecadores más concienzudos y trabajadores sería que no les pagaran. O, en forma más precisa, lo que es justo para *todos* es el tormento sin fin del juicio. En cambio se nos paga gracia de acuerdo a la medida que desea dar Dios, no de lo que se nos debe de forma legítima.

¿Cómo la gracia puede ser sublime? La gracia quiere bailar, beber y comer. Quiere saltar en la incomparable colección de himnos de gratitud. Y quiere darnos su placer. Es el clamor del Padre: «Todo lo que tengo es tuyo»[10]. Somos el enojado hermano mayor, nos quejamos de haber «trabajado como esclavos», con obediencia, todos estos años. Y recibimos esta acusación de nuestro Padre: «Has fallado en humillarte al pedirme que compartiera lo que ya te he dado».

Este malhumorado y obediente padre como el hijo mayor sirve para que le amen sin amar para servir. Este es cada padre que trabaja para proveer para su familia sin proveerles su amor. Es cada madre que alimenta a sus hijos con comidas saludables sin proveerles un corazón para alimentar sus espíritus. Es un asunto muy difícil. Los padres como el hijo mayor trabajan como esclavos y sufren viviendo de acuerdo a las reglas y esperando que sus hijos hagan lo mismo. Esperan que sus hijos sean buenos cristianos y buenos ejemplos para los demás. En el mundo del padre como el hijo mayor, ser bueno quiere decir «hacer las cosas bien» y luego esperar una recompensa por producir todas estas cosas buenas. Es el estilo de criar a los hijos del fariseo que dice: «Estoy tan contento de no ser como este repugnante y vil ex recolector de impuestos. En cambio, gracias Dios, que diezmo, ayuno y voto por los candidatos que están contra el aborto»[11].

El padre como el hermano mayor cumple todos los requisitos de la cultura mucho más de lo que se espera. Asiste a todas las reuniones de padres y maestros, forma parte de muchos comités y dirige ministerios importantes en la iglesia. Se cansa de hacer cosas buenas y luego se resiente con el Padre por su amorosa misericordia. En Lucas 15, el hermano mayor se enfurruña y gasta sus energías con una bien ensayada letanía de cosas insignificantes. Cuando nos volvemos fríos y silenciosos y trabajamos en un segundo plano, lo hacemos con fuerza mala o venganza, no por el gozo del servicio. El resultado será extenuación y vacío que crecen dentro de la amargada y quebradiza caparazón del ser humano. No es de extrañarse que la mayoría de las personas prefirieran estar con el hermano menor pródigo. Sin embargo, gracias a Dios que cuando enfrentamos nuestras tendencias de padre como el hijo mayor, nos vuelven a invitar a la fiesta. No solo es el pródigo el que celebra. En realidad, el que más baila en la fiesta es casi siempre el que está allí por primera vez aun cuando pensó que había estado allí por años.

Yo soy un padre como el hijo mayor cuando cuento los días que faltan para que mis hijos se vayan del hogar, se gradúen de la universidad o consigan trabajo para que se mantengan a sí mismos. Soy un padre como el hijo mayor cuando les recuerdo lo que me costó su tratamiento de ortodoncia y les digo que el dinero no crece en los árboles. Y estoy en la cumbre de ser padre como el hijo mayor cuando doy por sentado que merezco algo mejor que lo que recibo después de haber hecho tanto por mis hijos.

Por muy difícil que sea regresar al hogar después de pecar, más lo es reconocer ante nuestros hijos que debemos abandonar el hogar para volver de nuevo al hogar. No quiero decir que debemos correr y lanzarnos a un período de prodigalidad despilfarradora. En su lugar, debemos confesar con humildad que nuestras críticas, nuestros juicios y demandas le causan dolor a Dios. Su gracia es escandalosa e injusta. Y abrazar esa gracia es sentir un fuego ardiendo en nuestro pecho que convertirá nuestra manera de criar a los hijos impulsada por el deber, en un juego.

Cómo llegar a ser un padre fantástico

¿Qué separa al padre pródigo y sin límites y al rígido padre estilo hermano mayor que se cree bueno, del fantástico padre que todos queremos ser? Es una cosa: el elemento del juego.

El padre fantástico que todo niño merece y que cada uno de nosotros procura ser, es un padre que *juega* con regularidad, siempre y con pasión. Juega con el sincero abandono de un pecador que va camino al cielo. Los padres fantásticos juegan en el placer de la gracia de Dios e invitan a sus hijos a la fiesta.

Una historia de redención paternal

Mi hijo tenía casi tres años cuando comenzó a esquiar. Nos habíamos mudado a la cuidad de Denver, y mi editor nos había regalado un pase para esquiar todo el invierno. Teníamos poco dinero, así que como diversión, íbamos a esquiar mucho. Becky, mi esposa, era el único miembro de la familia que sabía esquiar. Yo era muy tacaño como para tomar más de unas pocas lecciones, así que llevamos a toda la familia a las pistas de esquí y pensamos que nuestro aprendizaje sería accidental. Y así lo hicimos.

Compramos un equipo protector para Andrew y yo lo amarraba como a un caballo y luego usaba las riendas para guiarlo con seguridad colina abajo. Es lamentable, pero yo no sabía esquiar. Un día, se cayó sobre un pedazo de hielo. Cuando traté de detenerme, me resbalé en el mismo hielo y caí sobre su cuerpo que estaba de espaldas en la nieve. Él lloraba del dolor. Cuando lo levanté, me gritó en su media lengua algo como que le quitara el arnés. Creo que quería decir: «Quítame este arnés ahora mismo y déjame esquiar sin el temor de que tus esquís me golpeen de nuevo». Hice lo que me pidió. En unos pocos segundos, pasó de esquiar como si fuera un limpianieve, a esquiar con toda elegancia. Mi hijo tenía habilidades para esquiar.

Era muy hermoso observar su pequeña figura flotando hacia abajo en las pistas con intrépido aplomo. Nos sentíamos muy orgullosos de él. La gente nos gritaba desde los telesillas:

«¿Cuántos años tiene? ¡Es increíble!». Y así fue hasta que llegó a los seis años de edad, muchos inviernos más tarde, cuando tuvo la peor caída de su vida. Fue una caída que es posible que hubiera lisiado a una persona que midiera más de un metro y veinte centímetros de estatura. Su liviano y compacto cuerpo absorbió la caída, pero su siquis no salió ilesa. Desde ese momento, y hasta el final de la temporada, perdió el equilibrio, la confianza, la velocidad y la elegancia.

Cuando llegó la siguiente temporada, pensé que Andrew ni se acordaría de la caída. Estaba equivocado. Las primeras veces que esquió, lo hizo despacio y con torpeza. Ya había observado a muchos niños en las pistas de esquí que transformaban su temor en unos quejidos lastimosos. Al menos mis hijos sabían que no debían quejarse.

Llegamos a una pista de mediana inclinación cerca del pabellón donde se almorzaba. Nuestras hijas se adelantaron esquiando para reservar una mesa para almorzar. Becky, Andrew y yo estábamos en la parte de arriba de la pista. Él me pidió que lo llevara abajo. Entonces cayó al suelo y comenzó a llorar y a dar puntapiés. Yo estaba irritado y exigí que se pusiera de pie y esquiara pista abajo. El tono de mi voz se volvió más terso y enojado, y al final Becky sugirió que yo esquiara solo y que los esperara al pie de la colina. Obedecí de inmediato.

Esperé y observé a mi esposa persuadir a mi hijo para que se levantara. Yo sabía que Becky le hablaría con amabilidad y seguridad. Observé a las dos figuras por unos diez minutos y no hubo movimiento alguno. Me cansé y decidí que el enfoque suave de ella no daría resultado, sino que en realidad avivaba el fuego del temor de Andrew. Decidí comenzar la larga caminata cuesta arriba para arreglar la situación.

Si alguna vez trata de caminar hacia arriba, con sus botas de esquiar, en una cuesta con poca nieve y mucho hielo, muy pronto será obvio que sus esfuerzos no van a dar resultado. Avancé con trabajo al costado de la pista donde la nieve era más honda y había mejor tracción, pero mis pies se hundían cada vez más en la nieve. Me sentía extenuado. Como a mitad de camino, miré a las dos figuras arriba y les clavé la vista con enojo y esperanza. Quería que vieran mi rostro y que decidieran que era más seguro esquiar cuesta abajo que hacerme dar otro paso. No me miraron, así que luché para subir los últimos ciento cincuenta metros hasta la cima.

Me volví a colocar los esquís. Comencé a moverme hacia ellos y mi esposa con rapidez se paró delante de Andrew. Le dije, todo lo más fuerte que mis medio congelados pulmones me permitieron:

—Muévete a un lado. Tu método no dio resultado. Lo voy a bajar a mi modo.

Sin embargo, Becky no se movió. Mi esposa me miró con bondad y fortaleza. Cuando al fin llegué a su lado, movió la cabeza de lado a lado:

—No —me dijo. Hubo un momento de silencio, y añadió—: Sé que a ti te han avergonzado muchos hombres de los cuales tenías una opinión muy alta. Y sé que eso no es lo que le quieres hacer a tu hijo.

Eso era todo lo que tenía que decir. Una miríada de rostros me pasó por la mente y de nuevo sentí en carne viva la experiencia de la humillación y la vergüenza que me hicieron pasar hombres que tenía en muy alta estima. Silencié mi enojo y comencé a llorar. Mi esposa puso su mano en mi corazón y me dijo:

—Eres un buen hombre.

Ella se dio vuelta y en un movimiento fluido y lleno de gracia, bajó esquiando la empinada pista llena de hielo.

El destello de sus esquís y la belleza de su forma me hicieron seguirla con la mirada por un momento, pero entonces me di cuenta de que mi hijo estaba allí en la fría nieve y que estaba quieto por completo. Me deslicé hasta llegar a su lado y lo tomé en mis brazos, pasándolo sobre mis esquís hasta mi regazo. Estábamos equilibrándonos cuando le dije:

—Andrew, viste mi rostro cuando subía por la cuesta, ¿verdad?

—Sí —respondió con un estremecimiento.

—Y viste lo enojado que estaba, ¿no es verdad?

—Sííí.

—Y tuviste miedo, ¿no es así?

—Sí, sííí.

—Y sabes que te hubiera hecho pagar si mamá no hubiera sido tan fuerte y amorosa, y se interpusiera en mi camino para protegerte.

A esta altura los ojos le brillaban con las lágrimas y las mejillas le temblaban de miedo. Lo miré, puse mis manos en sus mejillas y le dije:

—Andrew, yo estaba equivocado. Mamá me ama mucho y a ti también te ama mucho. Ella me invitó a ver que yo había llegado a ser lo que no quería ser. Andrew, siento mucho haber estado tan enojado. Por favor, perdóname.

El regalo que mi hijo me dio es incalculable. Puso su mano sobre mi corazón tal como vio hacer a mi esposa y me dijo con lágrimas en los ojos:

—Papá, mamá tiene razón, tú eres un buen hombre.

No me puedo imaginar un honor mayor. Recibir un premio por heroísmo y sacrificio personal debe ser maravilloso. Sin embargo, ¿qué debe hacer uno con un premio que viene porque el pecado quedó al descubierto, llegó la convicción y el hermano mayor pródigo volvió a los brazos del padre?

Nada. Absolutamente nada. Lo único que puede hacer es descansar en los brazos de su hijo. Andrew me había perdonado y me había bendecido. Había asumido el papel del padre lleno de gracia. El hijo se convierte en el padre del hombre. El hombre se convierte en un hijo del padre a medida que enfrenta su fracaso para ser un buen padre para su hijo.

Ahora había llegado el momento de bajar la colina esquiando. Saqué a Andrew de mi regazo. Él todavía tenía mucho miedo. Comencé a evaluar la colina y le mostré lugares en los que la nieve comenzaba a formar pequeñas elevaciones. Hice planes para seguir un curso que él podía seguir para llegar salvo abajo. Él hizo una última tentativa rogándome:

—Por favor, papá, llévame sobre tu espalda.

—Andrew, ¿recuerdas cómo esquío yo? —le pregunté.

—Lo sé, papá —dijo el sonriendo—. No va a resultar. Es mejor que yo esquíe solo.

Él se dirigió al costado de la ladera y al fin comenzó a esquiar. Pasó por el primer tramo de nieve, luego al segundo, usando la nieve más profunda para regular su descenso. Sin embargo, no pasó por las siguientes montañitas de polvo suave y comenzó a agarrar velocidad. Me pareció que tomó una decisión rápida y se deslizó al costado de la pista, donde la nieve era más profunda, pero los árboles estaban a escasos metros de allí. Cuando se metió en la nieve más profunda, cambió sus movimientos y comenzó a moverse con movimientos tipo pistón, arriba y abajo para navegar a través del polvo profundo. Parecía un esquiador profesional. Y yo no habría podido ser un padre más orgulloso.

Llegó al final de la pista, esquió hasta su madre y se abrazaron. Era una escena que parecía de un programa de televisión familiar. La ternura y fortaleza de mi esposa hizo renacer una nueva fuerza y ternura en mí. Miré la belleza de la cuesta, mi familia y el Dios que nos había salvado y protegido. Comencé a descender y tomé mi primera curva y luego la segunda. Con la tercera, mi cuerpo se fue hacia delante, mis manos volaron al costado, y por un breve y fantástico instante, volé. Al igual que un enorme pájaro sin alas, volé hasta que la gravedad ganó y caí con la cabeza y el pecho hacia delante. Volé en el aire dando una vuelta de carnero torpe y luego aterricé de lado, con un aterrizaje experto de cabeza. Me quedé acostado en la nieve el tiempo suficiente para asegurarme de que todavía estaba vivo y que la mayor parte de mis miembros todavía se podían mover. Al final me puse de pie, subí a la colina para buscar uno de mis esquís y me deslicé como unos cincuenta metros a buscar el otro. Por último, llegué a la base para abrazar a mi hijo y a mi esposa con risas y lágrimas, y todos caímos al suelo extasiados.

Mi hijo rodeó con sus brazos mi cuerpo cubierto por completo de nieve y me dijo:

—Papá, nunca olvidaré lo que hiciste por mí. Este será un recuerdo para toda la vida.

Y lo ha sido. Es más, después de varias horas de haberle colgado el teléfono a mi amigo que llamó para disculparse, me transportaron de nuevo a la cima de la montaña. En las horas después de la llamada telefónica, caí en la desesperación de volver a contar cuántas relaciones se rompieron o mancharon por el pecado, mi pecado y el de otras personas. Fue como caminar a través de una galería de fracasos y recriminación. Pude ver el rostro de una mujer que había hecho el llamado de su vida destruirme. Vi el rostro cáustico de otro amigo que dijo que yo no era una persona apropiada para el ministerio.

Mientras más caminaba por el salón de la vergüenza, más veía que no había esperanza ni misericordia. Y entonces el Espíritu de creatividad y juego, de recuerdos y convicción, me trajo a la mente el momento en la fría e inhóspita montaña. Aquel día le fallé a mi hijo. Este día le fallé a mi amigo y recordé mis anteriores fracasos con muchos amigos. Y, sin embargo, puedo escuchar a Dios decir: «Tu hijo tiene razón. Tú eres un buen hombre. Regresa al hogar, hijo. Dale la bienvenida a la gracia. Ven a la fiesta y juega».

No existe un llamado mayor, no hay una tarea más gratificante ni que nos haga sentir más humildes que ser un padre que puede escuchar el llamado de Dios a través de la voz de sus hijos. Así que regrese al hogar de su Padre. Regrese al hogar con sus hijos y aprenda y juegue.

CAPÍTULO 12

La libertad de jugar

El supremo llamado de Dios para los padres

El trabajo serio del cielo es el juego.
C.S. LEWIS

Nosotros los padres podemos y *vamos* a fallar en casi todas las cosas que hagamos. Nuestro fracaso más serio, sin embargo, no es que no logremos cumplir ciertas expectativas. Nuestro fracaso más serio es algo que rara vez nos pasa por la mente: la negativa a jugar.

Jugar con nuestros hijos les da a ellos las habilidades, el carácter y el contexto para vivir el llamado que les ha hecho Dios. Esta es con mucho la herencia más importante, lo cual quiere decir que es insensible privar a un hijo de un padre que sea un compañero de juegos. A decir verdad, una de las razones más apremiantes para tener hijos es que vamos a tener alguien con quien jugar. Un buen amigo mío dijo una vez: «Tuve hijos para comprar los juguetes que siempre quise cuando *yo* era niño y no parecer egoísta al hacerlo».

Es triste que vivamos en una época plagada de insípidos programas de televisión, demasiados deportes profesionales y otras distracciones sin significado alguno, y que todavía sintamos que es egoísta que juguemos. El juego se mira como un pasatiempo *culpable*, una manera de perder tiempo cuando estamos demasiado quemados como para trabajar. Vivimos en una época de ensimismamiento, una época narcisista, pero todavía es una época de trabajo, no de juego; de ocupaciones, no de recreación; y de productividad, no de descanso. Para vivir contra lo que dicta nuestra cultura, como debemos hacer, el padre serio debe pasar la mayor parte de su tiempo jugando, ya sea que estemos en el trabajo, haciendo mandados, realizando reparaciones en el hogar o jugando al béisbol en el patio. La persona madura va a ver *todo* en la vida como una forma de juego: trabajo, adoración y crianza de los hijos.

Una breve teología del juego

Un punto de vista basado en la creencia de la Resurrección exige una visión de la vida que termine con una celebración, una fiesta de placer y deleite. Esto es una fiesta, no algún hecho sombrío. La celebración encuentra su lugar en todas las cosas de la vida, en los gozos de la relación sexual, en darle forma a un jarrón de arcilla y en la esfera difícil de guiar a un adolescente obstinado. Todo en la vida está diseñado para participar en la agonía de la muerte y en el gozo de la resurrección. Es el mapa de Dios para la vida, y todo en la vida se puede y debería realizar como un juego.

La creación, la caída y su venida

El alfa de la existencia es la creación, y la omega será la venida de Cristo y la re-creación de los cielos y la tierra, la desaparición del mal y la fiesta de bodas del Cordero y su novia, la Iglesia. El comienzo abarca la creatividad juguetona de Dios, y el fin es una fiesta cuyo anfitrión es Dios, en la cual comeremos, beberemos y celebraremos al menos por cien mil millones de años. ¿Y qué diremos del tiempo intermedio?

A la creación le siguió la caída, la cual dio entrada a un período muy sombrío. Esta es la vida que conocemos, la vida de dolor y pérdida. Como tal, parece ingenuo llamar al período entre la caída y la venida del reino de Dios un período de juego. ¿Cómo es posible que uno piense en el cuerpo deteriorado de un amigo con cáncer, o un divorcio amargo, o los inenarrables horrores tales como el Holocausto, las violaciones de inocentes en Armenia, la muerte de veinte millones de rusos durante las masacres de Stalin, con el mismo aliento que dice la palabra *juego*?

Tales horrores no son juego, tampoco es algo festivo, excepto para el lado de las tinieblas. Es guerra, pura y llana, para todos los que no son malvados. Sin embargo, el mal no es el dueño del principio, ni tampoco posee el final. Dios es el dueño. Y si nosotros creemos que Él es un Dios bueno y soberano, aun la parte más oscura de esta guerra en la vida es al final un preludio de un día de completo juego que será nuestro por toda la eternidad.

Es un acto de fe y un desafío al mal que veamos el día de hoy como una preparación para el juego eterno. No es ingenuo, sentimental ni tonto considerar toda la guerra de la vida como una forma de juego creativo, orientado hacia el descanso y que intensifica la pasión.

Si no es divertido, no es de Dios

Hablé con una terapeuta especializada en la esfera de la violencia doméstica. Trabaja con mujeres cuyos rostros están marcados por la violencia y la desesperación. A diario escucha historias de violación, asalto y vergüenza. Ella supervisa una clínica, enseña, defiende, ora y sufre por las mujeres víctimas de abuso. También trabaja con los perpetradores, tratándolos con sabiduría, gracia y esperanza. Cuando le hablé sobre mi trabajo en la esfera del abuso sexual, me dijo: «Somos muy privilegiados de que nos llamara a este trabajo. ¿No es divertido?».

Yo sabía con exactitud lo que quería decir. No hay nada en la vida que sea más divertido que destrozar el mal y hacer crecer el bien en su lugar. El juego entra en el caos y trae consigo el orden. Armado con estructura, herramientas, reglas, imaginación, proceso, teoría y tácticas, el juego enfrenta lo malo. Transforma la muerte en belleza: la belleza de ver un mal convertido en bien, de alcanzar la cima o de anotar el gol de la victoria para su equipo.

SI NO FRACASA, NO ES DE DIOS

Todo juego requiere que entremos con valentía a lo inesperado. Si no existiera la posibilidad del fracaso o el riesgo de un caos mayor, la tarea no exigiría nuestra participación. El juego requiere que corramos riesgos y que nos dispongamos a la posibilidad del sufrimiento.

Aunque, por supuesto, no todo es riesgo, fracaso y sufrimiento. Si no existiera la posibilidad del gozo comunal, el honor y la gloria, no valdría la pena todo este esfuerzo por el juego. Todo el mundo quiere ganar y a menudo ganamos. Es una causa para celebrar. Aun así, nos compenetramos de forma más profunda los unos con los otros cuando compartimos el camino de las derrotas, los fracasos y la humillación. Las historias de no ser el número uno son mucho más conmovedoras, cautivadoras y nos unen muchísimo más. Escuche a un grupo de maestros, madres o inclusive ávidos golfistas, y escuchará la idiosincrasia y el lenguaje común y los matices de las historias. Existe el intercambio de la información y de hablar tanto de los éxitos como las derrotas. Es la interacción entre la derrota y el éxito, el caos y el orden lo que atrae nuestra pasión.

Asimismo, cada vez que jugamos con nuestros hijos, los invitamos a que corran riesgos dentro de la seguridad provista por reglas sabias. Tenemos el llamado a guiarlos a correr riesgos razonables a fin de lograr un bien mayor.

El juego como un riesgo con reglas

Por muchos años he llevado a pequeños grupos de hombres a pescar a mosca para hablar de los asuntos importantes de la vida. En uno de esos viajes, llevé a mi hijo Andrew cuando tenía doce años de edad. Era el que nos alcanzaba todas las cosas que necesitábamos y luego, después que los otros hombres regresaban a su hogar, nosotros comenzaríamos las charlas sobre la educación sexual. Me sentía tan nervioso como un gato cuando preveía esas charlas sobre asuntos referentes a las relaciones sexuales. He enseñado sobre asuntos de intimidad física delante de diez mil personas con menos estrés de la que sentí mientras empacaba unos pocos libros y casetes para usar en nuestra primera conversación sobre dicho tema.

El viaje fue un éxito rotundo. A los hombres les encantó Andrew, y él fue de gran ayuda a muchos que nunca habían pescado a mosca. Andrew es paciente, amable y sabe pescar. El último día del viaje pescamos en un río cerca de Aspen, Colorado, que se llama Frying Pan. Es un río rápido y peligroso. Aquel día pesqué en muchos lugares diferentes, pero Andrew escogió un radio de unos cuarenta metros para pescar allí. Un hombre de nuestro grupo, que es experto en la pesca a mosca, le dio un nombre a ese lugar, en el que había muchas truchas color marrón, «El trono de Andrew».

El día había llegado a su fin y los hombres se preparaban para la hora prescrita de partida. En ese momento fue cuando Andrew me hizo señas que fuera al lugar en el que estaba. Me coloqué detrás de él esperando oír que observara mientras mi hijo tiraba sus últimas líneas. En cambio, hizo un gesto hacia el lugar y me dijo: «Péscalo tú, papá». Yo alargué mi línea y la tiré varias veces sin resultado. Entonces fue cuando la mosca cayó justo en la intersección de las rápidas aguas y el lugar sin movimiento donde se encontraban las truchas. Sin embargo, no pude pescar ni una y Andrew me dio unos golpecitos suaves en la espalda y me dijo: «Pensé que con seguridad ibas a pescar esa», me dijo confortándome. Los siguientes tiros de mi línea no fueron mejores. Estaba cansado y me quería ir, así que le hice señas a mi hijo que terminara de pescar por mí.

Él tiraba la línea en forma relajada y con precisión. Miré al grupo de hombres que observaban desde la orilla del río. Sus ojos estaban pegados en mi hijo. Andrew colocó la línea detrás de una enorme piedra. En su tercer intento, una trucha grande tragó la carnada. Andrew dejó que el pez descendiera y luego tiró para que el anzuelo entrara. Fue algo impecable y sin esfuerzo. El pez corrió hacia donde estábamos nosotros. Andrew dio unos pasos hacia atrás a medida que enrollaba la línea. Yo estaba a su derecha y él me ordenó que me saliera de allí. Su voz era directa y no tenía tonos ofensivos. Yo di tres pasos hacia atrás, y sin perder un segundo, Andrew me dijo: «No, papá. Quiero decir que salgas del agua. Este pescado se nos va a escapar». Me moví unos pocos pasos hacia mi derecha y salí del agua. Uno de los hombres puso su mano sobre mi hombro y me dijo: «Es un buen pescador y un buen muchacho. Y usted es un buen padre por haberse movido con tanta rapidez».

Andrew sacó la trucha de cuarenta centímetros ante el aplauso de todos los hombres. Fue muy agradable verlo poner la trucha en la red y levantarla para que los hombres la vieran. El grupo de hombres se fue de regreso a sus hogares, pero mi hijo y yo nos quedamos para pescar un poco más. Un día más tarde estábamos solos en las montañas y yo saqué el asunto de las relaciones sexuales como nuestro tema de conversación. Andrew se mostró tan entusiasmado como si le hubiera dicho que iba a pasar un día en la silla de su dentista.

La primera sesión duró una hora antes que nos tomáramos un descanso. Cuando reanudamos nuestra conversación, Andrew me preguntó: «¿Tienes que seguir hablando de la vagina y del pene?». Se refería a la charla completa sobre las relaciones sexuales y al uso continuo de esas dos palabras específicas. Le dije que estaba dispuesto a la posibilidad de usar otras palabras, pero que necesitaba saber qué términos quería que usara.

Jugábamos y el juego era muy serio. Él quería evitar el asunto por completo. Yo sabía que su futuro dependía hasta cierto punto de la manera en que tratara su sexualidad, lo cual incluía lo que hiciera con esta conversación. Las reglas eran simples:

Vamos a tener esta conversación y va a durar meses, incluso años. Vamos a hablar sobre los hechos referentes a las relaciones sexuales, el placer y el carácter de un hombre que tiene el llamado a dar su cuerpo a una mujer con fidelidad, para un propósito aun mayor que su placer o el placer de la mujer.

La manera en que entramos a este tema y la forma en que él lo enfoca (incluyendo el lenguaje, las preguntas o las preocupaciones que presenta), es su parte del juego. Yo le tiré la pelota y él la atrapó. Es este riesgo (el llamado a enfocar, crear y transformar) lo que le da energía a la vida.

Andrew guardó silencio por varios minutos. Al final le pregunté si pensaba que me iba a ir. Él sonrió y me dijo: «Esperaba que sí; pero creo que vamos a continuar con el tema de las relaciones sexuales, ¿no?». Asentí con la cabeza. Él me miró y me preguntó: «Bueno, ¿qué te parece cambiar la vagina y el pene por la trucha y la red?». Yo me quedé tan pasmado por la agudeza de su metáfora que solo lo miré.

Yo ya no era el adulto y Andrew el niño. Él se hizo cargo del campo de juego y decidió participar en el proceso. Le enseñé mucho sobre las relaciones sexuales. Él me enseñó aun más sobre el riesgo, el compromiso y la comunión.

Todo juego comienza con una estructura de reglas y procedimientos normativos sobre cómo se debe jugar. No obstante, una vez que comienza el juego, abriéndole la puerta al caos de la incertidumbre y la lucha, sucederá una nueva creación. Y sirve hasta que se tenga que derribar de nuevo y reconstruirse después a fin de que surja un bien aun mayor. El juego engendra un bien mayor. Y el fruto de la naturaleza juguetona es siempre invitar a otros a la generosa abundancia de la fiesta.

El juego como prodigalidad

El juego es pródigo, queriendo decir que es superabundante, sin límites. El hijo pródigo de la Biblia se fue del hogar con el fin de actuar sin los límites impuestos por la sociedad. En una tierra lejana, gastó el dinero de su padre en una vida licenciosa. Sin embargo, el padre que lo recibió de vuelta fue todavía más pródigo. Le salió al encuentro a su hijo arrepentido con gracia ilimitada, la cual derrochó en él con la bulliciosa frivolidad del amor[1]. Jugar es de igual modo excesivo. Inventa y multiplica las opciones y las posibilidades. Puede haber un número fijo de notas musicales y de compases de tiempo, pero hay un número ilimitado de combinaciones que producen una infinita variedad de melodías. Annie Dillard escribe:

> La naturaleza es, por sobre todas las cosas, derrochadora. No le crea a la gente cuando le dicen que la naturaleza es económica y frugal, cuyas hojas regresan a la tierra. ¿No sería más económico dejarlas en el árbol como opción? Ese efímero asunto es una estratagema radical, el invento de un maniático depresivo trastornado con capital ilimitado. ¡Extravagancia! La naturaleza probará cualquier cosa a la vez. Esto es lo que dice la señal de los insectos. No hay ninguna forma demasiado horrenda, ni hay ningún comportamiento demasiado grotesco. Si está trabajando con compuestos orgánicos, déjelos que se combinen. Si trabaja, si da vida, colóquelo enseguida en el césped; siempre hay lugar para uno más; usted no es tan buen mozo. Esta es una economía derrochadora; aunque nada se pierde, todo se gasta[2].

Parte del enorme riesgo de la vida es sus posibilidades ilimitadas. Si no juega al tenis, puede jugar lacrosse. Si no le gustan los deportes, puede jugar al ajedrez o tejer, o coleccionar estampillas de correo o darles de comer a los pobres, traducir la Biblia, hacer jardinería o nadar u orar. O puede hacer todo eso y todavía le puede gustar el béisbol. La vida (y todo el juego) es pródiga. Tratar de analizar las opciones le hace a uno dar vueltas la cabeza y el corazón. Aun así, debe elegir, y al hacer una elección hay un sendero que no se ha transitado y una ruta elegida que ahora lo limita mientras también se extiende a una nueva gama de elección. Los actos de elegir y luego de actuar basados en nuestra elección nos cambian.

No podemos jugar sin ser transformados, creados, perdidos y encontrados. La poetisa y escritora Dianne Ackerman escribe:

> Cualquiera que sea la forma de arte que uno elige, cualesquiera que sean los materiales y las ideas, el largo período creativo es el mismo. Uno siempre encuentra reglas, siempre una concentración tremenda, embeleso y exaltación, siempre la tensión de la espontaneidad encerrada por la restricción, siempre el riesgo del fracaso y la humillación, siempre el toque de tambor del ritual, siempre la disposición de que nos estremezcan hasta la médula, siempre la necesidad de manchar los sauces con una mirada[3].

Usted no puede tener hijos sin que lo transformen. No puede dejarlos jugar con su vida sin llegar a ser una persona del todo diferente, quien entonces procede a llegar a ser otra persona diferente por completo a medida que permite que sus hijos experimenten con usted. Cada día que se levanta y ayuda a sus hijos a vestirse, a desayunar y los envía afuera, entra en un ámbito de juego pródigo que es más serio que la vida misma.

El juego como el trabajo serio de la tierra

Es trágico que el juego se vea como el dominio de un niño y quizá aun más trágico sea que el juego de niños se redefiniera en términos adultos de competencia, logros y poder. Casi no podemos asistir a un evento deportivo de un hijo sin sentirnos enfermos por el lenguaje abusivo en el campo de juego y fuera de él, lenguaje por lo general usado por los adultos. Ganar no es lo único, pero es el dios de un entusiasmo no espiritual que satura todas las catedrales donde se realizan partidos, desde las Ligas

Menores hasta las Ligas Mayores. Nada tiene más seriedad para los estadounidenses que sus equipos deportivos; es un ídolo sagrado y el foco de su fanatismo.

Los estudios han revelado un promedio más alto de abuso a un cónyuge en ciudades donde se realiza un partido de fútbol americano profesional. Algunos aficionados, cuando pierde su equipo, manifiestan su disgusto en formas violentas extremas. Los árbitros de béisbol sienten el desdén de la cultura por la autoridad. Los entrenadores, por otro lado, son nuestros padres sumidos en la ignorancia. El equipo en sí es nuestro hermano y nuestra hermana. Sufrimos humillación y exaltación a la elevación y caída de su suerte (y por extensión, de nuestra suerte). El partido que acaba de jugarse, y el que viene, llegan a ser los escombros de nuestra conversación en el trabajo y el forraje de nuestras esperanzas y sueños.

Los deportes no solo son un asunto serio, sino también serias vías de escape para los aspectos ordinarios de la vida diaria. No vivimos en una época de ansiedad como las décadas de los años cincuenta y sesenta, ni tampoco en una de depresión como las décadas de los años setenta y ochenta, ni tampoco en la época del narcisismo de las décadas de los años ochenta y noventa. Hemos entrado a la era de la disociación. No queremos estar presentes en medio de la locura y división maligna de nuestros días. Estamos demasiado desesperados y abstraídos en nosotros mismos para hacer mucho en cuanto al terror y la incertidumbre de nuestra época. Es más fácil despojarnos de forma mental y emocional de todo lo que es incierto y desagradable. Nos agrupamos, escondemos e invernamos.

Y hacemos eso mejor cuando alguien sufre por nosotros. Es como si hubiéramos pasado el peligro de nuestros atletas profesionales a nuestros hijos que juegan fútbol. Ellos pueden, para nuestro beneficio, ponerse los uniformes y bajar al campo de juego para ver quién sale victorioso. Desde la seguridad de las gradas o aun desde nuestra sala de estar, podemos gritarles a ellos y gritar por ellos. Nos hemos convertido en un mundo de observadores, obteniendo gratificación cuando miramos jugar a otros. Y el observador disociado siempre se convierte en el crítico, proclamando la pericia de un experimentado jugador de defensa de sofá.

Esto es cierto tanto en los deportes como en la iglesia, el gobierno y las artes. Si todo lo que hacemos es observar, si nunca nos unimos al partido y nos arriesgamos a ensuciarnos, nos vamos a distanciar del juego y, con el tiempo, nos volveremos contra los que juegan. El juicio implacable, a menudo duro, frío y cruel, viene de los que se mantienen al margen y se niegan a entrar en el partido. Asimismo, los padres más fustigadores y críticos son los que se niegan a jugar con sus hijos.

Contraste esto con los padres que entran al combate, los que de forma temeraria se lanzan en lo más recio de la vida con sus hijos. Los que juegan conocen el honor de la participación sin importar el resultado. Agregar nuestra sangre y voz al proceso cambia el alma de la persona y el espíritu del acontecimiento, aun si el esfuerzo termina en un aparente fracaso.

La perspectiva del juego nos toca muy profundo a mi esposa y a mí. Ella y yo pasamos años ayudando a crear una escuela y luego la vimos derrumbarse. En aquel horrible e interminable momento, Becky me dijo: «Recuerda descansar. Así es la vida, y la vivimos una sola vez». La miré con sobresalto y asombro. ¿Cómo podía decir: «Así es la vida»? Aquí tiene cómo. Esta es la *única* vida que experimentamos en la tierra, y es una lástima malgastarla por no superar grandes obstáculos, enormes sufrimientos y cargas extenuantes. El mejor legado y herencia que les podemos dejar a nuestros hijos es esta participación completa, con todo nuestro ser, en la vida.

Tal vez recuerde la historia de mi hija Amanda, a la que pillaron transportando en la escuela una botella de alcohol en el maletero. Después de muchos meses de sufrir el castigo impuesto por sus padres de no poder salir, todavía tuvo que realizar servicios en la comunidad impuestos por el tribunal. Una de estas actividades la puso en contacto con un grupo de la comunidad que envía voluntarios a trabajar en varios orfanatos de Siberia. Amanda escuchó la historia de cómo cada adolescente estadounidense se ocupaba de un huérfano ruso por casi una semana. Durante esa semana el adolescente se une al huérfano jugando diferentes juegos, haciendo manualidades, jugando en los balancines y columpiándose en cuerdas. Sin embargo, mucho más importante que todos los juegos y actividades, y es algo que cambia la vida, es la semana de ofrecerle en forma concentrada a un niño huérfano el rostro y la atención de un adolescente que es todo suyo, y que no se comparte con ningún otro niño.

Amanda aprovechó esta oportunidad con entusiasmo. Había abandonado algunas relaciones problemáticas y también había dejado de asistir a ciertas actividades sociales. Una vida que ya no se mueve en una dirección puede disminuir la velocidad lo suficiente como para cambiar. Para algunos, tales cambios involucran darse la cabeza contra una pared. Sin embargo, una vez que la vida ha dejado de ir en cierta dirección, debe haber un giro y un aumento en la velocidad hacia otro destino. Durante los muchos meses en que Amanda disminuyó la velocidad (y una vez que se dio contra la pared), comenzó a escuchar con atención las cosas que le traían gozo y sufrimiento. Comenzó a escuchar los murmullos de un nuevo nombre que se le había dado; se movió en una nueva dirección y comenzó a jugar con nuevas posibilidades.

El viaje al orfanato de Siberia requeriría recaudar dos mil quinientos dólares. Tendría que aprender sobre la gente rusa y la singular lucha de los huérfanos. Tendría que dedicar tiempo a realizar lavados de automóviles, reuniones y a leer. Llegó el día y voló a Rusia nuestra querida, preciosa y pequeña presidiaria. Nos afligimos y nos preocupamos. Ella vivió y sirvió. Regresó al hogar convertida en una joven diferente. En la carta que les envió después de llegar a todos los que contribuyeron financieramente para su viaje, les dijo: «Nunca supe que el corazón pudiera doler tan hondo ni amar de forma tan plena».

Jugar no es un escape de las aflicciones de la realidad. En su lugar implica aceptar el resultado de toda la realidad. Hace lo mismo que el padre que con los brazos abiertos le dio la bienvenida a su hijo derrochador, sin hacerle ninguna pregunta. También hace eco de la aprobación de un dueño rico a los astutos miembros de su personal, como lo relató Jesús en una parábola: «¡Hiciste bien, siervo bueno y fiel! Has sido fiel en lo poco; te pondré a cargo de mucho más. ¡Ven a compartir la felicidad de tu señor!»[4]. Toda conversación y actividad debe ocupar su adecuado lugar en la mayor fiesta de la vida. No hay ningún regalo mejor que les podamos dar a nuestros hijos que una invitación y oportunidad de jugar.

Juegue con sus hijos

Aunque va más allá, jugar con sus hijos incluye tirar una pelota, jugar con muñecas o hacer hoyos en un cajón de arena. Incluye leer historias, mirar televisión, entrenar a un cachorrito, hacer mandados y desyerbar el jardín. Juega cuando se arriesga a entrar en lo desconocido, se sujeta a ciertas reglas, gasta energía y obtiene un sentido de satisfacción, aun en la derrota, de hacer crecer lo que es bueno y destruir lo que es malo.

Con todo, aclaremos una cosa: Jugar requiere más tiempo y demanda más participación que nuestro trabajo. El proceso de jugar bien juntos es más importante que la tarea o el resultado. Por esa razón, el trabajo es oneroso y aun así es eficiente, en tanto que el juego es divertido y pródigamente derrochador. Puede desyerbar un cantero de flores con más rapidez solo si involucra a un niño en el proceso. Uno puede andar en bicicleta con más rapidez e ir más lejos sin el impedimento de los niños. Una caminata va a producir más ejercicio físico cuando se realiza solo que si un niño lo acompaña y le hace preguntas sobre los árboles y las aves, y si vio la lagartija que se escondió en las piedras.

El juego es de una ineficiencia absurda. Es extravagante y derrochador, a menudo sin ninguna retribución en la inversión. Es por eso que debemos recordar la bendición del proceso y no buscar ningún resultado que se pueda medir del esfuerzo.

Tengo un peñasco en el que me siento cuando voy a cierto río una vez al año. Tal vez me siente allí unas dos o tres veces durante la semana que pesco en ese lugar, pero su presencia está inscrita en la palma de mi mano, su grandeza la tengo siempre en mente. Voy allí cuando necesito sentir correr el agua y que me limpie el alma de los despojos de mi alborotada y vanidosa vida. El juego nos da un campo, una caña de pescar favorita, un par de botas y un espacio, un espacio sagrado, para volver a entrar cuando nuestros días se hacen largos, fríos y extenuantes.

Si recuerdo mis propios lugares santos de juego, soy capaz de mirar hacia delante y saber que puedo ser feliz de nuevo tal como lo fui una vez. Todo juego requiere una visión para el día de mañana. De esa manera produce y sostiene la esperanza. De esa manera arriesga con valentía la posibilidad de un futuro deseado en las denodadas demandas de la vida diaria. Cada viaje al campo de fútbol para practicar es la promesa del próximo partido. Cada partido es un riesgo del próximo campeonato o de la beca deportiva, o aun solo la dedicación del jugador que practica con más esfuerzo que los demás, pero que conoce el sufrimiento de quedarse sentado en la banca. Todo el tiempo que se usó en llevar a los hijos a las prácticas, año tras año, quizá sea un pasaje de kilómetros sin significado para llegar al campo de juego, o tal vez sea el juego significativo de hoy que anticipa la oportunidad de mañana.

¿Hablo ahora del jugador o del padre? Debería ser de ambos. No obstante, es triste que lo descrito sea más a menudo el hijo jugador y no el padre el animador, confesor, conductor y enfermero. El juego requiere la participación de los dos. No es juego a menos que el padre o la madre se unan al hijo en la fiesta. Yo debo armar alboroto y entusiasmarme mucho; lamentarme y gritar, y caminar de arriba para abajo con nerviosismo, todo por una pelota de tenis que se dejó pasar. También debo entregarme por completo a desafiar a mi hijo a un juego en la computadora y ayudar a mi hija a planear un viaje a Rusia.

En esos momentos debo recordar el amor al juego; debo arriesgarme a soñar por mi hijo; y luego debo invertir y arriesgar mi vida en el intento. Tal juego siempre requiere cierto compromiso de mi parte: que observe y admire, y que me una a mis hijos y los guíe en la seria tarea del cielo. O, tal vez debería decir, el serio juego del cielo en la tierra.

Observar y admirar

«¡Mírame, mamá! ¡Fíjate en esto!» Esas palabras vienen de un campo de juegos (una palabra interesante) al igual que el coro de un himno de antaño. El juego es para cautivar. Cuando una niñita de tres años hace piruetas mostrando su vestido nuevo, o una joven de diecisiete años se pone el uniforme para un partido importante, no se vistieron para lograr éxito, sino que se vistieron para que las admiraran.

La «mirada» que vemos en los ojos de los observadores puede hacernos sentir bien o mal. Es vida o muerte, pero uno de los elementos clave de todo juego es que se observe y que los demás conozcan el resultado. Es la anticipación y la incertidumbre la que produce el drama, y es el resultado el que por un momento detiene el tiempo en el poder de la actuación. La niña de cinco años que se prepara para lanzarse de un columpio lo hace con tanta ceremonia y expectativa como los astronautas que con solemnidad proceden en fila india a salir de la zona del andamio y entrar a la nave espacial que los va a catapultar más allá del cielo. ¿Por qué tanta pompa y ceremonia? No es diferente al niño que grita: «¡Mamá, mírame!». El niño está diciendo: «Estoy a punto de hacer algo en verdad peligroso y extraordinario, y si miras el tiempo suficiente, te vas a asombrar, te vas a quedar sin aliento y vas a estar muy orgullosa de mí».

Sucede lo mismo en el recital de piano, en la apertura de una exhibición de arte, en una ceremonia de boda. «¡Mírame, mamá! ¡Estoy (o estamos) a punto de hacer algo sorprendente de verdad!». Hay algunos que piensan que esto puede aumentar el envanecimiento difícil de manejar de un niño, y sí lo puede hacer. No obstante, mucho más es la verdadera gloria del juego: Hemos venido a observarte y nos vamos a quedar asombrados por lo que hagas.

El asombro es la antesala de la admiración. Admirar es humillarse a uno mismo ante el esplendor y la gloria de otra persona. Es una cosa que un narcisista no puede permitir. Es lo opuesto a la envidia y los celos. La admiración bendice a la otra persona que es y llega a ser lo que no somos nosotros. Le pone nombre a la singularidad sin intentar bajarla a nuestra condición. Es la forma más refinada de elogio.

Todo hijo anhela ser la niña de los ojos de sus padres, no debido a una actuación perfecta, ni siquiera como el resultado del trabajo arduo, sino solo porque lo quieren. Es posible que una hija cruce la meta de la carrera en el último lugar, o que regrese a su casa sucia después de haber malgastado la mitad de la fortuna de la familia, pero todavía es un espectáculo para los ojos doloridos. Es cuando los ojos del padre o la madre se iluminan cuando el juego ha llegado a su momento cumbre. El «¡Mírame, mamá!» no termina cuando un niño tiene seis o aun veintiséis años. Es uno de los anhelos vehementes y centrales del corazón humano. Me crearon para que me apreciaran y también para deleitarme. Es el juego el que nos da el contexto y la oportunidad de que nos admiren. Aun así, el juego no solo llama a los padres a mirar el partido desde las líneas de bandas, sino a unirse y a guiar al hijo a la vida.

UNIRSE Y GUIAR

Un corazón que ama no se puede quedar en la periferia; se debe unir a la danza de la celebración. Nunca basta con llevar a un hijo a la clase de música y aprovechar para descansar unos momentos mientras hace sonar la trompeta en el oído de otra persona. Uno debe unirse al juego o no es juego. Es triste que pocos padres jueguen con sus hijos después de los primeros años de vida. Tal vez llevemos a nuestros hijos a jugar, pero pocas veces nos unimos al serio acto del juego personificado.

¿Quiere decir eso que los padres se deben unir a un equipo de fútbol de adultos si a su hija le encanta el fútbol o que deben estudiar violín para acompañar a una futura virtuosa? Tal vez, pero si nos entrometemos en todo lo que hacen, les quitamos la oportunidad de crecer en independencia y autonomía. Sin embargo, debe haber una unión juguetona que entre a su mundo y que los invite a que entren a nuestro universo.

Tal vez sea un deporte. Quizá sea enseñarles en el hogar en lugar de enviarlos a la escuela pública. A lo mejor es una inclinación para coleccionar sellos de correo, tejer, leer literatura romántica del siglo diecinueve o la fotografía digital. En cada caso, es una unión la que llama a los padres a guiar.

Un padre guía cuando es un modelo de la realidad de la independencia y la intimidad. Para eso hace falta valor y exponerse al riesgo de la soledad y el fracaso. Los líderes deben aceptar el fracaso personal y luego arrepentirse. El arrepentimiento significa humillarse uno mismo ante la acción ejecutada o no ejecutada y vivir a la luz de lo que debe ser. El arrepentimiento es vivir la verdad de que no podemos vivir la verdad y pedir ayuda a pesar de nuestra dependencia. El arrepentimiento nos envía de vuelta a los brazos que nos esperan de nuestro Padre; por lo tanto, el verdadero arrepentimiento es el precursor de la redención. El verdadero liderazgo no solo es el que se arrepiente, sino que recibe el aun más humillante llamado a la fiesta a celebrar con un Dios que soporta el fracaso como si fuera propio en lugar de dejarlo con nosotros como si fuera nuestro pago[5].

Por lo tanto, el liderazgo en cualquier esfuerzo requiere que corramos el riesgo de hacer una decisión y un compromiso osado que invite al fracaso. Una vez que se adopta esta dinámica, entonces un verdadero líder acepta el resultado que le gusta con el que no le gusta. Este tipo de líder se regocija con lo bueno y no acepta negar lo malo. Un líder no vive de los éxitos, sino de la certeza de que va a fallar, pero al igual que en el juego de béisbol, no le va a pegar a la pelota en el primer tiro, sino que va a tomar el bate y tratar de pegarle en el siguiente. Hace esto con la certeza de que, a pesar del pecado, la gracia abunda, y tenemos el llamado a maravillarnos en un Dios de gracia[6]. Tal actitud de maravillarnos nos lleva a una gratitud que va hasta la médula de nuestros huesos.

La gratitud es la precursora de la creatividad. Mientras más libertad experimente cuando fracaso, más dispuesto voy a estar a usar los pedazos rotos de mi último intento como el material básico para la nueva obra de arte de hoy. Esta es la línea divisoria entre la crianza de los hijos en forma rígida y legalista, y la forma de criarlos llena de gracia y generosidad. Mientras más ponemos nuestra meta en ser padres perfectos, no solo vamos a fracasar más, sino que fracasaremos con rigidez, enojo y culpa. Llegaremos a odiar en secreto a nuestros hijos puesto que su presencia en nuestras vidas es la ocasión de que nos percibamos como nuestros mayores fracasos.

Por otro lado, el padre pródigo y humilde sabe que no puede hacer las cosas bien. Reconoce que sus fracasos le enseñan mucho más de lo que jamás le enseñarán sus éxitos. Mis fracasos invitan a la gracia, la gratitud y aun más a la creatividad. El verdadero liderazgo se mueve de la gratitud a la nueva creación. Debo crear de nuevo con mis hijos, en especial cuando enfrento mi fracaso.

Un sabor de Dios

Era la fiesta por los doce años de edad que cumplía mi hijo. Era una tarde divertida, llena de regalos, torta de cumpleaños e historias. Hacia el final de la velada, mi hijo y yo intercambiamos golpes en el brazo, un juego «de hombres». Su fuerza en aumento me propinó un fuerte golpe que en realidad me dolió. Le devolví el golpe y le dije: «¡Esto terminó!». Él me propinó otro golpe y había lágrimas en sus ojos. Yo estaba furioso y le dije que íbamos a terminar esa tontería. Me miró con fijeza y su labio tembló. Me dijo con brusquedad: «Tú siempre tienes que hacer algo para arruinar una diversión. Arruinaste mi fiesta de cumpleaños». Corrió escaleras arriba muy enojado.

Mi esposa y mis dos hijas me miraron con disgusto. Annie fue la primera que habló: «Papá, hasta cierto punto él tiene razón. A menudo tú llevas las cosas a los extremos. Creo que le pegaste muy fuerte». Amanda se unió a la conversación: «A ti te cuesta dejar que una tarde agradable termine sin hacer que la gente se disguste contigo». Becky solo me miró sin decir nada. Me sentí atrapado, culpable, confundido, herido, falsamente acusado y consciente de que algo importante se decía que era a la vez verdad y no era verdad. O bien podía defenderme de lo que no era verdad o moverme a los asuntos humillantes de lo que *era* verdad en lo que se había dicho.

Me dirigí al cuarto de Andrew y encontré una puerta cerrada con llave. No podía exigir que la abriera, ni tampoco podía dejar que ganara con su enojo escondiéndose. La crianza de los hijos es a menudo un proceso de fracasar y luego fracasar de nuevo en respuesta al primer fracaso. A medida que los fracasos aumentan se convierten en patrones que son tan regulares que casi siempre se pasan por alto. Entonces se excusan con arrepentimiento o se albergan sin que seamos conscientes de ello. En cualquiera de los dos casos, le agregan tejido a la cicatriz de la primera herida.

De pie allí, en el pasillo, se lo confesé en silencio a Dios. Sin embargo, no sentí el gozo y la maravilla del perdón. He sentido ese gozo en el pasado, así que me basé en lo que nos trajeron esos acontecimientos anteriores. Toqué a la puerta del cuarto de mi hijo y le dije: «Te fallé en forma terrible. Todavía no entiendo la profundidad de tu enojo y no lo voy a poder hacer hasta que tú hables conmigo. Si no hablas, al menos abre la puerta y permíteme estar de pie delante de mi esposa y de mis hijas y decirles, en tu presencia, que te fallé y que no te honré».

El liderazgo se mueve hacia adelante y actúa con torpeza. Confiesa y recibe lo que no merece, y luego arriesga otra vez una serie de oportunidades en el juego. Andrew no vino a la puerta y le dije que tenía cinco minutos para decidir. Al final de los cinco minutos, abriría la puerta y hablaríamos aun si había decidido no hablar. ¿Me equivoqué de nuevo? ¿Debería haber dejado que la interacción perdiera un poco de calor y suponer que las cosas mejorarían al otro día? ¿Cuándo la retirada es la mejor opción? No lo sé. Lo único que sé es que le había pegado a mi hijo demasiado fuerte, había cambiado las reglas en la mitad de la experiencia de dolor y había traído una sombra a su cumpleaños.

Estaba equivocado, pero todavía era su padre y él era mi hijo. Todavía era el que debía guiar, aun si ahora tenía el llamado a seguir adelante debido a mi pecado. El pecado nunca nos exonera de nuestro llamado a liderar. No debemos liderar con negación ni fracaso, tampoco nuestro fracaso es una excusa para no ejercer influencia y crear. Tengamos razón o no, todavía debemos liderar.

Pasaron los cinco minutos y le dije: «Voy a entrar. Por favor, abre la puerta y permíteme enfrentarte de hombre a hombre». Pude escuchar que su silla se movía hacia atrás y que caminaba con lentitud para abrir la puerta. Su mirada estaba clavada en el piso. Se esforzaba al máximo para controlar su enojo que se enfriaba. Nos sentamos en su cama y al final las lágrimas le rodaron por el rostro. Lo abracé y él comenzó a llorar. Yo seguía tan confundido como cuando él explotó antes. No lograba entender cómo había provocado una ráfaga de furia adolescente, ni tampoco entendía cómo ahora era un muchacho suave que derramaba enormes lágrimas.

No obstante, yo sé esto: Andrew necesitaba, y lo necesitaba con desesperación, un padre capaz de humillarse y que, sin embargo, no fuera débil; un padre que se rindiera, al tiempo que luchaba por su alma y por nuestra relación. Necesitaba un sabor de Dios. Yo también lo necesitaba en forma desesperada de parte de mi hijo y con mi hijo. Sabía que Dios estaba presente en el cuarto y también estaba presente en nuestro abrazo.

Yo soy, y siempre seré, el padre de Annie, Amanda y Andrew. Es mi distinción y honor más importante, solo en segundo lugar a ser el esposo de Rebecca. Y soy un padre desesperado y asustado. También soy un vagabundo pródigo y un hermano mayor que se cree justo, y a los dos se les da la bienvenida en una fiesta a la que se puede entrar con más intensidad a través de la puerta de mi familia. Si aceptara la invitación, traspasara con obediencia la puerta y recibiera el dolor y la gloria que me esperan, no solo seré un mejor padre y esposo, sino un ser humano cuyos hijos lo criaron hacia un conocimiento más profundo y sincero de Dios.

A través del éxito y del fracaso, a través del gozo y del dolor, a través de la risa y de las lágrimas, nuestro fantástico y gran Dios todavía usa a los hijos para criar a los padres.

Notas

Introducción

1. Véase Mateo 18:3.

Capítulo 1

1. Jon Walker, «Family Life Council Says It's Time to Bring Family Back to Life», *BP News*, 12 de junio de 2002. Visite este sitio Web: www.bpnews.net.

Capítulo 2

1. Véase Efesios 5:1-2.
2. Véase Lucas 13:34.
3. Véase Hebreos 12:5-11.
4. Véanse Levítico 19:2; Mateo 5:48.
5. La Biblia dice que proveer la disciplina necesaria no es una opción (véase Proverbios 23:13-14). Además, declara que no se ama a un niño que no se disciplina (véanse Hebreos 12:5-11 y Apocalipsis 3:19).
6. Véase Eclesiastés 4:4.
7. Santiago 1:5.
8. Véase Marcos 12:28-31.
9. Véase Juan 17:6-19
10. Véanse Lucas 15:11-32; 18:18-25.
11. Véase Hebreos 5:8.

Capítulo 3

1. Para más sobre esto, véase *Generations* de William Strauss y Neil Howe (William Morrow, Nueva York, 1991), y *The Fourth Turning*, por los mismos autores (Broadway Books, Nueva York, 1997). Estos respetados investigadores no desarrollan en detalles los asuntos teológicos y sicológicos relacionados con el ciclo de las generaciones. En su resumen, no se les debe culpar de mi adaptación de sus descubrimientos.
2. Oseas 13:4-11.

Capítulo 4

1. Volveré a la historia de mi hija en el capítulo 10.
2. Por supuesto que mi crítica a la industria de la autoayuda tiene el mal olor de la insinceridad porque este libro se escribió para

los que buscan ayuda. Así que permítanme una contradicción: Este libro no va a revolucionar su vida; solo lo colocará en el camino para hacer lo que siempre ha querido hacer.

Capítulo 5

1. Eclesiastés 4:4.
2. La base bíblica para esta ética se encuentra en Levítico 19:18; Romanos 13:9; Gálatas 5:14; Santiago 2:8; y en otros lugares.

Capítulo 6

1. Véase Proverbios 13:12.
2. Véase en Mateo 7:15 la advertencia de Jesús con relación a los faltos profetas, y la advertencia de Pablo en Hechos 20:28-30 sobre los falsos maestros.
3. Véase en Mato 18:6 la advertencia de Jesús con relación a causarles a nuestros hijos que pierdan la fe.
4. Véanse Malaquías 2:15-16 y Hechos 20:28-30.

Capítulo 7

1. Véase Romanos 1:20-22.
2. Salmo 62:11-12.
3. Jeremías 31:20.
4. Véase Génesis 1:28.
5. Véase Génesis 3:6-10.
6. Véase Génesis 3:11-14.
7. Gálatas 3:13.
8. Mateo 27:46. Véase también Salmo 22:1.
9. Véase 1 Corintios 1:18-31.

Capítulo 8

1. Proverbios 17:25.
2. Proverbios 23:24-25.
3. Proverbios 27:11.
4. Véase Proverbios 17:25.
5. Romanos 5:2-5.
6. Véase Romanos 8:26-27.
7. Véanse Juan 14:25-26; 15:26; 16:14-15.

Capítulo 9

1. Véase Apocalipsis 2:17.
2. Véase Salmo 62:11-12, en el cual el salmista nos da una concisa descripción del carácter de Dios: «Tú, oh Dios, eres poderoso [...] tú, Señor, eres todo amor».
3. Apocalipsis 2:17.
4. Génesis 2:19-23.

Capítulo 10

1. Véase Génesis 4:6.

Capítulo 11

1. Lucas 15:20-23, 25-32, LBD.
2. Lucas 15:19, LBD.
3. Véase Henri Nouwen, *El regreso del hijo pródigo*, Editorial PPC, Madrid, 1994.
4. Romanos 7:24.
5. 1 Corintios 15:55.
6. 2 Corintios 2:15-16.
7. Véase 1 Corintios 10:13.
8. Véase Mateo 20:1-16.
9. Véase Mateo 20:15.
10. Lucas 15:31.
11. Véase Lucas 18:9-14.

Capítulo 12

1. Véase Lucas 15:11-32.
2. Annie Dillard, *Pilgrim at Tinker Creek*, Harpers Magazine Press, 1974, p. 65.
3. Dianne Ackerman, *Deep Play*, Vintage Books, Nueva York, 1999, p. 136.
4. Mateo 25:23.
5. Véase Romanos 5:8; 2 Corintios 5:21.
6. Véase Romanos 5:20-21.

Reconocimientos

La labor de este libro se realizó durante el nacimiento y los primeros pocos años de existencia de la escuela Mars Hill Graduate School (www.mhgs.net). Los dolores de parto de ambos proyectos fueron mucho más fuertes de lo que jamás me habría imaginado. Los hombres no se crearon para tener hijos. Sin embargo, muchos queridos amigos y colegas sobrepasaron los niveles de cuidado y paciencia mucho más que el dolor soportado.

Al personal de WaterBrook Press, en especial a Ron Lee: Gracias por ayudarme con paciencia a descubrir lo que quería decir en realidad.

A Kathy Helmers, mi agente literario: Amiga, gracias por creer, a pesar de las muchas pérdidas, que iba a nacer un libro.

A la junta directiva y a mis colegas de Mars Hill Graduate School: Qué dulce ha sido llorar y reír con ustedes.

A Linda, Samantha y Allison: Ah, valientes cuidadoras, guardianas, conciencias y amigas, gracias por ayudar a mantenerme un poco cuerdo en mis viajes, en mi hogar y vivo.

A Tremper Longman III: Gracias, querido amigo, por saber escuchar las palabras más sinceras de mi corazón.

A mis hijos Annie, Amanda y Andrew: Quiera Dios que respiren el Espíritu, luchen con reinos y coman y beban de la gloria de Él.

A mi esposa Rebecca: Hospital Plantation. Hospital Goshen. Cama fría y metálica. Bisturí. Terror. Nacimiento. Tres veces me has presentado al rostro de Dios. Tres veces y tres veces más has tenido en tu cuerpo un aterrador regalo de Dios. Cada vez tu belleza se ha elevado y tu presencia nos ha cubierto de gloria. Tu sufrimiento nos ha salvado. Te amo.